AYURVEDA
Cultura de Bem-Viver

MÁRCIA DE LUCA & LÚCIA BARROS

2007, 2010 © Márcia De Luca, Lúcia Barros

Direitos desta edição reservados a
EDITORA DE CULTURA LTDA.
Rua Baceúnas, 180
03127-060 - São Paulo - SP
Fone: (11) 2894-5100

atendimento@editoradecultura.com.br
www.editoradecultura.com.br

Nenhuma parte deste livro poderá ser
reproduzida, armazenada ou transmitida
sob qualquer forma ou através de qualquer meio
sem prévia autorização por escrito da Editora.

Primeira edição: Outubro de 2007
Impressão: 13ª   12ª
Ano: 2023   2022

Dados Internacionais de Catalogação na Publicação (CIP)
(Elaboração: Aglaé de Lima Fierli – CRB-9/412)

D439a   De Luca, Márcia
          Ayurveda - Cultura de bem-viver / Márcia De Luca, Lúcia
       Barros. - - São Paulo : Editora de Cultura, 2007
          328 p. : 19 x 25 cm

          ISBN : 978-85-293-0114-3

          1. Ayurveda. 2. Medicina Ayurvédica. 3. Terapêutica
       Indiana. 4. Alimentação. 5. Saúde. 6. Meditação. 7.
       Longevidade. 8. Yoga. I. Título. II. Barros, Lucia.

                                21. ed. - CDD - 615.53
                                22. ed. - CDD - 615.538

Índices para catálogo sistemático:
1. Medicina terapêutica : medicina ayurvédica 615.538
2. Alimentação : Longevidade 612.68
3. Yoga : terapêutica indiana 613.7046
4. Alimentação : Saúde 613

Concepção e textos
MÁRCIA DE LUCA e LÚCIA BARROS

Consultoria em medicina ayurvédica
JOSÉ RUGUÊ RIBEIRO JUNIOR

Consultoria em receitas ayurvédicas
LAKSHMI e GOVINDA DAS

Consultoria em astrologia védica, *Jyotish*
HORÁCIO TACKANOO

Coordenação Editorial / Preparação e Revisão
PAGLIACOSTA EDITORIAL
MIRIAN PAGLIA COSTA
LEONARDO GONÇALVES

Ilustrações
CLAUDIA SCATAMACCHIA

Fotos dos *asanas*
NELLIE SOLITRENICK

Modelo dos *asanas*
RICARDO MIRANDA

Fotos ilustrativas
LUIS GELPI e RENATA MENDES

Projeto gráfico
ERICA DE CARVALHO MIRANDA

Dedicamos este livro

Aos meus netos,
Lívia, João Pedro, Isabela e Henrique

Às minhas filhas,
Laura e Rachel

Esses pequenos seres iluminados poderão usufruir ao máximo os ensinamentos da Ayurveda e crescer saudáveis e felizes. Assim, serão peças-chaves para a criação de um mundo pleno de paz, harmonia, alegria e amor. Que bom, então, será viver!

MÁRCIA DE LUCA & LÚCIA BARROS

AGRADECIMENTOS

A Lucinha, minha querida, em quem tanto admiro a firmeza de caráter, a integridade e o profissionalismo. Ao unirmos seu dom para a comunicação e meus tantos anos de estudos de Ayurveda, *yoga* e meditação, criamos obras com capacidade para atingir milhares de pessoas. A união faz a força. Mesmo.

MÁRCIA DE LUCA

A minha mestra Márcia, exemplo de vida, determinação e doçura, a quem tenho o privilégio de chamar de amiga. Mais um projeto conjunto, mais uma grande satisfação pessoal e profissional. Que nossos *dharmas* continuem cruzados. Sempre.

LÚCIA BARROS

Este trabalho é resultado da colaboração de muitas pessoas maravilhosas, às quais também estamos para sempre gratas:

Fran Abreu, da DPTO., pelo apoio incondicional, projeto gráfico e contatos para a primeira edição desta obra e à sua brilhante equipe, em particular Gabriela Blotta e Myrian Freitas, fundamentais para a realização deste projeto;

Silvia Camargo, de todo o coração, por acreditar neste projeto e trabalhar por sua viabilização desde o primeiro momento;

David Frawley, o mais respeitado ocidental no mundo da Ayurveda, pelo prefácio;

Deepak Chopra, nosso mestre, pelas palavras de confiança e estímulo;

Dr. José Ruguê Ribeiro Junior, pelo depoimento médico e pela parceria no Ciymam;

Claudia Scatamacchia, pelas ilustrações;

Erica de Carvalho Miranda, pelo inspirado projeto gráfico, e Jean Kleber, responsável por sua execução;

Govinda Das e Lakshmi, pelas deliciosas receitas do capítulo sobre alimentação e pelo empréstimo das imagens de divindades fotografadas para esta obra;

H.S. Puri, embaixador da Índia no Brasil, e Rajeev Kumar, cônsul comercial em São Paulo, por seu interesse e apoio;

Luis Gelpi, pelas fotos que tirou durante nossa viagem à India, e Erica de Castro, Marlei Caroli e Renata Mendes, por nos cederem as fotos tiradas por elas;

Horácio Tackanoo, pela consultoria em astrologia védica, *Jyotish*;

Gol Transportes Aéreos e Ministério da Cultura, por seu aval à primeira edição;

Mirian Paglia Costa, da Editora de Cultura, pelos comentários sempre pertinentes, pela revisão e publicação;

Nellie Solitrenick, pelas lindas fotos que ilustram nossos capítulos;

Pedro Kupfer, amigo de todas as horas, por partilhar seu profundo conhecimento dos textos védicos;

Ricardo Miranda, nosso modelo nas fotos dos *asanas*, pela amizade e disponibilidade;

Robert Wong, pela tão gentil apresentação.

SUMÁRIO

Prefácio, David Frawley...14

Apresentação, Robert Wong..17

Saudação, H.S. Puri..18

Capítulo I
POR UMA CULTURA DE BEM-VIVER...19

CONHECIMENTO SAGRADO...22

    Rig Veda: cantos de louvor...22

    Sama Veda...23

    Yajur Veda..23

    Atharva Veda...24

    Médicos, sacerdotes e astrólogos..25

        Ao redor do mundo...27

        Prevenir é melhor..30

Capítulo II
DIVINDADES: HERANÇA VIVA..31

O PODER DOS ARQUÉTIPOS..33

    Dhanvantari, o curador divino..35

    Brahma, o criador..36

    Vishnu, o mantenedor...39

    Shiva, o destruidor...42

    Shakti, o poder da deusa...45

    Saraswati, a deusa do conhecimento...46

    Lakshmi, a deusa da fortuna..48

    Parvati, a mãe...50

    Durga, a força da natureza...52

    Kali, a dissolução...53

    Ganesha, o que abre caminhos..55

    Krishna, a pura devoção..57

    Hanuman, o corajoso...58

    Herdeiros de deuses e estrelas...59

Capítulo III
O UNIVERSO É CONSCIÊNCIA...61

OS PRINCÍPIOS CÓSMICOS..64

    Prakriti: natureza primordial..64

    Mahat: inteligência cósmica..64

    Ahankara: ego...65

    Manas: mente condicionada..65

    Tanmatras: os cinco sentidos..65

    Pancha Jnanendriyani: os cinco órgãos sensoriais.......................65

    Pancha Karmendriyani: os cinco órgãos de ação.........................66

    Pancha Mahabhutani: os cinco elementos..................................66

O PENSADOR DOS PENSAMENTOS..67

TRÊS QUE SÃO TUDO..69

    A mente na corda bamba..70

    Objetivos do ser humano...71

    Os *gunas* e a Índia..73

    Funções da mente..76

Capítulo IV
SER HUMANO: ENTRE O MANIFESTO E O NÃO-MANIFESTO......................79

COMO MUTANTES...82
TRÊS CORPOS, TRÊS REALIDADES..84
    Corpo quântico 84
    Corpo físico 85
    Corpo sutil 85
    Corpo causal 86
    Tudo é questão de perspectiva 88

Capítulo V
AS BASES DA AYURVEDA 93
OS FUNDAMENTOS DA SAÚDE..95
    Agni: a lareira do corpo..96
    Ojas: a seiva da vida..97
    Ama: toxinas..98
    Srotas: canais da vida 99
OS SETE TECIDOS...99
    O processo de nutrição dos tecidos 103
OS SEIS ESTÁGIOS DA DOENÇA 105
    O diagnóstico 107
    Fatores causais das doenças 112

Capítulo VI
***DOSHAS*: O UNIVERSO EM VOCÊ**..115

OS CINCO ELEMENTOS 117
OS TRÊS *DOSHAS* 118
    Equilíbrio e desequilíbrio 120
    A soma que subtrai 122
SEU *DOSHA* 124
    Vata: ao sabor do vento..124
    Pitta: pode vir quente que ele está fervendo 126
    Kapha: devagar e sempre 128
    Tudo combinado 130
    Subdoshas..132
    O corpo e a natureza 141

Capítulo VII
A FARMÁCIA DO CORPO 145

TODOS OS SENTIDOS 147
120 ANOS DE (BOA) VIDA 149
AUDIÇÃO: A RESPOSTA PREDOMINANTE DE *VATA*.........................150
    O poder dos *mantras* 151
    Músicas que curam..153
    O som do silêncio 156
VISÃO: A RESPOSTA PREDOMINANTE DE *PITTA* 157
    O poder dos *yantras*...158
    Cores que curam..160
    Relógio biológico 161
OLFATO: A RESPOSTA PREDOMINANTE DE *KAPHA* 162
    A rota dos cheiros 163

Um mundo de aromas 164
A essência da cura 165
Receitas de equilíbrio 166
PALADAR: *KAPHA* DE NOVO 168
TATO: *VATA* OUTRA VEZ 168
Massagem faz bem 169
Abhyanga: toque-se 171
Os passos da *autoabhyanga* 172
PANCHA KARMA 174
Purva karma: preparação 174
Pancha karma: purificação 174
Uttara karma: manutenção 175

Capítulo VIII
ALIMENTAÇÃO: SABOR E EMOÇÃO 177

O SABOR DA SAÚDE 180
Trio maravilha 183
ALIMENTANDO SEU *DOSHA* 186
Vata 187
Pitta 188
Kapha 189
Fontes da juventude 189
Prazer à mesa 191
Agni: mais fogo na lareira 194
Ervas para a longevidade 199
DIETA SÁTVICA 200
Receitas para os *doshas* 202

Capítulo IX
MEDITAÇÃO: EM BUSCA DO SILÊNCIO PERDIDO 209

A CHAVE DE CASA 212
A ciência assina embaixo 213
Como, onde, quando? 217
Meditação na respiração 220
O CAMINHO DAS PEDRAS E OS ELEFANTES COR-DE-ROSA 222
Meditação é matemática 224
Meditação na vela 226
Visualização 227
Meditação na música 227
Meditação na dança 228
Meditação com *mantras* 228
Meditação integrada 230
Meditação no som primordial 230
Os sete níveis de expansão da consciência 230
Quem sou eu? Quem é Deus? 233
O milagre nosso de cada dia 235

Capítulo X
YOGA: TODOS SOMOS UM 237

NEM O CÉU É O LIMITE 241
Principais ramos do *yoga* 241

Princípios éticos..244

   Yamas: não, não, não..244

   Niyamas: sim, sim, sim..245

Asanas: a arte das posturas físicas.......................................246

   Surya namaskar: saudação ao Sol.................................248

   Chandra namaskar: saudação à Lua..............................252

Pranayamas: a emoção está no ar...254

   A respiração completa..256

Pratyahara: abstração dos sentidos......................................257

Dharana: tudo é questão de foco...257

Dhyana: a meditação...258

Samadhi: a hiperconsciência...258

Yoga para **Vata**...261

Yoga para **Pitta**...269

Yoga para **Kapha**...277

Capítulo XI
SEMPRE JOVEM...285

QUANTOS ANOS VOCÊ TEM?..288

Determinando a sua idade..289

Dinacharya: rotina de bem-estar...292

Sobre árvores e bambus...294

S.O.S. emoção..296

Transcendendo a morte..303

Capítulo XII
GERANDO ABUNDÂNCIA..305

DESEJAR SE APRENDE...308

Os ímãs da abundância..309

   Aquietar a mente...309

   Dar e receber..310

   Semear o que queremos colher......................................312

   Fazer o mínimo necessário...315

   Focar a atenção e a intenção..316

   Desapegar-se do resultado...318

   Encontrar o propósito de vida.......................................319

   Um é pouco, sete é perfeito...320

   Abundância coletiva...322

Os ímãs da paz...323

   Incorporar a paz...323

   Pensar a paz..323

   Sentir a paz...323

   Falar de paz..324

   Agir pela paz...324

   Criar a paz..325

   Compartilhar a paz..325

ÚLTIMAS PALAVRAS..326

Bibliografia...327

PREFÁCIO

Medicina tradicional e natural da Índia, a Ayurveda data de mais de cinco mil anos e hoje é reconhecida mundialmente por sua profunda sabedoria e amplos poderes de cura. Enfatizando a conexão total entre corpo, mente e espírito, é um dos sistemas mais completos não somente de tratamento, mas também de prevenção de doenças e promoção da saúde perfeita. Ao apresentar um modelo de bem-estar total, a ciência da longevidade nos possibilita realizar integralmente nosso potencial em todos os aspectos da vida.

Atualmente, existem centros ayurvédicos em cidades e países de destaque na cena internacional, e a tendência é que essa expansão continue, pois a visão do ser humano sobre nossas necessidades em relação à saúde está mudando de acordo com a era ecológica – do antigo enfoque de tratar crises agudas, passamos para o de lidar com doenças crônicas e melhorar a maneira como vivemos, sentimos e pensamos. Isso significa que a Ayurveda não é apenas a medicina de um passado longínquo, mas também a de um futuro promissor. Não vale somente para a Índia, mas para toda a humanidade, já que todas as pessoas querem se sentir melhor, ser mais felizes e viver a vida com maior consciência.

A Ayurveda é o aspecto médico do vasto sistema espiritual do *yoga* e se integra perfeitamente com o estilo de vida e o padrão mental dessa filosofia. Ambos enfatizam a consciência como o fator mais importante para a saúde e a felicidade e têm em comum a metodologia de paz, não-violência, equilíbrio interior e do viver em harmonia com a natureza e o Espírito.

De acordo com a tradição, a Ayurveda é a ciência védica para a cura do corpo e da mente, enquanto o *yoga* é a ciência védica para a libertação do espírito e a união com o divino. A Ayurveda oferece um sistema integral de medicina yóguica através do qual as ferrramentas do *yoga* – dos *asanas* à meditação – podem ser usadas da maneira mais eficaz possível para evitar a dor e melhorar nossas funções em todos os níveis. Daí esse sistema de prevenção e cura ser extremamente importante para todos os praticantes de *yoga*, em especial para professores e terapeutas dessa prática. Por meio de Ayurveda, podemos usar todos os potenciais curativos do *yoga* de maneira espiritual e natural.

É na natureza e na força cósmica da vida que a Ayurveda busca a cura para nós, e não só nas drogas químicas ou nas intervenções cirúrgicas. Ela nos oferece métodos orgânicos e seguros de tratamento por meio de ervas, dieta, massagem, aromaterapia e purificação interna. Inclui métodos terapêuticos e protocolos específicos para todos os tipos de doença, desde um resfriado comum até doenças digestivas, do coração, artrite e câncer – tudo o que interessa à medicina.

A Ayurveda compreende ainda uma dimensão psicológica, nos ensinando a equilibrar energias emocionais de forma duradoura. Mostra-nos como lidar com estresse, insônia, ansiedade e depressão, sempre com métodos naturais e espirituais, incluindo *pranayamas* (exercícios respiratórios), *mantras* (sons de poder) e meditação. Em âmbito espiritual, a Ayurveda mostra como ir além do sofrimento humano por meio do contato com a essência divina que existe em nossos corações. Talvez nenhum outro sistema de medicina atual abranja todos esses níveis do nosso ser, proporcionando harmonia interior e exterior para nos curar e curar o ambiente em que vivemos.

Mas a Ayurveda não se limita a ser um sistema para tratar doenças específicas, pois ela abrange também normas para formatar um estilo de vida que nos ensina a viver mais, melhor, com mais saúde, vitalidade e entusiasmo. A parte de rejuvenescimento da Ayurveda ajuda-nos ainda a dispor de mais energia à medida que envelhecemos e pode nos livrar de internações hospitalares, que não apenas são caras como nos expõem a mais doenças.

Um dos fatores mais importantes e característicos da prática da Ayurveda é sua classificação dos seres humanos em diferentes tipos de constituição. Ela não encara os indivíduos como iguais em termos de constituição e nem considera que dietas e remédios possam ser bons para todos. Ao contrário, ensina que cada pessoa é diferente. O tamanho, a forma, o peso do corpo, os padrões de digestão, a circulação e a respiração, os hábitos de exercício, o trabalho e a expressão conferem a cada um de nós um padrão único de energia, que precisamos aprender a harmonizar e equilibrar de um modo particular e em conformidade com nosso ambiente e nossa atividade. Nossa mente também é diferente em interesses e inclinações, em poder de inteligência e flutuações emocionais, exigindo abordagem igualmente individualizada para que possa desabrochar completamente.

Essas diferenças entre pessoas seguem as forças da natureza e se apresentam em diversos tipos energéticos, dos quais são predominantes *Vata*, *Pitta* e *Kapha* – ou seja, os tipos do ar, do fogo e da água. Os três tipos básicos podem chegar a até dez tipos diferentes, dependendo dos graus e das combinações dos elementos.

Através desses tipos mente-corpo, a Ayurveda nos oferece muitas ferramentas de autocura, ensinando a adaptar nossa dieta, nossos exercícios e expressões para melhorar nossa energia e nosso *karma*. O objetivo é que possamos assumir o controle de nossa saúde e bem-estar, e não permanecer dependentes de especialistas e procedimentos hospitalares caros para nos sentir seguros.

O Brasil é um país jovem e vibrante, com pessoas de energia e vitalidade, uma paisagem naturalmente poderosa e maravilhosas plantas tropicais curativas. Isso faz dele um lugar ideal para que os métodos de cura natural e espiritual da Ayurveda e do *yoga* se enraízem. Visitei o país algumas vezes e testemunhei a diversidade de seu povo e de seu território, desde suas colinas luxuriantes até suas vastas praias.

Márcia De Luca é uma das precursoras da Ayurveda no Brasil, mantendo-se como uma expoente do setor por muitos anos, já tendo realizado diversas contribuições notáveis nesse campo. Ela tem corrido mundo para seus estudos, incluindo muitas idas à Índia, além de viagens de estudo e experiência pessoal para aquisição de conhecimento e *expertise* em *yoga* e Ayurveda com vários professores, em diversas clínicas e diferentes *ashrams*. Além de praticante e professora de Ayurveda, ela é também autora e tem atuado como porta-voz dessa especialidade para a mídia.

Márcia combina notavelmente *yoga* e meditação com a apresentação que faz da Ayurveda como uma abordagem integradora de corpo, mente e espírito. Seu enfoque considera a profundidade total e as muitas dimensões das ciências védicas. Seu ensinamento integrado de *yoga* e Ayurveda é muito útil para a combinação dessas duas disciplinas irmãs, constituindo uma das mais novas e dinâmicas abordagens do *yoga* e da Ayurveda na atualidade.

Visitei o centro de trabalho de Márcia e o considero um maravilhoso espaço de cura, que oferece muitos métodos de massagem, aromaterapia e aconselhamento ayurvédico, dispondo de uma equipe de terapeutas muito bem treinados. É um local que pode perfeitamente servir como modelo para outros centros ayurvédicos de bem-estar no Brasil e na América do Sul.

Junto com ela neste livro está Lúcia Barros, jornalista e escritora de destaque, aluna de Márcia há muitos anos, que, como coautora, agrega seus próprios talentos e *expertise* à obra. As duas já trabalharam juntas em vários projetos de sucesso, sendo **Ayurveda – Cultura de bem-viver** um dos melhores.

O livro abrange a extensão total da teoria e da prática ayurvédicas, desde os fundamentos datados da antiguidade clássica até as preocupações e circunstâncias dos nossos dias, dando especial relevância aos estilos de vida dos tempos modernos. Aborda a filosofia profunda da Ayurveda e do *yoga* de maneira simples e compreensível, apresentando-a como um modo mais elevado de viver para esta era planetária. Mostra-nos como usar as muitas ferramentas de cura ayurvédicas de modo prático em nosso cotidiano. Assim, deveria se tornar um manual de Ayurveda para os brasileiros e interessar a todos os estudantes da matéria.

A Ayurveda nos ensina a viver em harmonia com o mundo da natureza ao nosso redor, como parte do universo maior de vida e consciência. Também nos ensina a viver em harmonia com nossa natureza profunda, que não é apenas o corpo, mas também a mente, o coração e o espírito se estendendo por todo o tempo e todo o espaço. Este livro maravilhoso certamente pode nos ajudar nesse processo. Ele deve ser lido por professores de *yoga* e curadores naturalistas de todos os tipos, assim como por todos os que se preocupam verdadeiramente em encontrar saúde e felicidade.

DAVID FRAWLEY

Um dos maiores especialistas em história e cultura da Índia, é fundador e diretor do Instituto Americano de Estudos Védicos, Califórnia. Autor de uma vintena de obras sobre hinduísmo, *yoga* e Ayurveda, entre elas o mundialmente famoso *In Search of the Cradle of Civilization* ("Em busca do berço da civilização").

APRESENTAÇÃO

Acredito que há três tipos de pessoas que podem se considerar felizes e realizadas:

Aquela que não sabe... e pergunta.
Aquela que sabe... e ensina.
Aquela que ensina... e pratica.

Márcia De Luca e Lúcia Barros, duas ilustres Mestras, em *Yoga* e Comunicação respectivamente, enquadram-se nessa categoria, pois preenchem magistralmente os três requisitos – perguntam, ensinam e praticam.

Num livro prenhe de explanações didáticas, ilustrações inspiradoras, testes e exercícios práticos, dicas valiosas e receitas saborosas – tudo temperado com muito Amor – nossas autoras generosamente nos premiam com um compêndio sobre a ciência da vida e de bem-viver – a Ayurveda, um sistema de cura que começou a ser desenvolvido na Índia cerca de 8.000 anos atrás. Tratando da saúde de forma holística, levando em consideração a trilogia corpo, mente e alma, *Ayurveda – Cultura de bem-viver* nos conduz por essa ciência milenar de forma acessível e gostosa, e com o mérito de ser escrito originalmente em português. Isso é motivo de distinto orgulho.

Para reforçar a importância da nossa saúde, lembro a história que meu pai contava a mim e a meus irmãos quando éramos jovens. Para ele, a saúde valia 1 ponto. Se tivéssemos também amigos, acrescentaríamos um zero depois do número 1, o que elevaria o nosso patrimônio original 10 vezes. Nesse mesmo raciocínio, para cada nova conquista – um bom emprego, família própria, dinheiro, prestígio, poder etc. –, ele ia acrescendo zeros: 1, 10, 100, 1.000... Até nos tornarmos, na nossa imaginação de crianças, bilionários. Particularmente, sentia-me todo-poderoso, orgulhoso, de peito estufado. Aí, meu pai, baseando-se em sua sabedoria oriental e olhando-me profundamente nos olhos, perguntava: "Filho, se você não zelar pela sua saúde, o que acontece?". Aguardava ansioso, mas ele mesmo res-pondia: "Você perde o número 1. E o que sobra? Só zeros!". O que adianta ter amigos, dinheiro, poder, filhos e todo o resto, sem ter saúde? Esse precioso número 1 da equação é que nos permite enxergar o verdadeiro significado da nossa saúde. Não podemos conquistar ou ter nada sem saúde.

Recomendo um mergulho na sabedoria desta bela obra, que é uma celebração da natureza. E, falando em natureza, aprendi que ela, sempre sábia, pode resolver até 90% dos problemas de saúde do ser humano. A natureza, de modo singelo, pede apenas uma coisa: que você e os médicos não a atrapalhem.

A Ayurveda vai ajudar o leitor e a leitora a descobrir essa verdade milenar. Boa leitura!

ROBERT WONG

Considerado pela revista *The Economist*
um dos 200 *headhunters* mais destacados do mundo.
É autor do livro *O sucesso está no equilíbrio.*

SAUDAÇÃO

É com satisfação que tenho conhecimento da elaboração de um livro sobre Ayurveda pelas senhoras Márcia De Luca e Lúcia Barros. O livro **Ayurveda – Cultura de bem-viver** une a essência da cultura e da filosofia indianas de tal forma que até um leigo pode entender as complexidades da Ayurveda ou "conhecimento da vida". Tenho certeza de que este livro informativo é resultado de um esforço de vários anos de pesquisa e compilação exaustivas.

A filosofia indiana, conhecida por sua complexidade, é extremamente enriquecedora. A nossa cultura possui várias facetas e uma delas é a Ayurveda. Ela é um sistema completo para adquirir uma vida saudável, uma vez que associa os tipos de personalidade com hábitos alimentares e prescrições médicas. O que ingerimos é muito importante para definir o que somos. A Ayurveda também está relacionada com o alcance do equilíbrio entre os diferentes elementos da vida.

Espero que, através deste livro, os leitores brasileiros possam vislumbrar a Ayurveda, o antigo sistema indiano de cuidado com a saúde, e se sintam encorajados a praticar a arte de viver melhor.

Congratulo a Sra. Márcia De Luca e a Sra. Lúcia Barros por seu trabalho árduo e excelente esforço, enquanto desejo sucesso para esta publicação.

H.S. PURI
Embaixador da Índia no Brasil

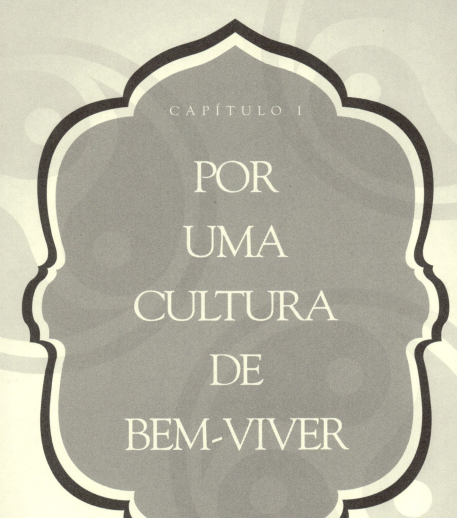

Dhanvantari,
o pai da Ayurveda

"TODA DOENÇA É SAUDADE DO LAR."

Ditado indiano

I. POR UMA CULTURA DE BEM-VIVER

Mais antigo sistema de cura do mundo, a Ayurveda – do sânscrito *ayur*, vida, e *veda*, conhecimento – começou a se desenvolver na Índia cerca de 6 mil anos antes de Cristo. Dessa época datam as comprovações científicas até hoje descobertas pelos arqueólogos.

Suas bases são o entendimento do ser humano como um conjunto corpo-mente-espírito e o preceito de que só há saúde no equilíbrio desses elementos. A causa de todas as doenças é o acúmulo de toxinas – *ama*, em sânscrito. Adotando medidas para eliminar as toxinas existentes e prevenir o aparecimento de novas, o ser humano terá saúde no verdadeiro sentido da palavra – não apenas a ausência de doença, e sim o estado de completo bem-estar físico, mental e emocional, como define a Organização Mundial da Saúde (OMS).

Mas o objetivo da ciência da longevidade não é só acrescentar anos à nossa vida – e sim adicionar vida aos nossos anos. Como? Ensinando-nos a respeitar os ritmos da natureza e evitar tudo o que possa gerar toxinas. A saúde, ou a falta dela, é vista como o resultado das nossas ações diárias. Mais: é o espelho de nossos sentimentos, pensamentos e relacionamentos no cotidiano.

No meio da afobação de cada dia, muitas vezes nem nos damos conta da postura do nosso corpo, dos pensamentos que se atropelam na mente, das emoções que estão nos fazendo agir de uma forma ou de outra. Esse é um arremedo de vida – porque viver de verdade é desfrutar o momento presente, é estar inteiro no aqui e no agora. Dessa forma, podemos dirigir cada ato, palavra e pensamento para gerar saúde.

Essa não é uma conversa esotérica, é científica. Deepak Chopra, médico indiano radicado nos Estados Unidos, que é hoje uma das maiores autoridades em Ayurveda no mundo e autor publicado em mais de 25 países, usa conceitos da física quântica para mostrar que não há mágica em tratar a matéria no plano energético, pois este e o plano físico são interligados. A tradicional medicina da Índia segue esse caminho: trata o corpo e a alma. Adotar seus princípios é gerar saúde. E o melhor: trata-se de um método barato, preventivo e que torna a vida mais agradável.

> A BASE DA AYURVEDA É O ENTENDIMENTO DO SER HUMANO COMO O CONJUNTO DE CORPO, MENTE E ESPÍRITO – E O PRECEITO DE QUE SÓ HÁ SAÚDE NO EQUILÍBRIO DESSES ELEMENTOS.

CONHECIMENTO SAGRADO

Ao longo da história, a ciência da longevidade influenciou fortemente muitos outros sistemas de cura, desde o chinês até o grego – do qual vem nossa tradição ocidental. Ervas e fórmulas ayurvédicas se repetem na tradicional medicina chinesa e existe uma forma ayurvédica de acupuntura. A Ayurveda é ainda a base do sistema de cura tibetano.

Hoje, a medicina tradicional indiana é reconhecida pela Organização Mundial da Saúde (OMS) e na Índia há diversas universidades de Ayurveda.

Os primeiros registros sobre esse conhecimento aparecem no *Rig Veda*, um dos quatro volumes que compõem os *Vedas*, as sagradas escrituras do hinduísmo. Essa grande enciclopédia versa sobre temas fundamentais, como matemática, filosofia, religião, astrologia e outras matérias. Além do *Rig Veda*, há o *Sama Veda*, o *Yajur Veda* e o *Atharva Veda* – este último também com muitas referências a temas como preservação da vida, prevenção de doenças e cuidados com os doentes.

Nessa origem, é impossível separar o científico do religioso, pois todo o conhecimento de então era posto a serviço da busca de conexão do ser humano com o divino. Tanto assim que os *Vedas* não têm autores – são considerados *shruti*, isto é, revelação.

RIG VEDA: CANTOS DE LOUVOR

O *Rig Veda* é o mais antigo desses livros. Em sânscrito, *rig* significa louvor. A obra é organizada em forma de hinos de louvor ao divino. Na cultura indiana, acredita-se que esses hinos foram captados diretamente do plano superior por sábios em estado meditativo. O *Rig Veda* chama esses sábios de *kavi* – palavra que também significa poeta. Mas os *kavi* eram mais: podemos entendê-los como visionários da chamada "língua de ouro", que, em sua iluminação espiritual, davam expressão à verdade divina. Ou seja, eles eram os reveladores da ordem invisível do cosmos. O termo védico para a consciência atingida pelos *kavi* é *dhi*, que gera a palavra *dhyana*, meditação.

I. POR UMA CULTURA DE BEM-VIVER   23

Segundo a lenda, o *Rig Veda* foi transmitido oralmente, de mestre para discípulo, por milhares de anos. Cada guardião desse conhecimento sabia de cor todo o conteúdo da obra: nada menos do que 1.028 hinos, com 10.598 versos distribuídos em dez capítulos conhecidos como mandalas (literalmente, círculos). Cada verso é um *mantra* (som) considerado chave para a estrutura vibracional do universo e base para todos os *mantras* do hinduísmo e do budismo.

SAMA VEDA

Espécie de manual litúrgico para a recitação ou o canto dos hinos védicos. A maior parte de suas 1.875 estrofes foi incorporada do *Rig Veda* e apenas 75 são versos originais. O vocábulo sânscrito *saman* significa canto ou melodia. Uma palavra coligada é *sama*, que quer dizer uniformidade ou equanimidade. Nos cantos védicos, as divindades são invocadas na sua natureza gentil e complacente.

Para se unir aos deuses por meio desses hinos, o sacerdote devia primeiro atingir a calma. Só a mente tranquila pode entrar em contato com os planos superiores da existência, onde tudo é paz e harmonia. O texto do *Sama Veda* não oferece indicações melódicas, pois o ensinamento estava atrelado ao contato direto com um mestre que transmitia oralmente o ritmo ao discípulo. Até hoje existem na Índia alguns cantores do *Sama Veda*, que guardam e transmitem às gerações o ritmo dos hinos. Mas já há também livros dos cantos que trazem indicações rítmicas, mostrando quais sílabas devem ser prolongadas ou repetidas durante a execução.

O objetivo da prática dos cantos registrados no *Sama Veda* é transformar a mente e as emoções.

YAJUR VEDA

A palavra *yajur* deriva da raiz *yaj*, que quer dizer sacrificar. *Yajur Veda* é uma compilação de 1.975 hinos voltados ao sacrifício. Cerca de um terço de seu conteúdo, distribuído em 40 capítulos, deriva do *Rig Veda*; o restante, em prosa, é original.

Atualmente, esse texto ainda é utilizado em cerimônias do hinduísmo. O ritualismo sacerdotal assume aqui grande importância. O objetivo é oferecer a mente e os sentidos ao divino, sempre por meio de rituais.

Yajur Veda é a ciência da ação, que ensina práticas como o *yoga* para que se possa atingir a iluminação.

ATHARVA VEDA

Quarto e último livro que compõe os *Vedas*, este compreende 731 hinos, com 5.977 versos distribuídos em 20 capítulos. Do *Rig Veda* provém cerca de um quinto dos hinos.

O *Atharva Veda* é bem mais recente do que os outros livros védicos. Um dos últimos hinos do *Rig Veda* fala de apenas três obras, ignorando *Atharva*. Por isso, até hoje há controvérsia entre os estudiosos dos *Vedas* sobre a inclusão ou não desses versos entre as sagradas escrituras.

Mas o *Atharva Veda* descreve a si mesmo como parte da literatura védica e como criação das famílias que produziram os demais hinos védicos. Sempre glorifica os outros *Vedas* como difusores da mesma grande compreensão metafísica. A obra registra *mantras* para tratar doenças e para a proteção psíquica, além de relacionar plantas com propriedades curativas – o que a torna diretamente relacionada à Ayurveda.

No esquema tradicional dos três *Vedas*, pode-se dizer que:
- *Rig Veda* representa a expressão sagrada e as divindades
- *Sama Veda* apresenta o canto sagrado, ou o significado íntimo dos hinos, e os espíritos ancestrais
- *Yajur Veda* traz a dimensão das ações ritualísticas e o interesse humano

Desse ponto de vista, os três *Vedas* não são textos separados, mas aspectos distintos e coligados da mesma doutrina: a palavra, o seu significado e a ação que dela nasce. Os estudiosos do hinduísmo traçaram as seguintes correspondências:

- *Rig Veda*: palavra divina, terra, fogo, estado de vigília
- *Sama Veda*: mente divina, atmosfera, vento, sonho
- *Yajur Veda*: hálito divino, céu, sol, sono profundo

Geração após geração, estudiosos dos *Vedas* preservaram os ensinamentos dos livros sagrados. Até hoje, na Índia, os rituais védicos continuam a ser realizados, seguindo uma tradição que se perpetua por muitos séculos e é uma das bases de toda a cultura indiana.

MÉDICOS, SACERDOTES E ASTRÓLOGOS

Conta a lenda que o deus Indra revelou o conhecimento da ciência da longevidade ao sábio Bharadvaja, citado no *Rig Veda*. Coube a esse importante mestre transmitir os ensinamentos da Ayurveda para os seres humanos. Mais tarde, o trabalho de outro grande sábio, Dhanvantari de Benares, estabeleceu a tradicional medicina indiana como a conhecemos hoje, tornando-se assim uma espécie de padroeiro dessa ciência. Ele ofereceu aos homens *amrita*, o néctar da imortalidade, e o conhecimento sobre as ervas.

Considerado uma encarnação de Vishnu, o deus que protege e guia o universo, Dhanvantari também é muitas vezes identificado como Kakshivan, um dos sábios videntes que vislumbraram os *mantras* do *Rig Veda*.

Outra lenda indiana dá conta de que uma conferência foi organizada em uma caverna da Cordilheira do Himalaia, reunindo todos os grandes sábios da Índia, preocupados porque as doenças se espalhavam e a miséria e a morte prematura estavam impedindo os seres humanos de atingir a iluminação espiritual, verdadeiro propósito da existência. Eles discutiram e compararam seus conhecimentos sobre a arte da cura. Todos sabiam sobre as ervas de sua região e sua aplicação no tratamento de doenças, conforme seus pais lhes haviam ensinado. Nesse grande encontro, os sábios teriam conseguido compilar o conhecimento oral que cada um herdara, formando uma única tradição, à qual deram o nome de Ayurveda, a ciência da longevidade, destinada a permitir que os seres humanos vivessem o bastante para conquistar a iluminação.

A partir de então, os ensinamentos ayurvédicos passaram a ser integralmente transmitidos de professor a aluno durante milhares de anos, não parando mais de se desenvolver. Aos poucos, a tradicional medicina indiana foi ganhando forma mais definida, separada da prática religiosa e de outros dois campos de estudo que no princípio estavam intimamente ligados a ela: o *yoga* e a astrologia indiana, chamada *jyotish*. Até hoje na Índia é comum fazer o mapa astrológico do bebê assim que nasce. Com isso, os pais procuram saber, entre outras coisas, qual a missão daquele ser na vida, para ajudá-lo a desenvolvê-la, assim como as doenças para as quais ele tem propensão, de modo a, através da Ayurveda, agir preventivamente.

Passaram a ser denominados *vaidyas* os médicos ayurvédicos, responsáveis pela cura das doenças já instaladas e pela propagação do conhecimento, que, antes de mais nada, previne o aparecimento dos males.

A partir de 2000 a.C., grandes mestres compilaram os livros clássicos da Ayurveda: *Charaka*, *Sushruta* e *Vagbhata* são os principais.

Na obra *Charaka Samhita*, o *vaidya* Charaka descreve aproximadamente 500 plantas e drogas medicinais. Ele representa a chamada escola de Atreya de médicos, que discutia fisiologia, anatomia, etiologia, patogênese, sintomas e sinais de doença, metodologia de diagnóstico, tratamento e prescrição para pacientes, prevenção e longevidade. Charaka afirma que a causa primeira de todas as doenças é a perda da fé no divino – independentemente de religião. Em outras palavras, para ele, a doença se instalava quando a pessoa não reconhecia que uma força maior habita todas as coisas, inclusive os seres humanos. A perda do sentimento de unicidade com o universo e a ilusão de que cada um de nós está separado do outro seria a origem do sofrimento, que então se manifestaria como doença mental ou física.

Já o *Sushruta Samhita* representa a chamada escola Dhanvantari de cirurgiões. Este ramo abrange sofisticados equipamentos de cirurgia, classificação de abcessos, queimaduras, fraturas, feridas, amputação, cirurgia plástica e outras. Também se dedica a descrever em detalhe a anatomia humana: ossos, juntas, nervos, coração, sistema circulatório etc. Nesse texto, estão relatadas as primeiras técnicas de massagem e os pontos *marma* – centros vitais de energia que são a base da acupuntura. O autor desse trabalho, Sushruta, foi um cirurgião que realizou operações na cidade de Varanasi. Sua obra lista ainda cerca de 760 plantas indicadas para tratar males e relata inúmeras técnicas de manipulação de instrumentos cirúrgicos.

Vagbhata escreveu sua principal obra, o *Ashtanga Samgraha*, mais ou menos no século VII d.C. O texto resume a visão de Charaka e Sushruta e oferece conceitos originais para o tratamento de várias doenças.

Esses médicos e autores descreveram não somente os princípios da Ayurveda em geral como também os princípios de diferentes especialidades médicas, a saber:

- Medicina interna: *Kayachikitsa*
- Pediatria: *Kaumara bhritya*
- Otorrinolaringologia: *Shakalya Tantra*
- Psiquiatria: *Bhuta Vidya*
- Cirurgia: *Shalya Tantra*
- Toxicologia: *Vishgara-vairodh Tantra*
- Ginecologia e andrologia: *Vajikarama*
- Rejuvenescimento: *Rasayana*

Ao redor do mundo

O conhecimento ayurvédico foi se espalhando pelo mundo ao longo dos milênios. No século VII a.C., era comum que estudiosos oriundos da China, do Tibete e de outros países do leste, a mando de seus reis, passassem temporadas estudando a tradicional medicina indiana na então famosa universidade de Nalanda, onde também recebiam formação em budismo.

Coube aos missionários budistas levar os principais conhecimentos da Ayurveda para a Ásia Central, a China, o Tibete e o Japão.

Os textos ayurvédicos foram traduzidos para o grego na época de Hipócrates, o pai da medicina ocidental, que conhecia o trabalho dos médicos indianos já no século V a.C.

Durante o período medieval, a Ayurveda começou a ser substituída por sistemas alternativos impostos pelos diversos povos que passaram a dominar ou influenciar a Índia. Seu declínio acelerou-se durante os séculos XII e XIII, durante a ocupação muçulmana. Mais tarde, no começo do século XVIII, a Ayurveda foi quase totalmente desconsiderada pelos ingleses, que transformaram a Índia em colônia do império britânico. A forte tradição cultural indiana representada pela Ayurveda era sistematicamente vista pelos invasores como algo a ser abafado e destruído.

Só quando a Índia enfim se tornou independente, em 1947, abriu-se caminho para o renascer de sua tradicional medicina. Mestres como os indianos Maharish Mahesh Yogi, Osho (que foi um dos gurus dos Beatles) e Yogananda tiveram papel decisivo nessa divulgação. Hoje, os maiores promotores da Ayurveda no mundo são ainda o grupo de seguidores da Meditação Transcendental, desenvolvida por Maharish Mahesh Yogi (1914-2008), o professor indiano Vasant Lad, e os médicos David Frawley, americano, e Deepak Chopra, indiano radicado nos Estados Unidos, já citado. A tradicional medicina indiana é o sistema de cura que mais cresce atualmente.

I. POR UMA CULTURA DE BEM-VIVER

HISTÓRIA DA AYURVEDA

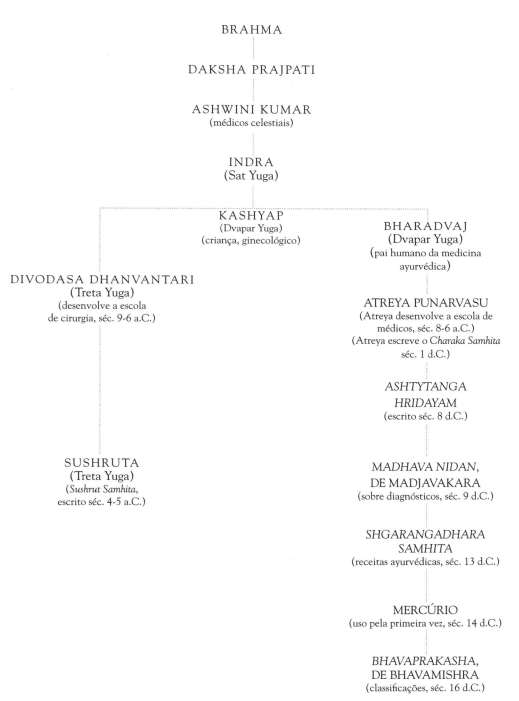

Fonte: SSS Tirtha, *The Ayurveda Enciclopedia*

Prevenir é melhor

Em poucas palavras, a Ayurveda preconiza a saúde integral e privilegia a prevenção das doenças. Seu ideal é que, por meio de uma vida equilibrada, em harmonia com os ritmos da natureza, os seres humanos tenham em seu sistema imunológico o melhor remédio – aquele que não deixa nenhum mal se instalar.

A saúde perfeita nos abre então a porta para algo mais: a possibilidade de buscar o crescimento espiritual. Daí chamarmos a Ayurveda de "cultura de bem-viver" – mais do que medicina ou filosofia, uma junção das duas disciplinas a serviço da felicidade humana.

Seu entendimento começa pela compreensão da mitologia hindu – uma das mais ricas da humanidade.

CAPÍTULO II

DIVINDADES: HERANÇA VIVA

Ganesha, Shiva e Parvati.

"EXISTE APENAS UMA RELIGIÃO, A RELIGIÃO DO AMOR.
EXISTE APENAS UMA CASTA, A CASTA DA HUMANIDADE.
EXISTE APENAS UMA LÍNGUA, A LÍNGUA DO CORAÇÃO.
EXISTE APENAS UM DEUS, ELE ESTÁ DENTRO
DE CADA UM DE NÓS, E TODOS SOMOS UM."

Sai Baba
um dos maiores líderes espirituais da atualidade

"A mitologia é a dança do universo, a música das esferas – que nós, seres humanos, dançamos mesmo quando não somos capazes de reconhecer a melodia". A definição é do americano Joseph Campbell (1904-1987), uma das maiores autoridades em mitologia do século XX.

Para nós, ocidentais, as divindades do hinduísmo são estranhas. A começar pelo fato de que há milhares de deuses e deusas. Olhando mais de perto, porém, percebemos que essa rica mitologia não nos ajuda apenas a apreender melhor a alma indiana, mas também a alma de todos nós, como de maneira tão mais poética colocou o professor Campbell.

Cada deus, cada deusa carrega em si energias arquetípicas que representam características humanas. Simplificadamente, arquétipos são imagens psíquicas do inconsciente coletivo, patrimônio comum a toda a humanidade, e povoam lendas e mitos. Na Índia, avós e mães, avôs e pais contam para filhos e netos as peripécias de seus deuses, assim transmitindo oralmente esse conhecimento milenar.

CADA DEUS, CADA DEUSA CARREGA EM SI ENERGIAS ARQUETÍPICAS QUE REPRESENTAM CARACTERÍSTICAS HUMANAS.

O PODER DOS ARQUÉTIPOS

Um arquétipo existe como potencial e fica estagnado até que seu poder seja ativado por uma situação no ambiente ou no insconsciente do indivíduo. Pode também ser desencadeado de modo consciente e intencional – como fazer isso será visto nos próximos capítulos.

A ativação de um arquétipo liberta estados de energia, informação e percepção que reestruturam os acontecimentos. Todas essas forças são movidas pelo infinito poder de organização do universo – que opera fora das leis de tempo, espaço e causa. Esse poder é o maestro que rege a sincronicidade – as famosas "coincidências", que de acidentais não têm nada, pois são criadas por nós mesmos (como também veremos mais adiante).

Detentores de todo o conhecimento védico, os grandes sábios indianos – os *rishis* – eram também os principais guardiães do conhecimento e da memória das lendas de Mahabharata – a Grande Índia.

Essas lendas, ou mitos, dão significado à vida, criam um padrão cultural, uma visão de ideal que se aspira atingir. Servem também como ponte entre aquilo que é e aquilo que será ou poderia ser – alimentam anseios coletivos, desejos coletivos e uma imaginação coletiva. Conhecendo os mitos, adquirimos ferramentas que nos permitem enfrentar todas as situações e passagens de nossa vida de maneira mais sábia.

Três deuses são os principais, formando a Grande Tríade do hinduísmo:

❀ Brahma, deus da criação
❀ Vishnu, deus da preservação, o mantenedor
❀ Shiva, deus da destruição e da reconstrução

Outros deuses importantes são Ganesha, Krishna e Hanuman, e as deusas Parvati, Lakshmi, Saraswati, Durga e Kali.

A seguir, um pouquinho da história e do significado de cada um deles.

DHANVANTARI, O CURADOR DIVINO

Dhanvantari é o padroeiro da Ayurveda. Representa o arquétipo do curador dentro de cada um de nós. Segundo a mitologia, ele é um mestre do conhecimento universal. Sua existência foi uma resposta de Indra, o regente dos céus, às meditações dos sábios da antiguidade, que, como vimos, buscavam uma forma de aumentar a longevidade – pois as pessoas morriam tão cedo que não tinham tempo para atingir o estado de *samadhi*, a iluminação.

Nascido de todos os outros deuses e por isso rei do espaço – representando o poder do trovão e da energia elétrica, que permeia o universo –, Indra revelou os segredos da Ayurveda a Dhanvantari. Este compilou então a ciência médica, o *amrita* ou *soma* – o néctar da imortalidade – e o conhecimento sobre as ervas. Assim, Dhanvantari colocou à disposição dos seres a cura de todos os males.

Ele é também o médico dos deuses.

BRAHMA, O CRIADOR

O deus da criação olhou a vasta expansão do universo no momento em que o criava e nenhum outro ser estava ao seu lado para presenciar aquele silêncio absoluto. Sentado sobre uma flor de lótus sustentada sobre as águas, ele podia sentir sua respiração, o *prana*, a força vital do universo. Uma voz soou então dentro da escuridão de sua solidão – *tapas*, que em sânscrito significa austeridade.

Obedecendo a sua intuição, ele começou a rezar. Questionou-se sobre o derradeiro propósito da vida, queria conhecer sua origem, saber de onde tinha vindo.

Durante milhares de anos, Brahma observou *tapas* e com isso encontrou o divino dentro de seu coração. E finalmente sentiu o impulso, dentro de si, para organizar a criação. Ele havia sido escolhido para ser a expressão desse divino impulso criativo.

II. DIVINDADES: HERANÇA VIVA

Essa versão, constante do texto do *Brahma Samhita**, ensina que o impulso criativo requer sacrifício para que a potência e a abundância do espírito possam se manifestar em nossa vida.

Brahma é o criador de todos os seres vivos, a semente de tudo o que é. Ele é imensidão infinita, da qual se originam espaço, tempo e causa. É o doador do conhecimento, das artes e das ciências. Filosoficamente, é o primeiro estágio da manifestação da noção de existência individual. Teologicamente, é o criador não-criado, o primeiro ser nascido.

A representação do deus Brahma é cheia de significados. Os principais são:

* a flor de lótus sobre a qual ele fica em pé ou o cisne sobre o qual se senta: sabedoria
* as quatro cabeças: podem enxergar em qualquer direção e lembram os quatro *Vedas*, as quatro *yugas* (épocas do tempo) e as quatro *varnas* ou castas – estratificação social das pessoas na Índia
* os olhos fechados: postura de meditação
* os objetos nas mãos (que variam, dependendo da pose em que o deus é retratado):
  – *aksamala,* rosário de contas ou *mala* (cordão), que representa o tempo
  – *kurcha,* escovinha feita da erva indiana chamada kusha, considerada sagrada e usada em muitos rituais
  – *sruk,* uma concha de madeira usada para verter *ghee*, a manteiga clarificada (receita no Capítulo VIII), no fogo do altar durante os rituais. A haste dessa concha devia ter o mesmo comprimento do braço do sacerdote; o *ghee* usado nos rituais significa auspiciosidade
  – *sruva,* colher de cobre, prata ou bronze, também usada nos rituais para oferecer *ghee* ao fogo sagrado
  – *kamandalu,* pote d'água, que lembra as águas em que toda a criação se originou
  – *pustaka,* livro, indicando o conhecimento sagrado e o secular

---

*BRAHMA SAMHITA

Segundo a tradição védica, os *Brahma Samhita* ("Hinos a Brahma") foram recitados ou cantados por milhares de anos antes da criação do universo. O texto foi encontrado no século XVI por peregrinos que exploravam a biblioteca de um antigo templo no estado de Kerala, berço da Ayurveda, no extremo sul da Índia. Antes da introdução da impressão, textos como o *Brahma Samhita* eram mantidos em manuscritos sob a guarda dos brâmanes – casta dos detentores do conhecimento –, em templos. Lá, eram venerados como *sastra-Deva,* ou o próprio deus encarnado na sagrada escritura.

As escrituras informam que cada dia e cada noite de Brahma têm 4 bilhões e 320 milhões de anos terrestres, e que 1.000 ciclos de quatro eras estão contidos nesse tempo. No final do dia desse deus, uma colossal nuvem é chamada pelo rei dos céus, Indra, para inundar o universo. E então todas as criaturas permanecem latentes até seu dia começar novamente.

Há duas versões para o nascimento de Brahma. Na primeira, ele surge como Hiranyagarbha dentro de um ovo de ouro, que se divide em duas partes: metade torna-se o plano celestial, metade torna-se a Terra. Entre as duas partes surge o céu.

Na outra versão, o deus é conhecido por nascer de uma flor de lótus que sai do umbigo de Vishnu. Daí advêm dois de seus muitos nomes: Nabhija (nascido do umbigo) e Kañja (nascido da água).

Outros de seus nomes são Prajapati, o deus da progenitura (do qual todos os seres humanos são herdeiros); Pitamaha, o patriarca; Vidhi, aquele que ordena; Lokesa, o mestre dos mundos; e Dhatr, aquele que sustenta. Brahma é ainda Visvakarma, o arquiteto do mundo. O nome Narayana, aquele que permanece nas águas, foi primeiro atribuído a Brahma, passando posteriormente a indicar Vishnu.

II. DIVINDADES: HERANÇA VIVA

VISHNU, O MANTENEDOR

Também conhecido como Mahavishnu, Vishnu é a segunda divindade da tríade do hinduísmo. Ele representa *sattwaguna*, o equilíbrio, estando entre seus encargos a sustentação, a proteção e a manutenção do universo.

Etimologicamente, a palavra Vishnu quer dizer "aquele que está em tudo".

Cabe a Vishnu criar todos os diferentes tipos de universo, o que faz usando simplesmente o movimento de sua respiração. Nessa função, ele apresenta três aspectos:

- Karanodakashay: seu corpo gigantesco é representado deitado sobre Ananta Sesa – uma colossal serpente naja. Vishnu está eternamente sonhando. Em apenas breves instantes, no momento de sua expiração, universos completos saem de seus poros, manifestam-se e são habitados.
- Garbodakashay: sucede a Karanodakashay. Manifesta-se quando Vishnu entra no universo e deita-se no oceano de todas as causas.

AYURVEDA – CULTURA DE BEM-VIVER

❀ Kishirodakashay: quando ele penetra em todos os átomos do universo e no coração de todas as criaturas vivas, onde permanece como observador impertubável.

No final dos tempos, no momento da inspiração de Vishnu, todos os universos são sugados para dentro de seus poros.

Deus de beleza ilimitada, Vishnu está sempre ricamente enfeitado com um colar de flores frescas, *vaijayanti*, e fabulosas joias. Em geral, ele é mostrado em tom azul escuro, como o das nuvens de chuva e do espaço infinito. O significado dos principais elementos em sua imagem:

❀ os quatro braços: são os quatro pontos cardeais, indicando poder absoluto em todas as direções
❀ os objetos em suas mãos:
  – *sanka*, uma concha, que representa os cinco elementos (espaço, ar, fogo, água e terra)
  – *chakra*, um disco, que indica a mente cósmica
  – *gada*, arma, que significa o intelecto cósmico
  – *padma*, a flor de lótus, apontando para a evolução do mundo. Assim como a flor de lótus nasce na água e desabrocha gradualmente em toda sua glória, este mundo também nasce das águas e evolui aos poucos para desabrochar em esplendor. Sua criação, porém, só se dá com a combinação dos cinco elementos, a mente e o intelecto. Portanto, a mensagem final é que Vishnu é o criador e mestre do mundo
❀ algumas vezes, Vishnu é representado com duas armas a mais em seu arsenal: *nandaka*, a espada da sabedoria, e *sarnga*, o arco, que indica os sentidos cósmicos
❀ o cacheado de seu cabelo, *srivatsa*, representa todos os objetos de prazer; os produtos da natureza e a pedra *kaustubha*, que Vishnu usa em um colar pendurado no cabelo, representam aquele que desfruta os prazeres. Recado: este mundo de dualidade consiste no objeto de prazer e naquele que dele desfruta

De acordo com as sagradas escrituras hindus, apesar de pedirmos bênçãos para diversos deuses, apenas Vishnu seria, na verdade, aquele que concede todas elas. Conhecido por sua bondade, ele sempre atende aos pedidos de seus devotos. Por isso, no hinduísmo, todos os que buscam real perfeição devem adorar este deus.

II. DIVINDADES: HERANÇA VIVA

Vishnu também é chamado na Índia de Narayana, nome que quer dizer:

- ❀ aquele que fez das águas seu hábitat
- ❀ aquele que é o hábitat de todos os seres humanos
- ❀ aquele que fez do coração dos seres humanos sua morada
- ❀ aquele que é o objetivo final de todos os seres humanos

Conta a lenda que, depois da destruição do universo, após o primeiro ciclo e antes da criação do seguinte, Narayana adormece em sua cama feita pela serpente Ananta Sesa, que flutua nas águas do oceano Ksiramudra. Enquanto sonha com a próxima criação, uma flor de lótus nasce do seu umbigo com o deus Brahma sentado nela. Após acordar, Narayana orienta Brahma sobre como proceder ao ato da criação.

Esta lenda é cheia de significado. Ananta Sesa, uma serpente de mil cabeças, suporta todos os diferentes mundos. Literalmente, *ananta* quer dizer infinito e representa o tempo cósmico. Já *sesa* é o nome dado àquilo que relembra, àquilo que é deixado ao final de tudo como semente para a próxima criação. Ou seja, a serpente representa a totalidade das almas em sua forma sutil, deixada do ciclo anterior por precisar de mais oportunidades de se regenerar. Também representa *kama*, o desejo que sempre permanece, mesmo depois de sua aquisição ou desfrute – porque o desejo de coisas externas ou materiais nunca satisfaz a alma.

Esse ciclo continua até *moksa* ou libertação final.

Para livrar o mundo dos demônios e malfeitores e para preservar a ordem ética e social, Vishnu reeencarna sempre. Suas reencarnações humanas – *avatares* – teriam sido nove até hoje, sendo Krishna o oitavo e Buda o nono. A décima encarnação seria Kalki, ainda por vir para destruir os inimigos e restabelecer a glória.

SHIVA, O DESTRUIDOR

Talvez hoje a mais antiga imagem venerada no mundo, segundo Joseph Campbell coloca no livro *O poder do mito*, Shiva é também conhecido como Nataraja, o deus da dança e do *yoga*, o dançarino cósmico, bem como senhor das artes marciais e protetor dos animais. Sobretudo, Shiva é o deus da destruição – aquele que abre espaço para o novo. Toda criação será incinerada pelo fogo da renovação no momento em que este deus abrir seu terceiro olho, localizado entre as sobrancelhas.

Geralmente, esse deus que completa a tríade hindu é representado como um lindo jovem. Sua iconografia é bastante rica:

- ele aparece coberto por cinzas da pira fúnebre, mostrando que é o senhor da destruição
- no pescoço, tem pendurada uma guirlanda de cérebros, *mundamala*, que representa a revolução dos anjos e os sucessivos surgimentos e desaparecimentos da raça humana
- na cabeça, leva o símbolo da lua crescente, demonstrando que o tempo é apenas um ornamento para ele. A lua representa o tempo, dado que os dias e os meses estão ligados às suas fases

II. DIVINDADES: HERANÇA VIVA   43

❀ a coroa de cabelos trançados da qual flui o rio Ganges, cujas águas representam *jñana*, o conhecimento

❀ as cobras venenosas simbolizam a morte, mas, para Shiva, são apenas decoração. Só ele pode engolir o veneno chamado *halahala* e assim salvar o mundo. Por isso, ele é Mrytiunjay, o conquistador da morte. As serpentes representam também a energia básica – semelhante à energia sexual – de todos os seres. Portanto, Shiva é o senhor da energia

❀ o pé levantado simboliza a libertação. Ele dança sobre um demônio que representa a escuridão e o mal, estando, portanto, acima da ignorância. O demônio Apasmarapurusa representa o ego a ser eliminado

❀ a pele de tigre, que, por ser um animal feroz e devorar sua presa sem compaixão, representa o desejo que consome os seres humanos, eternos insatisfeitos. Ao vestir a pele do tigre, Shiva demonstra que matou o desejo, sobrepôs-se a ele

❀ a pele de elefante: como o elefante é um animal poderoso, usar sua pele implica que o deus subjugou completamente os impulsos animais

❀ olhos e cabelo: o sol e a lua formam seus olhos e todo o céu, o vento soprando, forma o seu cabelo. Por isso, Shiva é chamado de Vyomakesa, aquele que tem o céu e o espaço como cabelo

❀ Shiva pode ser representado tendo de duas a 32 mãos. Alguns dos objetos mostrados em suas mãos são:

  – *trishula*: o tridente, arma importante de ataque e defesa, indicando que Shiva é o senhor supremo. Filosoficamente, representa os três *gunas* ou três processos – criação, preservação e destruição. Aquele que carrega o tridente é o mestre dos gunas e dele provêm os processos cósmicos

  – *damaru*: o tambor, que Shiva toca ao dançar, produz sons sagrados, conhecidos como *maheswarasutras*. Ele representa a linguagem e o som. Ao segurá-lo em suas mãos, o deus demonstra que toda a criação, incluindo as várias formas de artes e ciências, originam-se dele e de sua dança

  – *khatvanga*: uma varinha mágica, com um crânio na ponta, mostra que ele é um adepto das ciências ocultas

  – *darpana*: espelho, indica que toda a criação nada mais é do que um reflexo da força cósmica dessa divindade

Se Shiva representa o princípio da destruição, ao mesmo tempo ele também é responsável pela criação e pela existência – porque, no fim das contas, a tríade é apenas um. Brahma, Vishnu e Shiva são como "estágios" de um mesmo ciclo infinito de criação, permanência e destruição, que abre espaço para a nova criação.

A dança de Shiva Nataraja (*nata* significa bailarino e *raja*, real) guarda esse significado de processo contínuo. Segundo a lenda, ele dança todas as noites a fim de liberar todas as criaturas do sofrimento e de divertir os deuses, sendo por isso chamado também de Sabhapati, o senhor da congregação.

SHAKTI, O PODER DA DEUSA

Segundo a filosofia hindu, a fonte e a sustentação da criação, seja no nível da matéria, seja no da mente, é somente uma: Shakti, a energia feminina. Representada como uma serpente em movimento, Shakti é o poder que sobe por nossa coluna vertebral até o topo da cabeça, proporcionando o estado de *samadhi*, a hiperconsciência, a iluminação.

Essa energia é representada pela consorte – ou contrapartida – de cada divindade masculina. Assim, todos os membros da tríade hindu têm sua *devi* – divindade feminina – correspondente: Saraswati é a *devi* de Brahma; Lakshmi é a *devi* de Vishnu; Parvati é a *devi* de Shiva.

Todos nós temos as qualidades do masculino – ou de Shiva, que é a representação máxima da potência masculina, a força, a coragem e o poder; e do feminino – ou de Shakti, a energia feminina, a intuição, o amor e a compaixão. Como tudo no universo depende do equilíbrio, segundo a Ayurveda, os homens precisam desenvolver Shakti, e as mulheres, Shiva.

SARASWATI, A DEUSA DO CONHECIMENTO

É a deusa do conhecimento e, como consorte de Brahma, a mãe da criação. Também está ligada à fertilidade e à purificação. Ao pé da letra, Saraswati é aquela que flutua. No *Rig Veda*, ela representa um rio e a divindade que o controla.

Outros nomes conferidos a Saraswati podem ser:

- Sarada: a doadora da essência
- Vagisvari: aquela que domina a fala
- Brahmi: a mulher de Brahma
- Mahavidya: o conhecimento supremo

Saraswati é considerada a personificação do conhecimento sob todas as suas formas – artes, ciências, artesanato, habilidades e práticas espirituais. Como o conhecimento é o oposto da ignorância, simbolizada pelas trevas, a cor associada a essa deusa é o branco. Ela costuma ser representada sentada sobre uma flor de lótus, acompanhada por seu cisne, que simboliza a beleza e a pureza. Nas mãos, em geral segura *vina*, instrumento com o qual toca os sons imortais dos *Vedas*; *aksamala*, ou *mala*, que indica sua ligação com o espírito; e *pustaka*, livro que representa as ciências.

Está dito nas sagradas escrituras *Upanishads* (a última parte dos *Vedas*, que significa "aos pés do mestre" e, portanto, é o conhecimento recebido diretamente dos sábios) que transcendemos a fome e a sede através das ciências seculares, mas obtemos imortalidade somente através das ciências espirituais. Esse conceito é reforçado na representação de Saraswati, porque ela aparece ao lado do pavão e do cisne. O pavão, com sua linda plumagem, significa o mundo em toda sua glória e a ignorância (*avidya*) advinda da ilusão mundana. O cisne, com sua capacidade de separar o leito das águas, representa a sabedoria (*viveka*) e o conhecimento (*vidya*).

LAKSHMI, A DEUSA DA FORTUNA

A deusa da fortuna, do poder e da beleza é consorte de Vishnu, o preservador. Quando aparece na companhia dele, sua imagem tem apenas duas mãos, nas quais ela carrega uma flor de lótus, *padma*, e uma concha, *sanka*.

Muitas vezes, elefantes a acompanham, nela esguichando água. Sua cor varia de acordo com o significado desejado:

- ❁ quando aparece azul-escura, lembra que é a consorte de Vishnu, que é azul-escuro
- ❁ quando surge dourada ou amarela, remete à ideia de que é a fonte de toda a riqueza
- ❁ quando é representada branca, indica a pureza do universo
- ❁ quando se apresenta rosa, seu aspecto mais comum, significa compaixão, pois é a mãe de todos nós

Nos templos dedicados a Lakshmi, ela é mostrada sentada em um trono feito por um lótus, com quatro mãos – que indicam seu poder de conferir os quatro *purusarthas*, ou propósitos da vida humana:

II. DIVINDADES: HERANÇA VIVA

- *dharma*: propósito de vida, representado por flores de lótus em variados estados de desabrochamento, assim como nós experimentamos diversos estágios de evolução
- *artha*: riqueza construída com o fruto de nosso trabalho, por isso representada por uma fruta
- *kama*: desejo
- *moksha*: libertação, o lado mais espiritual da vida, representado por um *bilva*, fruto indiano que não é gostoso nem atraente, mas muito bom para a saúde

Quando aparece com oito mãos, arco e flecha, machado e disco são adicionados aos pertences da deusa. Esse é o aspecto de Mahalakshmi, ou Grande Lakshmi, a guerreira.

Essa deusa se faz acompanhar por uma coruja, *uluka*, que é nome antigo de Indra. Como deusa da fortuna, Lakshmi não poderia ter escolhido melhor companhia do que o rei dos deuses, que personifica a riqueza, o poder e a glória a que os seres humanos aspiram. Ao mesmo tempo, a imagem é uma advertência para aqueles que desejam apenas fortuna material, esquecendo-se da riqueza espiritual: a glória de Indra é comparada à feiúra e à deficiência visual da coruja, pássaro parcialmente cego.

PARVATI, A MÃE

É a consorte de Shiva, o deus da destruição. Parvati é venerada no hinduísmo com nomes variados:

- Gauri: aquela que é branca, indicando que sua origem está nos Himalaias (*hima* = neve + *alaias / layas* = montanha, "morada das neves"), que representam o éter, elemento primordial fundamental
- Sarvani: enfatizando seu aspecto de esposa de Shiva
- Amba ou Ambika: palavras que significam mãe

Apesar de Shakti ser o poder feminino – e, portanto, um nome pelo qual todas as deusas podem ser tratadas –, quando os indianos invocam Shakti estão se referindo à energia feminina em seu aspecto Parvati. Ela representa a sabedoria espiritual através da qual podemos atingir a união com Shiva, o deus supremo (ou Mahadeva).

Parvati tem esse aspecto suave, de mãe de todos, mas também tem outro terrível, de consorte de Shiva, o destruidor. Outras características são destacadas em suas muitas representações:

II. DIVINDADES: HERANÇA VIVA

❁ como Vaisnavi, ela dá forma ao universo e garante sua simetria, beleza e organização

❁ como Mahesvari, demonstra o poder que confere individualidade a todos os seres criados

❁ como Kaumari, é a deusa sempre alegre, representante da eterna força da alma que evolui

O mais venerado aspecto de Parvati é Durga, que significa, literalmente, aquela de quem as pessoas têm dificuldade de se aproximar ou aquela que as pessoas têm dificuldade de conhecer.

DURGA, A FORÇA DA NATUREZA

Sendo a personificação da totalidade dos poderes dos deuses, Durga é naturalmente difícil de ser abordada. Entretanto, sendo a mãe do universo, é a deusa principal e a personificação do amor terno quando suplicamos por seu auxílio. Talvez por isso seja a deusa mais venerada na Índia. Ela representa o poder do sono, graças ao qual Vishnu descansa entre dois ciclos de criação. Representa ainda as forças da natureza, sendo a guerreira que às vezes aparece no planeta Terra para destuir os demônios que ameaçam os seres humanos. Durga pode ser vista montando um tigre ou um leão e com oito ou mais braços que transportam objetos como um tridente, uma espada, um sino, flores de lótus, um arco, flechas e um disco de fogo.

Os textos védicos contam que Durga nasceu como Sati, filha de Daksa, o pai da humanidade, e casou-se com Shiva. Após uma discussão com o marido, Sati resolveu abandonar seu corpo, entrando no fogo de um grande sacrifício que estava sendo realizado pelos deuses. Em seguida, renasceu como a filha de dois sábios e, cultivando *tapas*, a austeridade, formou seu caráter e novamente casou-se com Shiva. Por ter satisfeito o deus supremo, ela recebeu uma parcela do poder de todos os deuses celestiais.

KALI, A DISSOLUÇÃO

Provavelmente, a mais enigmática versão de Shakti para a mente ocidental é Kali. Quem não sente horror ao olhar essa figura de rosto vermelho e corpo de um azul profundo, nua e usando um avental de mãos humanas, com uma guirlanda de crânios humanos no pescoço e nas mãos uma cabeça recém-decapitada com a arma ainda pingando sangue?

Kali é a personificação da fúria impiedosa e deixa um rastro de destruição por onde passa. É a energia suprema responsável pela dissolução do universo criado. Mas é também uma deusa justa.

As escrituras védicas contam que, quando os guerreiros vão para a luta, costumam invocar o nome de Kali para o sucesso contra os inimigos na batalha. E uma famosa lenda dá conta de um rei santo que foi sequestrado por um bando de ladrões para ser oferecido num sacrifício de sangue num templo da deusa. No entanto, ela surgiu furiosa de dentro de uma de suas estátuas, acompanhada de seus fantasmas e demônios, porque percebeu as enormes virtudes desse rei. Então, matou o líder dos ladrões e seu bando, provando que protege aqueles que têm boas qualidades.

O nome Kali vem de *kala*, que significa tempo. Ela é o poder do tempo, que tudo destrói. Mas Kali destrói também o próprio tempo, assim como o espaço e a causa, arrasando tudo. Porque, como está escrito no *Bhagavad Gita* (essência do *Mahabharata*, parte dos *Vedas* que conta a história da Grande Índia), o tempo está se acelerando em ritmo alucinante e acabará por destruir os mundos.

A nudez e os cabelos desgrenhados da deusa indicam sua independência. O colar com 50 cabeças humanas decepadas representa as 50 letras do alfabeto sânscrito. Seus brincos são corpos de anjos, significando que ela está acima da luxúria.

Em uma de suas representações, Kali é vista dançando em cima de Shiva, como uma furiosa guerreira num campo de batalha, matando seus adversários e tomando-lhes o sangue. Dessa forma, demonstra que até o deus supremo pode ser sobrejupado por sua fúria. Seus braços, em compensação, fazem *mudras*, gestos, que indicam às pessoas para não temer, pois ela é a mais carinhosa e doce das mães.

GANESHA, O QUE ABRE CAMINHOS

Também conhecido como Ganapatia ou Vinayaka, Ganesha é o mais popular deus do hinduísmo. Nenhuma atividade pode começar sem que primeiro a pessoa tenha reverenciado Ganesha, o deus que remove os obstáculos.

Segundo a lenda, o deus de corpo humano e cabeça de elefante, filho primogênito de Shiva e Parvati, foi o escriba dos textos védicos, usando seu próprio marfim como pena. Em um de seus diversos braços, ele carrega um machado que corta todo o mal. A cobra que sempre o acompanha é a guardiã das riquezas da Terra.

Nunca se deve pedir nada diretamente a Ganesha – e sim ao ratinho que está constantemente com ele. Chamado Musaka, é o secretário mais próximo desse deus, sendo o responsável por encaminhar a ele os pedidos dos seres humanos. A palavra *mus* significa selar. Os ratos entram nas coisas e a destróem por dentro – da mesma maneira que o egoísmo invade silenciosamente nosso coração e nos destrói. A não ser que seja controlado por sabedoria divina, que nos "sela" contra todo mal.

Os seguidores de Ganesha afirmam que nunca encontram na vida obstáculos impossíveis de superar. Por isso, ele é o deus dos comerciantes, da prosperidade, da prudência, da política e da sagacidade.

A história de como Ganesha acabou tendo cabeça de elefante é uma das mais curiosas da mitologia hindu. Shiva era casado com Parvati. Seguindo seu impulso de se isolar para encontrar o caminho da iluminação, um dia ele partiu para um retiro. Parvati estava grávida.

Shiva retornou muitos anos depois, quando Ganesha já era um menino. Ao entrar em sua casa sem ser anunciado, foi barrado pelo filho, que ele não conhecia. Sentindo-se ofendido, perguntou a Ganesha: "Quem você pensa que é para me impedir de entrar nesta casa?" e, em sua ira, fazendo uso de seu tridente, decepou a cabeça do menino. Parvati, atraída pelo barulho, ficou desesperada ao ver a cena e explicou ao marido que ele acabava de matar o próprio filho. Shiva disse então a ela que se tranquilizasse, porque ele pegaria a cabeça do primeiro ser que passasse na rua para restaurar a vida de Ganesha. Esse ser foi um elefante.

Ganesha tem a cor dourado-avermelhada. Sua barriga grande é decorada com um cinto de serpente. Em geral, aparece sentado em *padmasana*, a posição de lótus. Um terceiro olho muitas vezes é adicionado em sua testa, entre as sobrancelhas. O número de cabeças pode chegar a cinco. Os braços variam de dois a dez. Romã, vasilha com água, machado, açúcar, arco e flecha, trovão, rosário e livro são alguns dos objetos que aparecem em suas mãos. Sua Shakti é muitas vezes mostrada sentada em seu colo.

Ganesha também é muito chamado de Gajanana ou Gajamukha – com face de elefante. Mas a palavra *gaja* tem sentido mais profundo do que apenas nomear esse animal. *Ga* é *gati*, o objetivo final em direção ao qual toda a criação se movimenta. *Ja* significa *janma*, nascimento ou origem. Portanto, *gaja* significa deus do qual os mundos vêm e ao qual se dirigem, para serem finalmente dissolvidos. A cabeça de elefante é, portanto, simbólica e aponta em direção à verdade.

KRISHNA, A PURA DEVOÇÃO

Conhecido como o deus do amor e da devoção, Krishna nasceu príncipe, tornou-se rei e teve importância vital nos acontecimentos épicos que modificaram toda a história da Índia. É sempre visto tocando uma flauta, com a qual encanta todas as criaturas vivas. Também atende pelos nomes de Govinda e Gopala – o protetor das vacas.

De acordo com a lenda, a beleza de Krishna é insuperável, encantando até os cupidos. Ele ficou conhecido por sua força invencível, sua enorme riqueza e inúmeras *gopis*, namoradas.

Os ensinamentos de Krishna foram perpetuados no livro *Bhagavad Gita*, que, para os mestres do hinduísmo, constituem a essência do conhecimento védico. Esse livro retrata uma conversa entre Krishna e seu mais poderoso discípulo – o herói Arjuna, o arqueiro supremo – durante a famosa Batalha de Kurukshetra.

Todas as pessoas que buscam algum tipo de amor devem adorar Krishna e sua consorte Rada para atingir seus objetivos.

HANUMAN, O CORAJOSO

De acordo com os textos védicos, Hanuman foi um personagem de muita influência no épico milenar *Ramayana* (também parte da literatura védica), porque lutou contra os exércitos de demônios que assolavam a ilha de Sri Lanka. Hanuman, o rei dos macacos, resgatou a princesa Sita das garras do poderoso rei-demônio Ravana, que desejava conquistar todo o universo. Hanuman ficou conhecido por sua força inigualável, por sua coragem sem limites e por sua lealdade e devoção eternas ao rei Ramachandra.

Às vezes, Hanuman pode ser visto abrindo o próprio peito para mostrar que Sita reside realmente em seu coração. Ele também é visto carregando uma enorme montanha na qual cresciam ervas indicadas para a cura das doenças. As lendas dizem que Hanuman é detentor de vários poderes místicos, como o de tornar-se gigantesco ou minúsculo e o de voar como o vento. Ele é o filho de Vayu, o deus do vento, do ar e da respiração.

Hanuman é o deus da casta dos Kshatryas, guerreiros e administradores, porque todos que o adoram recebem muita força e coragem nas batalhas da vida.

HERDEIROS DE DEUSES E ESTRELAS

Se a mitologia hindu nos ajuda a entender melhor a alma indiana e oferece ricos *insights* sobre a alma de todos os seres humanos, ela é também fundamental para a compreensão integral da Ayurveda.

Segundo esse sistema médico e filosófico, nossa saúde depende da harmonia com os ritmos da natureza, porque somos o microcosmo do macrocosmo – ou seja, como uma holografia, cada um de nós tem em si o universo inteiro.

Poeticamente falando, seríamos herdeiros dos deuses; cientificamente, seríamos herdeiros das estrelas. Hoje, podemos tirar o verbo do condicional nessa última colocação, porque nossa ciência já provou que somos, de fato, feitos de poeira de estrelas. O que o conhecimento ayurvédico prega há milhares de anos vai, enfim, ganhando comprovação.

CAPÍTULO III

O UNIVERSO É CONSCIÊNCIA

"HOJE NÃO OLHAMOS PARA OS CÉUS COM A MESMA REVERÊNCIA. E ISSO É UMA PENA. AO NOS DISTANCIARMOS DOS CÉUS, NOS DISTANCIAMOS DE NOSSAS ORIGENS E, POR CONSEQUÊNCIA, DE NÓS MESMOS. ESQUECEMOS QUE VIEMOS TODOS DAS ESTRELAS, LITERALMENTE. ESQUECEMOS QUE TODOS OS ELEMENTOS QUÍMICOS QUE COMPÕEM NOSSOS CORPOS, NOSSO PLANETA E TUDO À NOSSA VOLTA ORIGINARAM-SE EM ESTRELAS QUE DESAPARECERAM HÁ BILHÕES DE ANOS, ESPALHANDO SEUS RESTOS MORTAIS - A MATÉRIA QUE EXISTE NO SISTEMA SOLAR, DO CARBONO AO URÂNIO - COMO SE SEMEASSEM UM JARDIM."

Marcelo Gleiser

III. O UNIVERSO É CONSCIÊNCIA

O ser humano reflete o universo – somos o microcosmo do macrocosmo e, como uma holografia, contemos o todo nesta parte que somos. Esse conceito será repetido algumas vezes ao longo deste livro, de propósito. Para quem nasceu e cresceu no Ocidente, certos princípios que formam a base da Ayurveda são difíceis de apreender logo de pronto. Mas, conforme entendemos melhor, o sistema da tradicional medicina indiana se vai mostrando em sua plenitude e se prova capaz de oferecer respostas a muitas de nossas angústias atuais.

Uma dessas angústias diz respeito à realidade – como nos inserir nela, como mudar a nossa, tornando-a melhor. Segundo a Ayurveda, a resposta é clara – embora não seja simples. Uma vez que temos o universo todo dentro de nós, nosso poder de atenção e de intenção é capaz de influenciar a realidade. Em outras palavras, algo tão sutil como nosso desejo pode alterar algo tão concreto como nosso corpo físico.

Hoje, isso está mais fácil de compreender graças às novas tecnologias. Faxes, telefones sem fio, celulares, computadores, televisores e outros aparelhos contemporâneos representam um novo entendimento do que seja "real". Todos evoluíram de uma premissa básica: a de que a natureza verdadeira do mundo físico não é a realidade física; que o átomo, por exemplo, unidade básica da matéria, é em verdade uma rede de energia e de informação.

O universo inteiro é pura energia e informação – ainda que organizadas de diferentes formas, seja como flor, seja como madeira ou como corpo humano. Consciência, igualmente, é informação e energia. E muito mais do que isso. Podemos nos referir a esse "mais" como inteligência.

A Ayurveda ensina que inteligência é informação e energia autorreferenciadas. Ou seja, é a habilidade de aprender por meio da experiência e de reinterpretar o mundo segundo nossas próprias escolhas. Quando, através de nossa inteligência, fazemos opções diferentes, mudamos a energia e a informação que entram em nossa mente e em nosso corpo e nos transformamos em quem somos.

> ALGO TÃO SUTIL COMO NOSSO DESEJO PODE ALTERAR ALGO TÃO CONCRETO COMO NOSSO CORPO FÍSICO.

O corpo humano é um rio de inteligência – e, como tal, está sempre mudando, apesar de parecer o mesmo.

Mas, para entendermos melhor nosso corpo e nossa mente, é preciso saber de onde tudo isso vem. Começar do começo, com o universo.

OS PRINCÍPIOS CÓSMICOS

O universo é uma manifestação da inteligência cósmica, que gradualmente se torna matéria para explorar todas as suas diferentes possibilidades de ação e experiência. Conforme nossa mente se desenvolve, nos tornamos capazes de ir além dos limites do corpo em direção a vivências mais diretas com o cosmos, até entendermos que o universo inteiro está dentro de nós. De forma bastante resumida, é isso que prega a Sankhya, uma das seis escolas clássicas da filosofia indiana.

A escola Sankhya explica os princípios cósmicos fundamentais. Como para a Ayurveda a saúde do ser humano está integrada a todo o universo – pois somos o microcosmo que reflete o macrocosmo –, essa explicação é base para aspectos essenciais dessa tradicional filosofia.

Compilada pelo sábio Kapila, mencionado no *Rig Veda* e no *Bhagavad Gita*, a Sankhya decifra o universo em 24 princípios cósmicos, ou *tattwas*. São eles:

1. PRAKRITI, NATUREZA PRIMORDIAL

Em sânscrito, *prakriti* significa o primeiro poder da ação. Pode ser considerada a substância original de todo o universo. É a essência não-manifesta, a semente que guarda em si o potencial de tudo o que venha a existir. Não é matéria, e sim a capacidade de experiência de nossa mente.

2. MAHAT, INTELIGÊNCIA CÓSMICA

Segundo os *Vedas*, toda manifestação se dá através de uma inteligência cósmica, que contém em si suas sementes, formas arquetípicas e ideais.

Mahat significa, literalmente, grande. De acordo com o sistema Sankhya, consiste na criação ideal que transcende o tempo. Pode ser considerada a mente divina. No nível do indivíduo, *mahat* se torna *buddhi*, o poder da inteligência que nos permite discernir o verdadeiro do falso, o certo do errado, o eterno do transiente.

3. AHANKARA, EGO

É a fabricação do eu. Toda manifestação é um processo de diferenciação – a inteligência universal trabalha, portanto, por meio de entidades individuais, que são a base de nosso ego. Longe de ser uma realidade em si, o ego é um processo, um conjunto de pensamentos. Através dele, as energias básicas latentes na *prakriti* e as leis contidas na inteligência cósmica *mahat* são capazes de adquirir formas específicas.

4. MANAS, MENTE CONDICIONADA

É o princípio que formula (da raiz *man*, formar). É também o princípio da emoção e da imaginação. *Manas* nos conecta com o mundo exterior através dos cinco sentidos.

5 A 9. TANMATRAS, OS CINCO SENTIDOS

A palavra *tanmatra* significa medida primária. É o nome dado à raiz de todos os potenciais sensoriais – isto é, o potencial para ver, para ouvir, para tocar e assim por diante. Essa energia é necessária para permitir a coordenação dos órgãos dos sentidos com o mundo. São formas sutis dos cinco elementos: *shabda tanmatra* (do som); *sparsha tanmatra* (do toque); *rupa tanmatra* (da visão); *rasa tanmatra* (do sabor); *gandha tanmatra* (do cheiro).

10 A 14. PANCHA JNANENDRIYANI, OS CINCO ÓRGÃOS SENSORIAIS

São os potenciais para as experiências mentais do mundo externo, cada qual ligado a um elemento: ouvidos (órgão da audição, elemento éter); pele (órgão do tato, elemento ar); olhos (órgão da visão, elemento fogo); língua (órgão do paladar, elemento água); nariz (órgão do olfato, elemento terra).

Os órgãos dos sentidos, ou do conhecimento, são somente receptivos – isto é, não expressam. Sua atividade se dá por meio dos órgãos das ações correspondentes.

15 A 19. *PANCHA KARMENDRIYANI*, OS CINCO ÓRGÃOS DE AÇÃO

São os cinco órgãos de ação que correspondem aos cinco órgãos dos sentidos e aos cinco elementos: boca (expressão), ligada ao éter e à audição; mãos (capacidade de pegar), ligadas ao ar e ao toque; pés (locomoção), ligados ao fogo e à visão; urino-genital (emissão), ligado à água e ao sabor; ânus (eliminação), ligado à terra e ao cheiro.

Os cinco órgãos da ação são essencialmente a manifestação de ideias, como mover-se e pegar algo. Os órgãos físicos são apenas estruturas que permitem a realização dessas ideias de ação para que a mente tenha a experiência que busca.

20 A 24. *PANCHA MAHABHUTANI*, OS CINCO ELEMENTOS

Éter ou espaço, ar, fogo, água e terra são os cinco grandes elementos, que representam respectivamente as formas etérica, gasosa, ígnea, líquida e sólida da matéria que compõe o mundo, incluindo nosso corpo físico. Os órgãos dos sentidos e os órgãos da ação trabalham exercendo um papel receptivo e ativo em permanente contato com esses elementos, que também são manifestação de ideias.

MANIFESTAÇÃO DE IDEIAS		
elemento	**ideias manifestas**	**tradução**
éter	conexão que permite a interação entre todos os meios materiais e a comunicação entre os indivíduos	espaço
ar	movimento sutil, direção, velocidade e mudança, sendo o fundamento para os pensamentos	tempo
fogo	percepção e possibilidade de movimento de um local a outro	luz
água	liquidez e movimento fluido	vida
terra	estabilidade e firmeza, conferindo resistência durante a ação	forma

Assim como o artista usa diferentes desenhos, formas e cores para criar uma pintura, a inteligência cósmica utiliza esses elementos para se manifestar e criar o mundo.

Éter é o elemento primeiro, aquele que dá origem a todos os outros. Através do movimento, ele se torna ar. Pela repetição do movimento do ar, surge o atrito, a fricção, que gera o fogo. Este evapora e se condensa em água, que, por sua vez se condensa e se torna terra. Portanto, os cinco elementos são diferentes densificações de um grande elemento ou ideia: o éter ou espaço.

- ❀ 1/10 de éter se torna ar
- ❀ 1/10 de ar se torna fogo
- ❀ 1/10 de fogo se torna água
- ❀ 1/10 de água se torna terra

Isso significa que a terra contém em si os cinco elementos, a água contém quatro (todos, menos terra), o fogo contém três (todos, menos terra e água) e o ar contém dois elementos (apenas éter e ar). De outra forma, podemos dizer que os cinco elementos são duplicações do éter ou espaço.

A ciência moderna confirma esse antigo *insight*: sabemos hoje que os átomos são compostos principalmente de espaço vazio e que a forma sólida é ilusão – na realidade, tudo é um campo de energia vibrando em determinada frequência.

O PENSADOR DOS PENSAMENTOS

Segundo os *Vedas*, o universo não existe por si só, mas apenas quando há um observador. A consciência é que permite a experiência.

Em sânscrito, a consciência pura é chamada de *purusha* ou *atman*. A definição desse conceito é complexa. *Purusha* não é corpo nem mente, que são partes interligadas da *prakriti* (natureza primordial), mas é a luz que ilumina a mente e permite que a percepção ocorra. É, portanto, a consciência primordial por meio da qual a *prakriti* opera.

A *prakriti* existe apenas como objetividade latente sem a luz refletida da *purusha*. Até mesmo *mahat*, a inteligência cósmica, não é necessariamente consciente de si mesma. É como se a consciência da *mahat* e da mente fossem o calor emanado por uma bola quente de ferro: existe o brilho, mas o fogo não é inerente a elas.

Desse ponto de vista, a mente em si é considerada algo material, como um objeto observável, e não como o observador. Nossas emoções e pensamentos, sendo objetos de percepções, fazem parte do mundo material, assim como o ego. E tudo o que pode ser obervado é *prakriti*.

A *prakriti* e suas manifestações existem para tornar possíveis as experiências buscadas pelo *purusha*, para que essa consciência pura se desenvolva e atinja o entendimento de sua verdadeira natureza. *Purusha* é aquele que vê ou o estado de ver e a única verdadeira entidade de consciência – é o pensador dos pensamentos. Conforme evoluímos, aprendemos a distinguir entre aquele que vê e o que é visto, entre subjetivo e objetivo, e cessamos de nos identificar com formas e funções do mundo exterior.

Mas isso exige um nível elevado de consciência. Normalmente, nos identificamos mesmo é com o observável – o corpo, nossos estados emocionais, as coisas que temos. Essa identificação com o mundo externo é a causa do sofrimento – porque o mundo é impermanente, tudo se transforma e o corpo morre.

Ao nos identificar com a consciência (o observador) e não com a *prakriti* (o observável), nos libertamos das perturbações. A Ayurveda busca nos reconectar ao espírito ou *purusha*. Cuidando para que corpo, mente e emoções estejam sempre saudáveis, a filosofia e a medicina tradicionais indianas nos apontam o caminho de volta para casa – para a consciência pura. Nesse estágio, a saúde é perfeita.

Mas a evolução é gradual: primeiro, aprendemos a nos desapegar do corpo; depois, das emoções, dos pensamentos e do próprio ego. A partir do momento em que não mais nos identificarmos com nossos pensamentos e tivermos uma percepção objetiva do campo de *prakriti*, retornaremos à nossa natureza ou *purusha*. E o sentimento maior é de libertação.

A ESSÊNCIA DO SER HUMANO			
Purusha	*Prakriti*	*Mahat e o grupo dos sete*	*Vikriti*
Puro espírito, eterno, consciente e inativo. Está fora da criação, além de causa e efeito. É o observador, o pensador dos pensamentos. Está onde tudo é verdade e bem-aventurança.	Natureza primordial, que é eterna, ativa e fonte da criação. É a manifestação do poder criativo de *purusha*. *Prakriti* não pode ser vista – mas é sua existência que permite o fundamento para aquilo que será observado. Ela é a causa de todas as coisas, mas não é o efeito de nada. *Prakriti* é como a argila da qual se parte para criar um pote.	A consciência cósmica juntamente com *ahankara* (ego) e os cinco *tanmatras*, ou potenciais sensoriais, formam o grupo dos sete. Eles são causas e efeitos ao mesmo tempo. São efeitos da *prakriti* e causa da mente, dos órgãos e elementos.	Os diferentes produtos da criação nascidos por meio do ego – *ahankara*. Eles são 16: mente, os cinco órgãos dos sentidos, os cinco da ação e os cinco elementos. São apenas efeitos, não causam nada.

TRÊS QUE SÃO TUDO

A *prakriti*, natureza primordial, é composta de três qualidades – os chamados *gunas* (literalmente, aquilo que junta).

Os *gunas* são: *sattwa*, *rajas* e *tamas* (pronuncia-se "sátua", "rádjas" e "támas"). São energias mais sutis do que os cinco elementos, que nascem de sua atividade. Também antecedem os *tanmatras*. Os *gunas* se unem à *prakriti* e são seu potencial de diversificação. Todos os objetos do mundo são combinações diferentes dessa tríade.

Sattwa: Representa as qualidades da estabilidade, da harmonia, da virtude ou do simples fato de ser. Tem natureza de luz (*laghu*) e movimento para dentro e para cima, proporcionando o despertar e o desenvolvimento de nossa espiritualidade. *Sattwa* proporciona felicidade e é o princípio da inteligência.

Rajas: Significa as qualidades da distração, da turbulência ou atividade. É móvel (*chala*) e motivadora (*upashtambhaka*). Apresenta movimento para fora e incentiva a ação motivada por nós mesmos, que gera a desintegração. *Rajas* causa dor e sofrimento e é o princípio da energia.

Tamas: Representa as qualidades da letargia, da escuridão e inércia. É pesada (*guru*) e com capacidade de obstrução (*varana*). Tem movimento para baixo e causa decadência, degeneração e morte. *Tamas* gera desilusão e é o princípio da materialidade.

As qualidades dos *gunas* se combinam para a formação dos elementos:

- ❁ éter vem de *sattwa*: claridade
- ❁ ar é composto de *sattwa* e *rajas*: leveza e movimento
- ❁ fogo vem de *rajas*: energia
- ❁ água combina *rajas* e *tamas*: movimento e inércia
- ❁ terra é *tamas*: inércia e resistência

O equilíbrio dos três *gunas* é chamado de *pura sattwa* (*shuddha sattwa*). Ele ocorre pela preponderância de *sattwa* e seu consequente refinamento. Mas isso não significa esquecer *rajas* e *tamas* – o equilíbrio está na soma dos opostos em suas proporções corretas.

OS TRÊS *GUNAS*		
Tamas	**Rajas**	**Sattwa**
Poder da ignorância, que esconde nossa verdadeira natureza	Poder da imaginação, que projeta o mundo e nos mostra d' multiplicidade dele	Poder da clareza, que nos permite enxergar a verdade

A MENTE NA CORDA BAMBA

No nível mental, a Ayurveda ensina que, quando em equilíbrio, os três *gunas* nos permitem ver a verdade. Já em desequilíbrio, geram ignorância (predomínio de *tamas*) ou turbulência (predomínio de *rajas*), bloqueando ou distorcendo a percepção.

Aumentando *sattwa* em nossa mente, sentimos paz, harmonia e mergulhamos rumo à nossa verdadeira natureza. No entanto, o apego a *sattwa*, bem como o apego a qualquer coisa – até mesmo às virtudes – pode prejudicar a mente. *Sattwa* pura inclui o desapego de si mesma.

III. O UNIVERSO É CONSCIÊNCIA

Em desequilíbrio, *rajas* causa dissipação de energia e *tamas* gera decadência e morte. Normalmente, ambas trabalham juntas: *rajas*, o princípio da força, direciona a energia para fora, causando sua perda – que culmina em *tamas*, decadência, assim como o excesso de estímulo leva à depressão.

Muita comida apimentada, álcool, carne, abuso sexual e excesso de atividade são "rajásicos". Eventualmente, podem gerar condições de cansaço e colapso de energia, que são "tamásicos". Portanto, para manter a saúde, precisamos dos princípios "sátvicos" em nossa vida.

Mas *rajas* e *tamas* podem ser úteis nos processos de cura. *Sattwa* nem sempre tem o poder de destruir essas duas qualidades. Assim, apesar de não causar doenças, nem sempre *sattwa* é eficaz no auxílio ao tratamento. Já *rajas* (hiperatividade) pode neutralizar uma quantidade igual de *tamas* (hipoatividade). E vice-versa.

- ❀ *sattwa* modifica os cinco órgãos dos sentidos
- ❀ *rajas* modifica os cinco órgãos da ação
- ❀ *tamas* modifica os cinco elementos

OBJETIVOS DO SER HUMANO

De acordo com o sistema védico, todo ser humano tem quatro grandes objetivos na vida: *kama*, o prazer; *artha*, a prosperidade; *dharma*, o propósito de vida; e *moksha*, a libertação.

Kama

O prazer é o objetivo mais básico da vida dos seres humanos. Todos buscamos aumentar a felicidade e evitar o sofrimento. Através de nossos órgãos sensoriais, desfrutamos de belezas e alegrias. O maior prazer, nesse sentido, é o sexual.

Artha

Prosperidade ou riqueza. Todo ser humano precisa atender a algumas necessidades para viver, como ter comida, abrigo, segurança. Isso resolvido, queremos mais: algum conforto, alimentos saborosos, casa gostosa. *Artha* é o objetivo externo do princípio do ego, *ahankara*.

Dharma

Nossa vocação, expressa pela carreira, é o objetivo interior que dá sentido à nossa vida e, no nível material, nos confere *status*. Todos desejamos o reconhecimento de nossos talentos. Este é o objetivo interno do princípio do ego.

Moksha

Os três primeiros desejos são considerados secundários. O objetivo principal na vida é mesmo a libertação. *Moksha* é sua expressão mais abrangente e profunda: a que depende de conhecimento. Esse é o objetivo da inteligência ou da razão, *buddhi*.

Quando nos iludimos dando prioridade a um dos três objetivos secundários, como se fosse o principal, tomamos decisões equivocadas, agimos de forma errada e acabamos desenvolvendo doenças físicas e mentais. Em síntese:

Objetivo secundário	Problema gerado
Prazer (*kama*)	indulgência e dissipação
Riqueza (*artha*)	ganância e avareza
Status (*dharma*)	necessidade de poder que leva à violência

OS OBJETIVOS E OS GUNAS

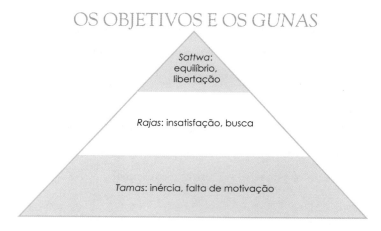

Os três objetivos menores nascem da qualidade de *rajas*. Na realidade, toda perseguição de um objetivo está sob a natureza rajásica. Reflete um distúrbio fundamental: a falta de paz, a vontade de ir para onde nunca se chega, de ter algo que não se tem – em outras palavras, uma insatisfação.

III. O UNIVERSO É CONSCIÊNCIA

73

Abaixo desses três objetivos, há um estado de inércia no qual não queremos nada, apenas nos abandonar às forças externas. Esse é o estado tamásico de medo, passividade e falta de motivação.

Acima dos três objetivos, está a libertação. No entanto, libertação não é apenas um objetivo, é a nossa verdadeira natureza. Podemos apenas atingi-la através de um processo de transcendência do ego.

OS GUNAS E A ÍNDIA

Os *Vedas* relacionam quatro classes sociais – elas formam o sistema de castas, até hoje existente na Índia. As castas se relacionam aos objetivos de vida e, portanto, aos *gunas*. E aparecem já no mito da criação, *Purushashukta*, no *Rig Veda*:

> *Quando imolaram o Homem,*
> *em quantas partes o dividiram?*
> *que foi de sua boca, dos seus braços,*
> *que foi das suas coxas, como se chamaram seus pés?*

> *O sacerdote foi sua boca,*
> *seus braços converteram-se no guerreiro,*
> *suas coxas foram os lavradores,*
> *de seus pés nasceram os servos.*

Shudra: a casta que depende de fatores externos para obter prazer. É formada pelos trabalhadores braçais, os servos. Sua preocupação é ter o que comer.

Vaishyas: aqueles que perseguem a riqueza como objetivo principal. São os comerciantes, homens de negócios e lavradores.

Kshatriyas: a classe nobre e política e também os guerreiros. São aqueles que perseguem o *status* como objetivo principal.

Brahmanes: Aqueles que perseguem a libertação espiritual e o conhecimento como principais objetivos. São os sacerdotes.

Quem persegue o conhecimento espiritual também tem a capacidade de atingir os outros três objetivos. Graças à clareza de sua mente e ao seu desapego, o ser humano que se volta para o espírito consegue se sair melhor em todos os domínios da vida, incluindo ganhar dinheiro – mas ele o fará sempre por um objetivo maior, para aprendizado. Esses quatro níveis da sociedade, portanto, refletem os objetivos básicos inerentes na vida dos seres humanos.

A Ayurveda existe para oferecer o estado de saúde e libertação de todas as doenças, mas também nos ensina como usar a saúde como base para conquistar o verdadeiro objetivo: libertação ou *moksha*.

O verdadeiro praticante da Ayurveda não deve ser motivado por objetivos egoístas, como a busca de prazer, fortuna ou fama. Seu objetivo deverá ser a fonte de cura, conhecimento e libertação para todos.

Os *gunas* também mostram nosso estado mental e espiritual. Uma natureza sátvica mostra uma disposição espiritual. Uma natureza altamente sátvica é rara, característica dos santos ou sábios. Uma natureza tamásica pode indicar o desenvolvimento de problemas psicológicos. E uma mente rajásica é a mais comum na cultura de nossos dias, com os problemas dela decorrentes, como ansiedade e frustração.

EXERCÍCIO

Qual a sua constituição mental?

Para descobrir sua constituição mental, faça o teste a seguir. Encontre nas colunas dos *gunas* a característica que corresponde ao seu comportamento para cada item da primeira coluna e anote 1 ponto na coluna do *guna* selecionado. No fim, some os pontos. O *guna* com maior número de pontos é o que corresponde ao seu estado atual.

III. O UNIVERSO É CONSCIÊNCIA

TESTE SUA CONSTITUIÇÃO MENTAL

Item	Sattwa	Rajas	Tamas	
Dieta	vegetarianismo	pouca carne	muita carne	
Drogas, álcool	nunca	ocasionalmente	frequentemente	
interpretação do mundo (adquirida pelas impressões sensoriais)	calma e equilibrada	mista	perturbada	
Necessidade de sono	pouca	moderada	grande	
Atividade sexual	baixa	moderada	alta	
Controle dos sentidos	bom	moderada	fraco	
Fala	calma e pacífica	agitada	lenta	
Trabalho	pelo bem comum	pelos objetivos pessoais	preguiça de trabalhar	
Raiva	raramente	às vezes	frequentemente	
Medo	raramente	às vezes	frequentemente	
Desejo	pouco	algum	frequente	
Orgulho	modesto	algum ego	vaidoso	
Depressão	nunca	às vezes	frequentemente	
Amor	universal	pessoal	falta de amor	
Comportamento violento	nunca	às vezes	frequentemente	
Apego ao dinheiro	pouco	algum	muito	
Contentamento	intenso	moderado	pouco	
Perdão	perdoa facilmente	perdoa com esforço	guarda mágoa	
Concentração	boa	moderada	pouca	
Memória	boa	moderada	fraca	
Força de vontade	intensa	variável	fraca	
Diz a verdade	sempre	na maioria das vezes	raramente	
Honestidade	sempre	na maioria das vezes	raramente	
Paz mental	geralmente	parcialmente	raramente	
Criatividade	muita	moderada	pouca	
Estudos espirituais	diariamente	ocasionalmente	nunca	
Mantras	diariamente	ocasionalmente	nunca	
Meditação	diariamente	ocasionalmente	nunca	
Serviço à comunidade	frequentemente	ocasionalmente	nunca	
Pontuação				

FUNÇÕES DA MENTE

As funções da mente são influenciadas pela natureza sátvica, rajásica ou tamásica. No quadro a seguir, temos as principais características de cada caso e as recomendações da Ayurveda para desenvolver adequadamente cada função.

FUNÇÕES DA MENTE				
	Sattwa	**Rajas**	**Tamas**	**Como desenvolver**
Consciência (Chitta)	Paz interior, amor sem egoísmo, fé, alegria, devoção, compaixão, receptividade, clareza, boa intuição, compreensão profunda, desapego, ausência de medo, silêncio interior, boa memória, sono tranquilo, relacionamentos saudáveis	Distúrbios emocionais, imaginação hiperativa, pensamentos descontrolados, preocupação, descontentamento, desejo, irritabilidade, raiva, memória distorcida, sono conturbado, relacionamentos turbulentos	Bloqueios e apegos emocionais profundos, memórias e padrões vinculados ao passado, preocupação, fobias, medo, ansiedade, depressão, ódio, sono excessivo, relacionamentos tóxicos	Exercícios respiratórios (*pranayamas*), *mantras*, meditação no espaço infinito ou vazio, concentração e técnicas de esvaziamento da mente, *samadhi*, *bhakti yoga* (da devoção), *jñana yoga* (do conhecimento), receptividade, clareza, fé, amor, paz, alegria, comunhão, associações corretas, *satsang* (comunhão espiritual)
Inteligência (Buddhi)	Discriminação entre o eterno e o transiente, percepção clara, ética forte, tolerância, não-violência, verdade, honestidade, clareza, limpeza	Inteligência crítica, que julga, dona da verdade, assertiva, mente estreita, percepção distorcida, postura do gênero São Tomé: precisa ver para crer	Falta de inteligência, falta de percepção, preconceitos profundos, falta de consciência ética, desonestidade, desilusões, certeza das próprias opiniões, incapacidade para o diálogo	Concentração, meditação, autoestudo, mantras, contemplação das verdades universais, *jñana yoga* (do conhecimento), autoexame, desenvolvimento da consciência e ética, disciplina, desenvolvimento do fogo interior (*tejas*)

III. O UNIVERSO É CONSCIÊNCIA

FUNÇÕES DA MENTE				
	Sattwa	*Rajas*	*Tamas*	**Como desenvolver**
Mente (*Manas*)	Bom controle próprio, controle dos sentidos, controle do desejo sexual, habilidade de suportar a dor, capacidade de suportar os elementos (calor, frio), desapego do corpo, coerência entre o que preconiza e o que faz	Forte natureza sensorial, forte natureza sexual, muitos desejos, agressividade, assertividade, competitividade, imaginação ativa, sonhos com distúrbios, calculista	Preguiça, falta de controle próprio, facilmente influenciável pelos outros, pensamento sem objetivo, sonhador, incapaz de aguentar dor, sensações violentas, muitas manias e propensão ao vício, dissipação	Devoção (particularmente usando uma forma ou imagem especial), autodisciplina (como jejum), controle sexual, *mantras*, meditação na luz interior e no som, visualização, trabalho, serviço, *bhakti yoga*; dieta correta, prática da paciência, desenvolvimento do caráter, força de vontade e controle dos sentidos
Ego (*Ahamkara*)	Ideia espiritual do *self*, sem egoísmo, entrega, devoção, autoconhecimento, preocupação com os outros, respeito por todas as criaturas, compaixão	Ambição, assertividade, direcionado para objetivos, arrogante, vão, promove a si mesmo, manipulador, fortes identificações (como com a família ou a religião)	Imagem negativa do *self*, medo, dependência, desonestidade, identificação principalmente com seu próprio corpo	Aspiração espiritual, devoção a Deus, serviço sem esperar nada em troca, autodisciplina, autoinquisição, auto-observação, associações corretas

CAPÍTULO IV

SER HUMANO: ENTRE O MANIFESTO E O NÃO-MANIFESTO

"NÓS SOMOS FEITOS DA MESMA MATÉRIA DOS SONHOS."

Shakespeare

Poética, a frase que abre este capítulo é também científica. Nós somos feitos literalmente da mesma matéria dos sonhos, dos desejos, da vontade. Tudo isso é energia cósmica, que apenas se apresenta em diferentes graus de vibração. Esse fato é maravilhoso, pois, aliado à nossa consciência (aquilo que nos define como seres humanos), significa que somos capazes de mudar nossa biologia pelo que sentimos e pensamos. Na face da Terra, somos os únicos seres com tamanho poder.

Nossas células estão constantemente bisbilhotando nossos pensamentos e sendo por eles modificadas. Como exemplifica o médico e guru Deepak Chopra, é assim que um surto de depressão pode arrasar o sistema imunológico, bem como uma paixão pode fortalecê-lo. Quem está triste por causa da perda de um emprego projeta tristeza por todos os pontos do corpo: a produção de neurotransmissores no cérebro se reduz, o nível de hormônios baixa, o ciclo do sono é interrompido, os receptores neuropeptídicos na superfície externa das células da pele tornam-se distorcidos, as plaquetas sanguíneas ficam mais viscosas e propensas a formar grumos e até as lágrimas passam a conter traços químicos diferentes dos apresentados pelas lágrimas de alegria.

SOMOS CAPAZES DE MUDAR NOSSA BIOLOGIA PELO QUE SENTIMOS E PENSAMOS.

Como isso é possível? É porque o cérebro não distingue o que está fora de nós – a chamada realidade – e o que se passa dentro de nós. Ou seja: recordar uma situação estressante causa ao nosso corpo os mesmos danos de vivenciar aquela situação, liberando em nosso organismo o mesmo fluxo de hormônios negativos. O oposto também é verdadeiro: lembrar uma experiência maravilhosa nos faz revivê-la, banhando todo nosso organismo em hormônios positivos.

Por tudo isso, precisamos aprender a usar nossa consciência para criar o corpo que desejamos. A ansiedade por causa de um exame, a depressão por alguma frustração são sentimentos que passam. Sua contribuição para nosso processo de envelhecimento, porém, é permanente. Então, o único modo de combater esse processo é por meio de um compromisso diário com o bem-estar.

COMO MUTANTES

Como dissemos no capítulo anterior, o corpo humano pode ser considerado um rio de inteligência. E, assim como um rio, está permanentemente mudando. Apesar de parecer sempre o mesmo, nosso corpo sofre contínua transformação. Basta ver que, a cada ano, trocamos quase todos os átomos que compõem nosso organismo.

Mas vamos dar um passo atrás: olhar ao nosso redor e descrever o que vemos. Nossos sentidos nos dizem que o mundo é físico, sólido, material. Olhando para nossa pele, vemos uma espécie de invólucro contínuo, recobrindo nosso corpo. Analisada sob o microscópio, essa mesma pele se revela diferente: um conjunto de células e não mais uma superfície contínua. Indo mais a fundo, essas células se revelam formadas por moléculas, que por sua vez são constituídas por átomos. Entrando no campo da física quântica, esses átomos se mostram, na realidade, formados por partículas subatômicas, que se movem na velocidade da luz através de vastos espaços vazios. E cada uma dessas partículas é apenas flutuação e informação.

Ou seja, não somos máquinas físicas que aprenderam a "fabricar" pensamentos e emoções. Somos, sim, redes de inteligência organizadas sob forma física e em constante troca com tudo o que nos rodeia.

Bem, quando consideramos nosso corpo uma estrutura física fixa, faz sentido realizar uma intervenção cirúrgica para remover uma parte dele que esteja doente, por exemplo. Mas, se entendermos a verdadeira natureza da vida humana como uma rede de inteligência, novas possibilidades de cura se abrem.

O modelo de uma realidade que flui eternamente e na qual os elementos se mesclam e voltam para dentro de si mesmos, como ondas de um oceano, é a visão que os físicos de nossa atualidade compartilham com poetas e filósofos do passado. Segundo esse velho / novo paradigma – que a Ayurveda descreveu há milênios –, podemos influenciar nossa saúde por meio de nossas escolhas e interpretações. Somos capazes de curar nosso corpo e nossa vida mudando a qualidade de nossas experiências.

Os ensinamentos ayurvédicos encaram o ser humano como parte inseparável do contínuo que existe e se estende além de nós, incluindo desde a natureza, o ambiente em que vivemos, até as galáxias mais distantes do universo, e também o vasto campo para dentro de nós, até o mais fraco traço de energia das partículas subatômicas.

Assim, em termos práticos, nossa saúde começa pelos pensamentos – nossa comunicação com o mundo interno – e pelos cinco sentidos – nossa comunicação com o mundo externo. O que pensamos nos faz bem ou mal, assim como o que comemos nos ajuda a nos manter saudáveis ou não; o que vemos nos faz melhores ou piores; o que tocamos nos agrada ou desagrada; o que cheiramos nos traz bem-estar ou mal-estar; o que ouvimos nos acalma ou atormenta. Todas as informações que captamos e a forma como as interpretamos influenciam nossos padrões e ritmos de vida, gerando saúde ou doença.

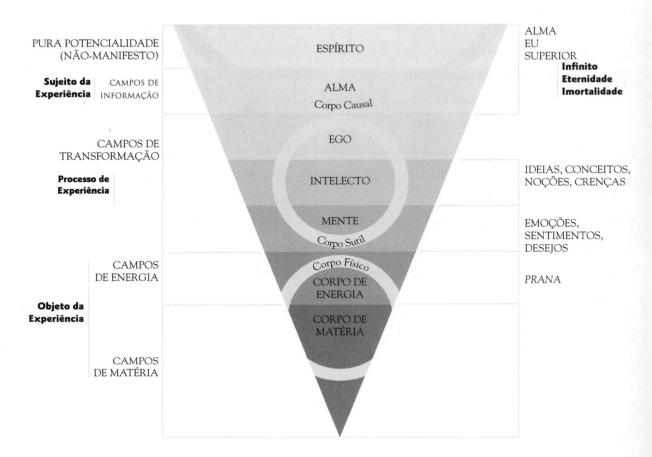

Fonte: Deepak Chopra, *Grow Younger, Live Longer*

TRÊS CORPOS, TRÊS REALIDADES

Nos *Vedas* encontramos o registro do chamado corpo quântico.

CORPO QUÂNTICO

Podemos atingir espontaneamente a plena realização de todos os nossos desejos acessando as diferentes camadas de nosso corpo quântico.

Esse corpo não é estático, mas, sim, dinâmico. Sua existência se baseia na consciência, cujo valor primordial é o sentido de unicidade com o cosmos. A perda desse sentido é suficiente para causar desequilíbrio, que se traduz em sofrimento e em doença.

Quando tratamos a doença apenas no plano físico, estamos tratando a consequência, não a causa. O mundo físico é feito de opostos: luz e sombra, bem e mal, dia e noite. Identificar-se com um desses elementos necessariamente gera dor, pois o outro é parte do mundo e um não existe sem o outro. Só o equilíbrio, portanto, pode nos oferecer a chave para a saúde e a felicidade.

O equilíbrio gera um estado que não é apenas ausência de doença, mas, vibrante bem-estar e felicidade. É nesse nível que se dá a cura completa: lá onde todos somos um, onde nossa essência se revela como silêncio infinito.

Portanto, saúde é a interação harmoniosa entre todos os elementos e todas as forças da natureza – nós aí incluídos. E doença é a perda da memória da unicidade.

"O *self* é apenas um, apesar de parecer ser muitos", como registra o *Chandogya Upanishad*, um dos textos que compõem os chamados *Vedas* secundários ou *Upavedas*.

CORPO FÍSICO, ANNA MAYA KOSHA

Anna é alimento, *maya* é ilusão e *kosha* quer dizer nível. Nesse estágio, a energia do universo se condensa em forma de matéria. É a parte do nosso ser que ocupa tempo e espaço e, como tal, tem começo, meio e fim. Este corpo está sujeito às leis da degradação: um dia nasceu e um dia morrerá.

CORPO SUTIL, MANAS MAYA KOSHA

O nível ilusório da mente, que em sânscrito é *manas*; o nível ilusório também de *buddhi*, o intelecto; e de *ahamkara*, o ego, a autoimagem.

O intelecto determina nossos conceitos, ideias e crenças. Com base neles, nossa mente determina desejos, sentimentos e emoções.

O corpo sutil não ocupa espaço, mas ocupa tempo – o que o liga ao corpo físico e faz com que acabe ao morrermos. Nossa mente, nosso intelecto e nosso ego têm, portanto, seus dias contados. Ainda que, seguindo-se os princípios da Ayurveda, esses dias tendam a somar longos 120 anos de uma boa vida.

CORPO CAUSAL, *ANANDA MAYA KOSHA*

Este é o nível da beatitude, *ananda*, e do espírito, *sat chit ananda*.

Se no nível do corpo físico e do corpo sutil somos indivíduos, quando chegamos ao corpo causal, somos alma e espírito.

A alma representa nossa individualidade, nossa personalidade. É ela que segue o ciclo kármico descrito nos *Vedas*, em que cada ação gera uma reação correspondente. *Karma*, em sânscrito, quer dizer apenas ação.

Cada ação (*karma*) gera em nossas células uma memória (*samskara*), que, com o tempo, cria em nós o desejo (*vasana*) de repetir a ação. Um modo bem simples de exemplificar esse fenômeno é o delicioso bolo de fubá com erva-doce que minha avó fazia. Na minha infância, eu comia (ação) e gostava. A memória do fubá gostoso ficou gravada nas minhas células para sempre. Um belo dia, tomando chá de erva-doce na casa de uma amiga, o aroma me remete ao bolo de fubá, criando em mim o desejo de comê-lo de novo. É dessa forma que o ciclo kármico se perpetua.

Esse desejo de repetição vale também para os padrões negativos. E aí, para quebrá-los, é preciso criar novos hábitos: mudar as ações, que gerarão novas memórias, que darão origem a novos desejos.

Como todos caminhamos por trilhas diferentes nesta vida, nossas almas são individuais. Mas são também como ondas em um único oceano. Esse oceano é o espírito, o nível no qual todos somos um. Poderíamos definir a alma, portanto, como o espírito se apresentando em diferentes roupagens.

O corpo causal é nossa verdadeira essência, nosso lar. É para onde buscamos voltar praticando, por exemplo, a meditação – uma das mais importantes ferramentas que a Ayurveda nos ensina para a manutenção da saúde, como veremos em detalhe mais adiante.

Esse campo não ocupa tempo nem espaço. Portanto, não tem começo nem fim, não está sujeito às leis da degradação, nunca nasceu e nunca morrerá. É onipresente, onisciente e onipotente.

Como seres humanos vivendo aqui e agora, somos um contínuo único formado pelos corpos físico, sutil e causal. Isso nos faz experimentar três realidades simultaneamente: a física, do universo visível e palpável; a quântica, do campo da mente; e a virtual, do nosso espírito. Cada uma dessas realidades tem características específicas, resumidas no quadro a seguir.

REALIDADES		
Realidade física	Realidade quântica	Realidade virtual
existe em três dimensões	energia e informação	-
é vivenciada através dos cinco sentidos	é onde a criação se manifesta	é o poder infinito de organização e criatividade
permanentemente mutável	oscilante em frequência	-
sujeita às leis de causa e efeito, ação e reação	causa e efeito são fluidos	correlação infinita de todos os acontecimentos: sincronia
sujeita às leis da decadência: tudo o que nasce, morre	nascimento e morte podem ocorrer simultaneamente	está além do nascimento e da morte; é imortal
limitada e divisível: todos os seres e objetos têm limites	é indivisível	é a unicidade
a matéria se sobrepõe à energia	a energia se move em ondas	não tem tempo nem energia
é previsível	há apenas probabilidades	é imensurável

TUDO É QUESTÃO DE PERSPECTIVA

Com a consciência de que habitamos simultaneamente três realidades, temos pela frente uma tarefa libertadora, ainda que não muito fácil para a mente ocidental: abandonar nossa perspectiva material e adotar o ângulo baseado na consciência ao interpretar tudo à nossa volta e dentro de nós.

1. Perspectiva material
2. Perspectiva baseada na consciência

VISÕES E PERSPECTIVAS		
Perspectiva material		**Perspectiva da consciência**
Existe um mundo objetivo, independente do observador	MUNDO	Vivemos em um mundo participativo
O mundo material, que inclui os seres humanos, é feito de pedaços de matéria separados uns dos outros no tempo e no espaço.		O mundo é não-material, composto de campos de energia que se originam de um campo não-manifesto.
Os sentidos apresentam um quadro acurado da realidade objetiva, que é fixa e não muda. O papel dos sentidos é fornecer informação sobre o ambiente.	REALIDADE	A realidade está em constante fluxo. É criada por nossas percepções e sujeita a mudanças de acordo com nossa percepção. Os sentidos não apenas fornecem informação, eles também influenciam nossas experiências.
São entidades independentes.	MENTE E MATÉRIA	São essencialmente a mesma coisa. O campo experimentado subjetivamente é a mente; objetivamente, é o mundo dos objetos materiais
A mente está aprisionada no cérebro. A inteligência se localiza no sistema nervoso.		A mente não está aprisionada no cérebro nem no corpo. É um campo infinito de inteligência. A inteligência não pode ser localizada, somente sua expressão.
A consciência é vista como fenômeno secundário. A estrutura física do universo é real e concreta. A inteligência, que os indivíduos expressam em sua vida, é diferente daquela expressada pela natureza. Pensamentos, sentimentos e memórias são o epifenômeno de processos bioquímicos e fisiológicos que ocorrem no cérebro. Somos máquinas físicas que aprenderam como pensar.	CONSCIÊNCIA	Matéria é o epifenômeno da consciência. Somos impulsos de inteligência que aprenderam como criar uma máquina física. Consciência é a matéria-prima essencial do universo: se consolida para criar a aparência de formas em um mundo material, mas esta ilusão é o resultado dos limites inerentes ao nosso aparato sensorial. A base de nossa energia e criatividade é o mesmo campo de inteligência que aciona e controla as leis da natureza.

IV. SER HUMANO: ENTRE O MANIFESTO E O NÃO-MANIFESTO

VISÕES E PERSPECTIVAS

Perspectiva material		Perspectiva da consciência
São entidades independentes.	SERES HUMANOS	São inseparáveis, interconectados com padrões de inteligência de todo o cosmos.
Nossos corpos têm limites definidos. Somos separados e nossas necessidades são separadas.		Não existem limites em nossos corpos. Não somos separados e nossas necessidades são interdependentes. Nosso corpo-mente é parte do corpo-mente do universo.
O nível da matéria, composto de moléculas e átomos, é o nível primário da realidade. Percepção, pensamentos, compreensão, sentimentos, emoções e crenças são produtos das interações moleculares.		Como seres humanos, somos essencialmente consciência ou espírito, envolto em camadas de matéria, energia, emoções e crenças.
O intuito da respiração é prover oxigênio ao sistema e eliminar dióxido de carbono. É essencialmente um processo inconsciente. Exercícios físicos devem ser feitos regularmente e focam o sistema cardiovascular.	RESPIRAÇÃO	A importância do ato de respirar vai além do simples fato de respirar. *Prana* é a força vital do universo, princípio que separa o animado do inanimado. Os exercícios físicos devem ser baseados na necessidade individual de cada ser humano, visando flexibilidade e bem-estar.
O processamento do alimento em energia para o corpo é o equivalente biológico da gasolina para um carro.	ALIMENTAÇÃO	Alimento, digestão e nutrição representam uma decodificação de energia e informação recebidas do ambiente e convertidas em inteligência biológica.
A boa alimentação é o resultado da mistura de carboidratos, proteínas, gorduras, vitaminas e minerais.		A boa nutrição resulta da força do fogo digestivo, *agni*, em sânscrito. O que comemos, como comemos e quando comemos influencia nossa habilidade de absorver os nutrientes. Os sabores são levados em consideração.
A doença deriva da quebra do nosso sistema imunológico.	SAÚDE E DOENÇA	A doença deriva do acúmulo de toxinas em nosso corpo-mente.
Esforços terapêuticos são direcionados para desenvolver agentes farmacêuticos sofisticados que vão interferir no processo da doença.		O diagnóstico leva em consideração o nível de desintegração entre consciência e fisiologia.
A fim de mudar nossa percepção, as intervenções são tomadas no plano material. Para tratar uma doença, medicamos o paciente com remédios que vão mudar o equilíbrio neuroquímico do cérebro e, assim, transformar os pensamentos e os sentimentos.		A fim de mudar nossa percepção, direcionamos a atenção da pessoa para o campo da consciência. A imersão no espírito gera, espontaneamente, mudanças na produção dos neurotransmissores que podem transformar o diálogo interior de um ser humano.

VISÕES E PERSPECTIVAS

Perspectiva material		Perspectiva da consciência
As doenças resultam de uma quebra do nosso mecanismo de defesa. A medicina ocidental dirige seu foco para o mecanismo da doença. É então usado para a cura um tratamento que muitas vezes gera efeitos colaterais.	SAÚDE E DOENÇA	As doenças são resultado da desintegração dos vários componentes do ser humano: espírito, mente, corpo e ambiente. O objetivo é restabelecer essa integração.
As drogas interferem no mecanismo da doença.		Tudo no universo é composto de energia e informação. A intensidade da energia e a qualidade da informação distinguem uma substância da outra. Plantas são pacotes de inteligência biológica específica.
A medicina moderna faz o diagnóstico de um mal e então escolhe os agentes farmacêuticos apropriados para interferir nos mecanismos desse mal.		Identificar os desequilíbrios em seus estados mais sutis proporciona a melhor oportunidade para restabelecer a conexão com o todo, evitando a doença.
Somente quando estamos doentes é que prestamos atenção à nossa rotina diária.		Regularidade na rotina diária é considerada essencial para uma boa saúde.
Avanços na tecnologia atual permitiram aos seres humanos ultrapassar os limites da natureza. Não somos mais governados pelos ritmos do dia ou das estações.	NATUREZA	Apesar do avanço tecnológico, seres humanos continuam mantendo íntima conexão com a natureza. Nossa saúde física e mental reflete o grau de nossa conexão com o meio ambiente. Harmonia entre ser humano e natureza significa saúde da mente e do corpo.
O modelo para o sucesso preconiza gasto de energia. Para atingir nossos objetivos e realizar nossos desejos, precisamos ter um plano de ação. O mundo lá fora é competitivo.	SUCESSO	A inteligência, na natureza, trabalha sem esforço. O princípio da economia do esforço preconiza que dentro de cada um de nós existe o mesmo campo de inteligência que governa a natureza e o universo.
Esforço e atividade são os maiores elementos que geram sucesso. Pela necessidade de cumprir prazos, sacrifícios injustificáveis passam a ser justificáveis e elogiados.		O sucesso somente pode ser atingido, quando vivemos uma vida em equilíbrio. Ficar em silêncio todos os dias é o fundamento para que possamos conquistar nossos objetivos.
O sucesso é definido como atingir o maior nível de educação, posição de autoridade, lucros e riqueza material.		O sucesso só pode ser atingido no nível do ser, pela imersão no espírito. O sucesso material é apenas uma alegria transitória.
A morte gera medo e nos escondemos dela.	VIDA E MORTE	A morte faz parte da vida. Quando vivemos a vida em intimidade com o espírito, o medo da morte desaparece.

IV. SER HUMANO: ENTRE O MANIFESTO E O NÃO-MANIFESTO

EXERCÍCIO

A percepção das três realidades

Comece respondendo à seguinte pergunta: como você percebe seu corpo? Claro, você pode olhar no espelho e ver seus olhos, sua boca, seus cabelos... Pode se tocar e perceber seus músculos se alongando, seu coração batendo e todas as sensações que a superfície da sua pele recebe. Você pode dizer que o seu corpo parece começar "aqui" e parece se estender até "lá", onde as pontas dos seus dedos dos pés terminam. Verdade?

Para começar a "ver" de uma nova maneira, precisamos querer descongelar as percepções que nos bloqueiam na nossa atual maneira de vivenciar o mundo. Muitas dessas percepções são resultados de sentimentos de isolamento, fragmentação, separação. Eles reforçam a ideia de que a única realidade é o mundo material mostrado pelos nossos sentidos. Mas vamos tentar ir além dos sentidos. De preferência, peça a alguém para ler este exercício para você, conduzindo-o. Se não for possível, leia todas as instruções e depois, então, faça sozinho o exercício.

Sente-se confortavelmente.

Agora, olhe para sua mão.

Examine-a atentamente, acompanhe o traçado de suas linhas e sulcos tão familiares. Sinta a maciez da pele e a firmeza dos ossos. Esta é a mão que os seus sentidos lhe mostram. É um objeto material.

Agora, feche os olhos e mantenha a imagem de sua mão nos olhos da sua mente.

Imagine que está examinando sua mão com um microscópio superpoderoso, cujas lentes podem penetrar nos níveis mais básicos da matéria e ir ainda além, chegando à energia.

Mesmo através da lente mais fraca, você não vê mais sua mão como uma superfície de carne macia. Ela se apresenta como uma vasta coleção individual de células conectadas de maneira muito solta por um tecido.

Quando você ajusta o microscópio para uma lente mais poderosa, vê átomos individuais de hidrogênio, carbono, oxigênio e outros elementos. Esses átomos não apresentam nenhuma solidez. O microscópio revela que eles não são nada mais do que sombras-fantasmas que vibram.

Quando você atinge o limite entre matéria e energia, vê que as partículas subatômicas que compõem cada átomo não são, na verdade, partículas. São apenas traços de energia, como os traços de luz deixados por faíscas no escuro.

Cada um desses traços de energia é um evento quântico, morrendo no mesmo momento em que é notado.

Agora, você está mergulhando ainda mais fundo no espaço quântico. A luz desaparece, sendo substituída por abismos vazios, que começam a se abrir.

No horizonte de sua visão, você vê um último *flash*, como a mais longínqua, a mais fraca estrela no céu da noite. Mantenha esse *flash* em sua mente, pois é o último resquício de matéria e energia detectável por qualquer instrumento científico.

Na medida em que o vazio se fecha, você se encontra em um lugar onde não só matéria e energia desapareceram, mas espaço e tempo também.

Você deixou para trás o conceito de que sua mão é um evento que ocorre no tempo e no espaço.

Você descobriu que, como todos os outros eventos que ocorrem no tempo e no espaço, sua mão tem origem em uma dimensão muito mais profunda: onde não existe antes ou depois.

Sua mão existe antes da criação do mundo e além do fim do universo.

Você atingiu a região pré-quântica, onde não há dimensão. Você está em todo lugar e em nenhum lugar ao mesmo tempo.

Será que sua mão deixou de existir? Não, porque na verdade você não foi a nenhum lugar. Apenas a noção de tempo e espaço não serve mais. Sua mão ainda existe em todos os níveis que você atravessou – celular, molecular, atômico, subatômico – e ela está conectada por uma inteligência invisível ao lugar onde você se encontra agora.

Mas aqui, no nível quântico, toda matéria é reduzida à sua origem primária. Aqui só existe energia pura, informação e potencial criativo.

Agora você poderá examinar sua mão com base em um novo conceito, um novo entendimento. Esse é o ponto de partida de uma jornada para dentro da dança da vida, na qual os dançarinos desaparecem se você chegar muito perto, a música se torna mais fraca dentro do silêncio da eternidade. Essa dança é eterna, essa dança é você, somos nós. Nossa vida é a dança entre o manifesto e o não-manifesto.

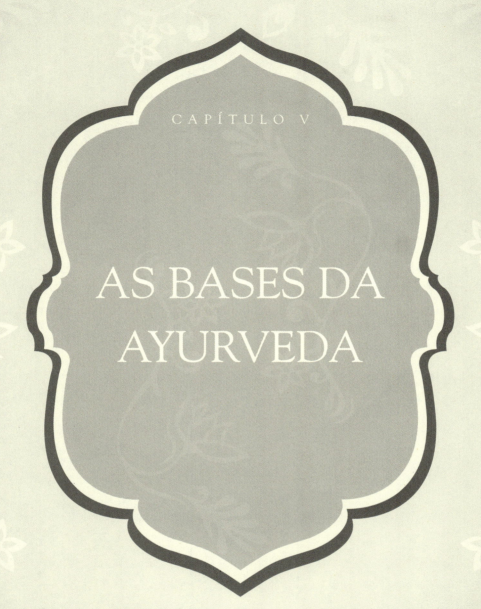

CAPÍTULO V

AS BASES DA AYURVEDA

"ENQUANTO NÃO HOUVER SAÚDE,
A SABEDORIA NÃO PODERÁ SE REVELAR,
A ARTE NÃO PODERÁ SE MANIFESTAR,
E NÃO PODEREMOS
FAZER USO DA INTELIGÊNCIA."

Herophilus

Como o ser humano se move do estado de saúde para o de doença? Para além dos desequilíbrios bioquímicos, que são a doença em si, a Ayurveda explica essa passagem como uma alteração na consciência, que tem início no momento em que abandonamos a autorreferência e adotamos a referência externa.

Ao nos identificar com qualquer imagem exterior – seja uma pessoa, um evento, uma coisa –, nos distanciamos de nossa verdadeira identidade. Começa aí o processo que em algum momento se manifestará como doença. Todos os dias somos bombardeados por mensagens para comprar o carro X, o biscoito Y, a viagem Z e assim por diante. Tudo é vendido, como se ter aqueles objetos ou experiências pudesse nos fazer felizes. E pode mesmo – por alguns segundos, horas, dias. Só.

O prazer oferecido pelo mundo lá fora é necessariamente efêmero – como efêmero é esse próprio mundo. Impossível buscar aí a felicidade perene. Mais: impossível identificar-se com esse mundo e manter-se saudável. Porque quem se identifica com o provisório esquece que sua verdadeira identidade é eterna. Quem se identifica com a parte não percebe que seu verdadeiro eu é uno com o todo.

Por isso, o ato de colocar um objeto que nos é externo como ponto de referência é a fonte primordial de qualquer doença. Quando a memória do todo é perdida, o mal começa. A cura é simplesmente a recuperação dessa memória – nos níveis físico, emocional, intelectual e espiritual.

> QUANDO A MEMÓRIA DE NOSSA UNICIDADE É PERDIDA, O MAL TEM INÍCIO. A CURA É SIMPLESMENTE A RECUPERAÇÃO DESSA MEMÓRIA.

OS FUNDAMENTOS DA SAÚDE

Há quatro elementos-chaves para a saúde:

- ❀ *agni* forte: o fogo digestivo
- ❀ *ojas* em grande quantidade: o alimento sutil da vida, ou a seiva da vida
- ❀ *ama* em pequena quantidade: toxina
- ❀ *srotas* desobstruídos: os canais circulatórios

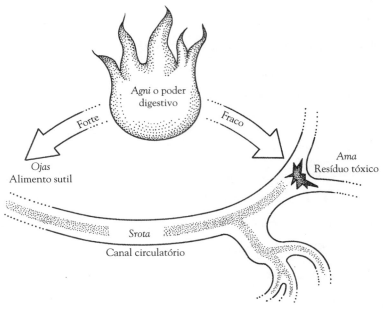

AGNI: A LAREIRA DO CORPO

A saúde depende de nossa habilidade para metabolizar todo o material recebido do ambiente. Nossos órgãos receptores, como já vimos, são os cinco sentidos. E aquilo que captamos por meio deles nos causa emoções, que podem ser positivas ou negativas.

O poder que metaboliza tudo isso é chamado, em sânscrito, de *agni*, o fogo digestivo. Os textos ayurvédicos ensinam que, quando *agni* é forte, podemos converter veneno em néctar. Em contrapartida, quando o poder digestivo é fraco, podemos converter néctar em veneno. Vamos pensar numa lareira: se as chamas crepitam altivas, alguém pode jogar ali um pedaço de madeira úmida e o fogo tratará ainda assim de queimá-la. Mas, se as chamas estiverem quase se apagando, a madeira pouco inflamável acabará de vez com o fogo que restava, gerando muita fumaça e nenhum calor.

Ou seja, *agni* elevado metaboliza os sons decibéis acima do que podemos suportar, o ar poluído que respiramos nas grandes cidades, o alimento com agrotóxico que ingerimos e também as emoções negativas. Em outras palavras, *agni* forte é sinônimo de saúde.

Agni e *ama* são opostos. A força do primeiro impede a proliferação do segundo no organismo. *Agni* é saúde. *Ama* é toxina e, portanto, doença.

Quando temos *agni* elevado, os sinais são:

- ❁ pele e olhos brilhantes
- ❁ boa digestão, sem prisão de ventre nem diarreia
- ❁ capacidade de comer e digerir todo e qualquer alimento
- ❁ urina clara
- ❁ fezes normais, sem cheiro forte

Se houver acúmulo de *ama*, porém, os sintomas são:

- ❁ pele e olhos opacos
- ❁ gosto ruim na boca, com língua coberta por uma camada de toxinas
- ❁ mau hálito
- ❁ urina escura
- ❁ digestão fraca, com prisão de ventre crônica ou diarreia
- ❁ perda de apetite
- ❁ dor nas juntas

Mais: *agni* é responsável pela formação dos tecidos no corpo. Quando nosso *agni* é forte, criamos células saudáveis. Do contrário, criamos tecidos frágeis, que ficam vulneráveis às doenças.

OJAS: A SEIVA DA VIDA

A tradição védica nos diz que nascemos com poucas gotas de *ojas* em nossos corações e que essa quantidade aumenta ou diminui de acordo com nossos pensamentos, atos e palavras. Se são de amor, compaixão e apreciação, criamos mais *ojas*. Se são de ressentimento, raiva ou medo, *ojas* vai diminuindo. Essa substância sutil, que pode ser entendida como a seiva da vida, é fundamental para nossa saúde.

Quando temos bastante *ojas* circulando em nosso organismo, estamos com nosso sistema imunológico – *bala*, em sânscrito, que literalmente significa força – em perfeito funcionamento, nos protegendo de todas as doenças.

Os desafios do meio ambiente não são o ponto fundamental quando pensamos em nossa saúde, mas, sim, o estado de *ojas* e de *agni* em nosso organismo. A referência, como tínhamos visto antes, não está fora, mas dentro de nós mesmos.

Ojas, aliás, relembra cada célula e tecido do corpo de que seu objetivo principal é manter a unicidade do todo. Quando não temos *ojas*, a força da vida acaba e por isso morremos.

É muito difícil estabelecer uma base física para *ojas*, porque essa substância vibra em um domínio entre a mente e o corpo. Alguns estudiosos védicos sugeriram que *ojas* talvez represente algum neurotransmissor fundamental, como a serotonina ou a endorfina, ambos ligados à sensação de bem-estar. Seja como for, essa relação não importa para quem quer adotar os ensinamentos da Ayurveda em sua vida. O fato é que essa substância existe, e que sabemos como elevá-la e como destruí-la. A escolha é de cada um.

AMA: TOXINAS

Gerada quando *agni* se enfraquece e nosso processo metabólico se torna deficiente, *ama* é todo resíduo tóxico que permanece em nosso organismo. Essa substância polui nosso sistema vital, bloqueando o fluxo natural e espontâneo de informação e inteligência. Essa é a base de todas as doenças.

Quando *ama* se acumula em nosso físico, sentimos apatia, falta de energia e nossa imunidade sofre uma queda, abrindo as portas para diferentes bactérias e vírus. No começo, isso tende a gerar um resfriado aqui, uma gripe ali. Com o passar do tempo, no entanto, vão surgindo os males mais sérios.

Infelizmente, nas sociedades contemporâneas, onde o ar está poluído, a água contaminada e muitos corações idem, a produção de *ama* é estimulada. Por exemplo, cada vez que ligamos a TV e assistimos a uma notícia sobre violência, nosso organismo precisa digerir essa informação. Se *agni* estiver bem forte, conseguimos. Senão, ela se torna *ama*.

SROTAS: CANAIS DA VIDA

O rio de inteligência universal flui através de nosso organismo – e de todo organismo vivo – por meio de uma rede de canais que em sânscrito é denominada *srotas*.

Quando os canais estão abertos e saudáveis, *ojas* circula livremente, alimentando as células. Mas, conforme acumulamos *ama*, esses canais vão sendo bloqueados, e nossas células vão ficando sem a seiva da vida.

Há 13 *srotas* principais: três correspondem ao tratos respiratório e digestivo e ao sistema circulatório; sete conduzem a soma de energia e informação, que cria todos os tecidos do corpo; e os três restantes expelem suor, fezes e urina. As mulheres têm dois canais adicionais, que transportam o fluxo menstrual e o leite materno.

Em nível puramente fisiológico, a medicina ocidental reconhece que os bloqueios na circulação causam doenças. Urologistas se preocupam com a obstrução do trato urinário, que pode ser causada pelo inchaço das glândulas da próstata ou por pedras na uretra; otorrinolaringologistas cuidam dos problemas causados pelo bloqueio que gera a sinusite; cardiologistas estão constantemente procurando identificar e remover as placas de obstrução das artérias do coração... Saúde requer circulação desobstruída; bloqueios são sinônimo de doença.

Ainda assim, não devemos pensar em *srotas* como estruturas anatômicas, mas como o leito para o rio de inteligência universal, que, em última análise, forma tudo o que existe.

OS SETE TECIDOS

De acordo com a Ayurveda, o corpo humano é composto de sete tecidos ou camadas de tecidos – em sânscrito, *dhatus*, da raiz *dha*, que significa oferecer suporte.

Eles são compostos pelos cinco grandes elementos: espaço, ar, fogo, água e terra. A teoria desses elementos é tradicionalmente usada pelos sábios, *rishis*, para explicar como as forças internas e externas se organizam. Mais adiante veremos em profundidade esses conceitos. Por ora, é importante saber quais são os sete *dhatus* e suas principais características.

OS SETE TECIDOS OU *DHATUS*

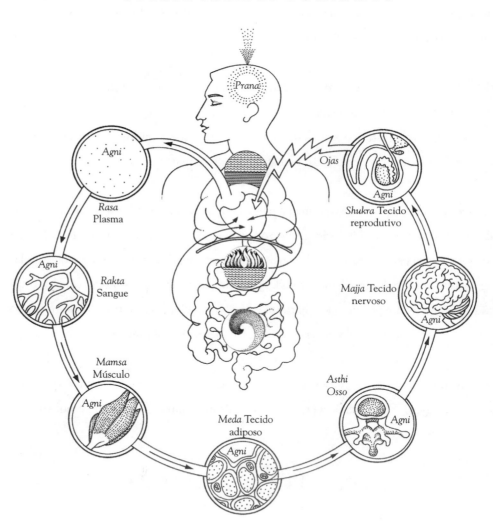

1. Plasma, *rasa*

Composição: principalmente água, é a solução básica que banha todos os demais tecidos do corpo.

Missão no nível físico: alimentar ou dar prazer (*prinana*). Nutre e hidrata todos os tecidos e serve para preenchê-los.

Missão no nível emocional: proporcionar o sentimento de preenchimento na vida. Quando *rasa* é suficiente, sentimos felicidade e contentamento. O termo em sânscrito significa essência, seiva ou circular (como no prazer de uma dança).

2. Sangue, *rakta*

Composição: uma combinação de fogo e água.

Missão no nível físico: levar o oxigênio até as células, que, sem respirar, morreriam.

Missão no nível emocional: conferir vitalidade e sentido à vida (*jivana*).

Quando temos sangue suficiente, nossa energia se torna abundante. Temos fé, amor e ardor. *Rakta* significa, literalmente, aquilo que é colorido ou vermelho. O sangue dá cor à nossa vida.

3. Músculo, *mamsa*

Composição: muita terra misturada a água e fogo.

Missão no nível físico: ligar. Os músculos, como uma camada gelatinosa, servem para cobrir e dar força a toda a estrutura do corpo. *Mamsa* vem da raiz *mam*, que significa segurar firme.

Missão no nível emocional: capacitar para a ação. Quando suficiente, o tecido muscular nos confere coragem, confiança e força, além de nos tornar abertos, felizes e capazes de perdoar.

4. Gordura ou tecido adiposo, *meda*

Composição: basicamente composta por água. Alguns livros sobre Ayurveda incluem aqui cartilagem e ligamentos (*snayu*). *Meda* é aquilo que é oleoso.

Missão no nível físico: lubrificar músculos, tendões e tecidos. Ao ajudar na lubrificação da garganta, confere voz melodiosa.

Missão no nível emocional: nos dar suavidade. Essa é a razão pela qual muitas pessoas se tornam obesas, para contrabalançar a necessidade de serem amadas. Em sânscrito, a palavra *snehana* significa lubrificação e afeição.

5. Osso, *ashti*

Composição: une terra, que é seu constituinte mineral, e ar, sua porosidade.

Missão no nível físico: dar suporte (*dharana*). Os ossos sustentam os tecidos e conferem firmeza e estrutura ao corpo. *Ashti* vem da raiz *shta*, que quer dizer aguentar, suportar.

Missão no nível emocional: trazer estabilidade, confiança, segurança e energia.

6. Tecido nervoso e sistema nervoso, *majja*

Composição: água (muita) e terra (pouca).

Missão no nível físico: preencher. Também é responsável pela secreção do fluido sinovial, que ajuda na lubrificação dos olhos, das fezes e da pele. *Majja* vem da raiz *maj* que quer dizer afundar, serve como âncora.

Missão no nível emocional: contentamento – *purana*, palavra que também designa preenchimento. *Majja* nos traz o sentido de totalidade e autossuficiência na vida. Quando nos falta, sobrevêm o vazio e a ansiedade. Confere afeição, amor e compaixão.

7. Tecido reprodutivo, masculino e feminino, *shukra*

Composição: basicamente água, que tem o poder de gerar nova vida. É a essência proveniente de todos os tecidos, particularmente do tecido nervoso.

Missão no nível físico: a reprodução (*garbha utpadana*). Nos permite reproduzir outra vida e dar continuidade ao fluxo da raça humana. Sustenta as funções imunológicas. *Shukra* tem um componente reprodutivo – a semente (o óvulo na mulher e o sêmen no homem) – e outro de prazer – os fluidos liberados durante o ato sexual. Quando é insuficiente, causa impotência e infertilidade.

Missão no nível emocional: nos dar força, energia, criatividade, colocar brilho em nossos olhos. A palavra *shukra* em sânscrito quer dizer semente e luminoso – além de dar nome ao planeta Vênus. O tecido reprodutivo confere inspiração à alma.

O PROCESSO DE NUTRIÇÃO DOS TECIDOS

Rasa (plasma) é o tecido primordial – todos os outros dependem dele para ser nutridos. Cada tecido é um desenvolvimento do anterior, assim como o creme vem do leite. Cada um é produzido pela digestão do outro, numa cadeia de nutrição contínua.

plasma →	sangue →	músculo →	gordura →	osso →	tecido → nervoso	tecido reprodutivo
	(plasma concentrado)	(sangue concentrado)	(músculo concentrado)	(gordura concentrada)	(osso concentrado)	(tecido nervoso concentrado)

Tecido reprodutivo é a essência da vida, a energia concentrada em todo o corpo. O primeiro tecido, plasma, está também diretamente conectado com o tecido reprodutivo, o último tecido. O plasma pode nutrir diretamente o fluido reprodutor, enquanto o fluido reprodutor pode alimentar e dar suporte ao plasma. Portanto, muitas substâncias que aumentam o plasma, como o leite, também aumentam o tecido reprodutivo.

Podemos construir nossos tecidos a vida inteira por meio da alimentação. A tabela a seguir mostra o que ingerir para construir cada tipo de *dhatu*.

DHATU: CONSTRUINDO OS TECIDOS PELA ALIMENTAÇÃO	
Tecido	**Alimentos**
Plasma	Líquidos em geral, mas sobretudo água, sucos de frutas ácidas (como limão e lima da pérsia) com um pouco de sal; laticínios, especialmente leite
Sangue	Alimentos ricos em ferro, moluscos, uvas pretas, vegetais com vitamina A (como cenoura e beterraba) e carne vermelha
Músculo	Grãos (como trigo e aveia); feijões, nozes e proteínas (como carne)
Gordura	Manteiga *ghee*, óleo de gergelim, queijos, laticínios e gorduras animais
Ossos	Suplementos minerais (como cálcio, ferro e zinco)
Tecido nervoso	Manteiga *ghee*, sementes e nozes oleaginosas, amêndoas, gordura animal
Tecido reprodutivo	Leite, *ghee*, açúcar mascavo, sementes e nozes (como amêndoas), gergelim e ovos

Ao olhar mais profundamente como são feitos os tecidos, concluímos que existe apenas um tecido no corpo humano, que se apresenta em sete níveis de transformação ou metamorfose. Um problema em qualquer dos tecidos tende a ser refletido nos demais.

TECIDOS			
Dhatu	Em estado ideal	Em excesso	Em deficiência
Plasma	Boa compleição da pele, cabelo brilhante e oleoso, boa energia e disposição, compaixão	Acúmulo de saliva e muco; bloqueio dos canais de circulação; perda de apetite e náusea	Pele áspera, lábios secos; desidratação; intolerância a sons; tremores; palpitações; dor; cansaço; vazio no coração
Sangue	Boa cor em mãos, pés, bochechas, lábios e língua; mucosas sãs dos olhos e das orelhas; pele quente; boa vitalidade; sensibilidade ao sol e ao calor; paixão pela vida	Doenças de pele, vermelhidão na pele, olhos e urina; abcessos; aumento do fígado; hipertensão; tumores; hepatite; digestão fraca; delírio; sensação de queimação	Palidez; pressão baixa; choque; desejo de alimentos ácidos e frios; perda do brilho da pele; rachaduras e secura na pele
Músculo	Força física; capacidade para exercícios; adaptação ao movimento; bom desenvolvimento muscular; caráter forte, com coragem e integridade	Inchaço ou tumores nos músculos e glândulas; obesidade; aumento do fígado; irritabilidade e agressividade; aborto no caso das mulheres; menor vitalidade sexual	Cansaço; fraqueza dos membros; falta de coordenação motora; medo, insegurança e infelicidade
Gordura	Quantidade certa de gordura no corpo; boa lubrificação dos tecidos; oleosidade nos cabelos, olhos e fezes; voz melodiosa; amor, afeição, alegria e humor	Obesidade; cansaço; falta de mobilidade; asma; debilidade sexual; sede; hipertensão; diabetes; medo e apego	Cansaço; juntas e olhos secos; diminuição do abdômen; cabelos, unhas, dentes e ossos fracos
Ossos	Constituição alta; juntas largas; ossos proeminentes; flexibilidade de movimento; dentes brancos, grandes e fortes; pés grandes; paciência, estabilidade e capacidade de trabalho	Problemas nos ossos (como artrite e osteoporose) e dentes; dores nas juntas; energia fraca; medo e ansiedade	Dor; juntas fracas; queda de dentes, cabelos e unhas; ossos fracos; má formação dos dentes; nanismo
Tecido nervoso	Olhos grandes e claros; juntas fortes; bom sentido de acuidade; poderes de comunicação; capacidade de suportar a dor; mente brilhante, clara, sensitiva; boa memória; receptividade e compaixão	Peso nos olhos, membros e juntas; dificuldade de cicatrização; infecção dos olhos	Ossos porosos; dor nas juntas; tontura; manchas na visão; pele escurecida ao redor dos olhos; debilidade sexual; sentimento de vazio e medo
Tecido reprodutivo	Brilho no olhar; crescimento de cabelos; boa formação dos órgãos sexuais; corpo atrativo; charme, personalidade, capacidade para amar e compaixão	Excesso de desejo sexual; inchaço da próstata, ovário, cistos uterinos; excesso de quantidade do tecido reprodutivo; raiva	Falta de vigor; falta de desejo sexual; esterilidade; impotência; secura da boca; fraqueza; dor nas costas; dificuldade para ejacular; sangue no sêmen; falta de lubrificação durante o ato sexual; medo, ansiedade e falta de amor

Cada tecido (*dhatu*) produz um tecido secundário (*upadhatu*), assim como um material de eliminação (*mala*). Veja o resumo na tabela adiante.

OS TECIDOS, SEUS RESULTANTES E EXCREÇÕES		
Dhatu	*Upadhatu*	*Mala*
Plasma	leite e fluxo menstrual	muco
Sangue	vasos sanguíneos e tendões	bile
Músculo	ligamentos	secreção de nariz, ouvido e cavidades externas
Gordura	gordura abdominal	suor
Osso	dentes	unha e cabelo
Tecido nervoso	fluido dos olhos	lágrima e secreção dos olhos
Tecido reprodutivo	ojas	fluidos genitais

OS SEIS ESTÁGIOS DA DOENÇA

A Ayurveda ensina que um mal já está em estágio avançado quando finalmente aparecem os sintomas no corpo físico. Isso porque os três primeiros estágios das doenças não se manifestam fisicamente, e sim no nível da consciência.

1. Acúmulo

Como resultado de escolhas incorretas, começamos a acumular *ama* em nosso organismo. A causa do desequilíbrio pode estar em ambientes, alimentos ou relacionamentos tóxicos, por exemplo.

2. Agravamento

Se o acúmulo de toxinas progride, o organismo começa a ter suas funções energéticas distorcidas, ainda em nível sutil.

3. Disseminação

O desequilíbrio se alastra, a pessoa passa a ter sintomas genéricos de que algo está errado, como fadiga ou desconforto generalizado.

4. Localização

O desequilíbrio se localiza em alguma área de nossa fisiologia. A área escolhida é propensa a acolher um mal, seja por trauma ou por herança genética.

5. Manifestação

Se o processo continua, uma óbvia disfunção é gerada, como uma artrite, uma angina, uma infecção.

6. Erupção

Totalmente instalada, a doença se manifesta plenamente.

Um exemplo prático: uma pessoa acostumada a se alimentar rotineiramente de *junk food* (como sanduíches gordurosos e sorvetes) ignora os sinais de má digestão de seu organismo dia após dia. Começa o acúmulo de toxinas, que se agravará com o aumento do colesterol – um processo lento, que levará anos. No estágio da localização, o excesso de colesterol passa a ser depositado nas artérias. Um dia nem tão belo, a pessoa vai ao médico com uma queixa: sente dores no peito quando se exercita. Se o processo continuar, ela será candidata a um ataque do coração.

Estresse crônico, má digestão, má eliminação, sono conturbado... Todos esses sinais de alerta o nosso corpo nos oferece, mas, se não forem ouvidos, acabarão por gerar doenças. As sementes de um mal são sempre plantadas lá atrás. Daí a importância de fazermos boas escolhas de vida aqui e agora, de forma a garantir um presente e sobretudo um futuro saudáveis.

A Ayurveda explica a doença e o envelhecimento como erros do intelecto – *pragya aparadh*. Para os antigos sábios, mestres na medicina tradicional da Índia, o erro ocorre quando nos identificamos apenas com nosso corpo físico e esquecemos que somos um com o universo. De novo: quando perdemos a autorreferência e a substituímos pelas referências externas.

A cura, por sua vez, está em reencontrar a unicidade, em restaurar a memória da totalidade. Nada do que temos pode nos trazer saúde ou felicidade. Esses bens dependem do que somos. Precisamos nos lembrar, continuamente, de que não somos seres físicos tendo experiências espirituais ocasionalmente – somos seres espirituais que, neste momento, têm experiências físicas.

O objetivo da Ayurveda é sempre elevar *agni* e *ojas*, desobstruir *srotas* e diminuir *ama*. Como? Mostrando-nos os nossos ritmos naturais (o que aprendemos ao identificar nosso *dosha*, assunto do próximo capítulo) e nos propondo uma vida em harmonia com a natureza.

O DIAGNÓSTICO

Como em qualquer linha de medicina, também na Ayurveda o diagnóstico é a base para um tratamento apropriado. O médico José Ruguê, formado no Brasil e especializado em Ayurveda na Índia, um dos maiores especialistas na ciência da longevidade em nosso país, explica que a Ayurveda se insere no contexto da ciência védica e, portanto, tem como suporte a ampla filosofia, os valores, os métodos de análise e as metas preconizadas por essa ciência, a mesma que sustenta o *yoga*.

É o dr. Ruguê quem nos conduz aqui, explicando como o diagnóstico é realizado.

Quando falamos em diagnóstico, a Ayurveda extrai conhecimento dos sistemas *Sat Darshanas* – seis sistemas de filosofia da Índia – e ainda do *Tantra* e de todo o imenso corpo daquilo que se chama *Sanatana Dharma*, seus métodos para diagnosticar os elementos que compõem a saúde do ser humano.

Esses sistemas preconizam que, para buscar o conhecimento da verdade sobre si mesmo, sobre a natureza e o universo, devemos adotar três métodos:

1. O conhecimento obtido por testemunho ou autoridade, o qual pode chegar até nós de três formas:

- ❀ Pelas escrituras ou textos autorizados, desde as escrituras sagradas que, no caso da Ayurveda, têm milhares de anos e não perderam sua validade e eficácia médica, até publicações científicas modernas no campo da Ayurveda e fora dele.
- ❀ Pela transmissão oral, que vai da palavra autorizada de um professor sábio e experiente à tradição oral dos métodos populares de medicina local.
- ❀ Pelas informações sobre a doença, circunstâncias, sinais e sintomas obtidos pela entrevista com o paciente e seus familiares.

2. Também pode ser obtido por *pratyaksha* ou percepção direta. O médico e o terapeuta bem preparados aplicam seus sentidos e sua sensibilidade para examinar o paciente e obter seu diagnóstico observando, tocando, ouvindo, cheirando com argúcia e treinamento adequado.

3. Finalmente, o conhecimento pode ainda ser obtido por inferência, que é o raciocínio baseado em premissas. Com base nos dados anteriormente obtidos, o médico e o terapeuta treinados vão deduzir o estado de *agni*, a influência do estilo de vida como fator causal, os prováveis mecanismos que estão provocando os problemas do paciente.

Partindo dessas formas de obter conhecimento, o médico dedicado e experiente vai estabelecer um diagnóstico ayurvédico baseado em dez itens. É o chamado *Dashavidha Pariksha*, expressão formada pelas palavras *dasha*, dez, e *pariksha*, diagnóstico:

1. Constituição individual, *Prakriti*

Cada ser humano é uma entidade única, mas, para os objetivos práticos do diagnóstico ayurvédico, todos somos divididos em sete biótipos, ou *doshas* – tão importantes que todo o próximo capítulo é dedicado a explicá-los. São eles:

Vata	*Vata-Pitta*
Kapha	*Pitta-Kapha*
Pitta	*Vata-Kapha*

Vata-Pitta-Kapha

V. AS BASES DA AYURVEDA   109

A *prakriti* define como devem ser nossa alimentação, estilo de vida, como podemos melhor lidar com o ambiente, com o clima, como deve ser nossa rotina diária etc.

2. Desequilíbrio ou condição patológica, *Vikriti*

Este é o maior objetivo do exame clínico. O médico ayurvédico busca os fatores causais, os *doshas* em desequilíbrio, os tecidos afetados, o estado das excreções, a intensidade do desequilíbrio, o tempo de duração e os fatores que pioram e melhoram, além de analisar os sinais e sintomas oferecidos pelo paciente.

3. Vitalidade dos sete tecidos, *Sara*

O médico analisa o estado de plasma, sangue, músculos, tecido gorduroso, ossos, tecido nervoso e tecido reprodutivo através dos métodos de percepção direta, informações e inferências obtidas pelo detalhado exame de cabelos, unhas, pele, dentes e vários outros aspectos, lançando mão, inclusive, dos exames laboratoriais e com equipamentos da medicina ocidental moderna.

4. Estrutura corporal, *Samhanana*

Tonicidade muscular, estrutura óssea e estado das articulações indicam o estado nutricional.

5. Medidas e proporções corporais, *Pramana*

São interessantes medidas das proporções de nosso organismo, designadas em *anguli* (unidade da média da medida dos dedos da mão). Altura, peso, tamanho dos braços, pernas, tronco – tudo isso é proporcional à unidade *anguli*. Desproporções, na visão da Ayurveda, comprovadas pela constatação prática, indicam maior possibilidade de doenças que levam à redução da expectativa de vida.

6. Adaptabilidade, *Satmya*

Capacidade de nos adaptar a alimentos, clima, ervas medicinais e outros elementos. Este fator tem dois aspectos práticos. Devemos sempre buscar alimentos e medicamentos (ervas medicinais) que cresçam no ambiente natural à nossa volta. E quem não tem essa capacidade de adaptação tem maior possibilidade de adquirir doenças.

7. A constituição mental, *Trigunas* (*Sattwa, Rajas e Tamas*)

Da mesma maneira como falamos de imunidade em relação ao corpo, a Ayurveda descreve a *imunidade* mental, que é a capacidade de resistir aos fatores estressantes. Como a mente é o controlador do corpo e está em contato com a alma/essência, suas variações são fatores fortemente predisponentes às enfermidades. Nesse contexto, os estados mentais podem ser classificados como:

- ❀ sátvicos: quando levam a harmonia, felicidade e paz
- ❀ rajásicos: quando levam a agitação, ansiedade, insegurança e paixão
- ❀ tamásicos: quando levam a obscurecimento da mente, entorpecimento, tristeza, mágoa e melancolia

8. Capacidade de digestão, *Ahara Shakti*

É determinada por *agni* e indica o momento no qual devemos comer, o tipo de alimento, a quantidade, o modo de preparo. A Ayurveda considera este o principal fator para a manutenção da saúde.

9. Capacidade de se exercitar, *Vyayam Shakti*

A Ayurveda considera que devemos utilizar não mais do que a metade de nossa capacidade na execução diária de exercícios, ou seja, se uma pessoa caminha 5 km e se sente extenuada, deve caminhar 2,5 km por dia.

10. Idade, *Vaya*

Na infância, predominam as doenças que a Ayurveda categoriza como *kapha*, como os problemas respiratórios. Na idade adulta, é maior a predominância dos problemas *pitta*, havendo um dito entre os médicos ayurvédicos segundo o qual o *pitta* exacerbado começa na adolescência como acne e termina aos 50 anos como infarto agudo do miocárdio. Na terceira idade, predominam os problemas *vata*, quando a energia vital vai em direção à mente e os tecidos entram em estado de deficiência, levando a males neurológicos, baixa imunidade, osteoporose.

Para levantar os dados necessários e concluir sobre esses dez aspectos do estado do paciente, a Ayurveda lança mãos de oito métodos diagnósticos – os chamados *Ashta Vidha Pariksha*, que são:

1. Exame do pulso, *Nadi pariksha*

Trata-se de um complexo processo que, executado por profissional bem treinado, é capaz de fornecer informações detalhadas sobre o indivíduo. O exame do pulso detecta a constituição e os desequilíbrios do paciente em um nível extraordinário, que chega até pequenas variações nas artérias, por exemplo. Mas esse processo está inserido no contexto geral do exame e não deve ser considerado um método isolado e suficiente.

2. Exame da língua, *Jivha pariksha*

Em suas diversas regiões, a língua expressa o estado dos órgãos internos, bem como da digestão e a presença de *ama* – as toxinas não digeridas, fator fundamental para a determinação dos primeiros passos do tratamento.

3. Exame das fezes, *Mala pariksha*

Cor, consistência, volume, número de evacuações são detalhes importantes para concluir sobre o estado de *agni*, a presença de *ama* e outras características.

4. Exame da urina, *Mutra pariksha*

Pela urina eliminamos *klesha*, as biotoxinas mais sutis, provenientes das células, tais como ácido úrico, ureia e creatinina. A análise visual da urina e do comportamento de uma gota de óleo de gergelim colocada sobre uma amostra dessa urina dá vários dados importantes sobre como conduzir o tratamento.

5. Exame pela palpação, *Sparsha pariksha*

O toque revela dados como temperatura corporal, textura da pele, tônus muscular etc.

6. Exame dos olhos, *Netra pariksha*

Formato, cor, mucosa e presença de detalhes na íris são alguns aspectos de uma visão sistêmica do exame dos olhos.

7. Exame dos sons, *Shabda pariksha*

O médico ausculta coração, pulmão, ruídos abdominais, voz e outros sons produzidos pelo organismo.

8. Constituição individual, *Prakriti*

Para sua determinação, o médico faz uma análise minuciosa do comportamento do paciente desde o momento em que entra no consultório para a consulta. São levados em conta postura, atitudes, modo de falar, descrições que faz de seu metabolismo e uma série de outros itens que têm pesos diferentes para a definição da constituição individual. Por exemplo, uma pele seca é mais importante e pesa mais na definição do *dosha Vata* do que um estado mental de ansiedade, tão comum em nossos tempos modernos em qualquer indivíduo.

FATORES CAUSAIS DAS DOENÇAS

O *Charaka Samhita*, mais antigo manuscrito e máxima autoridade de clínica médica ayurvédica, assim descreve os fatores causais das doenças:

1. Engano (crime) contra a sabedoria ou o intelecto, *Pragya aparadh*

As escolhas inadequadas que fazemos na vida exercem forte papel na origem de nossas doenças. Por exemplo, no restaurante, pedimos o prato que mais agrada ao nosso paladar, sem nos importar com o que é melhor para nossa saúde, de acordo com nossa constituição. Na vida em geral, costumamos definir rotinas de trabalho sem levar em conta quanto tempo deixamos para o exercício e o cultivo de valores fundamentais, como a amizade, os relacionamentos familiares, o serviço ao mundo e a dedicação à busca do autoconhecimento. Portanto, a primeira causa das doenças está no desequilíbrio de nossas emoções e motivações.

2. O mau uso dos sentidos, *Asatmiya indriyani*

O uso excessivo dos sentidos pode ser entendido como uma das principais causas de estresse físico e mental, levando a doenças. Barulho, odores fortes comuns em grandes cidades, uso contínuo de computador e televisão, verdadeiras intoxicações visuais que vêm de *outdoors*, propagandas e outros elementos.

Também o uso insuficiente é um problema, quando nos fechamos em trabalhos ou atividades que utilizam muito um sentido em detrimento dos demais.

O uso inadequado se dá quando, por exemplo, lemos até tarde da noite, dormimos ouvindo música ou com a televisão ligada, utilizamos somente o paladar como critério do que comer e assim por diante.

3. Efeitos ambientais, *Parinama*

Por exemplo, os alimentos, o clima, as mudanças de estações, as viagens, o estilo de vida. Tudo isso pode causar doenças.

CAPÍTULO VI

DOSHAS:
O UNIVERSO
EM VOCÊ

"A ESSÊNCIA DE TODOS OS SERES É A TERRA.
A ESSÊNCIA DA TERRA É A ÁGUA.
A ESSÊNCIA DA ÁGUA SÃO AS PLANTAS.
A ESSÊNCIA DAS PLANTAS É O SER HUMANO".

Upanishads

Já vimos que espaço, ar, fogo, água e terra são os cinco elementos que formam o universo e o corpo humano. Em outras palavras, segundo a Ayurveda, somos o microcosmo que reflete o macrocosmo – uma parte do todo que contém o todo (como as holografias).

Outra forma de entender isso é pensar que, assim como nosso corpo é formado por trilhões de células individuais, cada um de nós é também uma célula do imenso organismo chamado universo. Do mesmo modo como nossas células corporais, cada um de nós tem existência própria, mas não somos livres o bastante para viver independentemente do todo. Portanto, tudo o que existe no mundo externo tem sua contrapartida no mundo interior de algum ser vivo.

OS CINCO ELEMENTOS

SOMOS O MICROCOSMO DO MACROCOSMO, UMA PARTE DO TODO QUE CONTÉM O TODO.

Os antigos sábios usavam a teoria dos cinco grandes elementos – ou *mahabhutas*, em sânscrito, também conhecidos como os cinco grandes estados de existência material –, para explicar como as forças internas e externas se unem.

ÉTER OU ESPAÇO, AKASHA

Campo do qual tudo se manifesta e ao qual tudo retorna, espaço onde tudo acontece. Não existe fisicamente, mas, sim, como as distâncias que separam a matéria.

AR, VAYU

É o estado gasoso da matéria, que gera movimento e dinamismo. Ar é existência sem forma.

FOGO, TEJAS

É o poder que consegue transformar sólidos em líquidos e em gases. Seu atributo é transformação. Fogo é forma sem substância.

ÁGUA, JALA

É o estado líquido da matéria, seu atributo é o fluxo. Água é substância sem estabilidade.

TERRA, *PRITHIVI*

É o estado sólido da matéria, e seu atributo é a estabilidade ou rigidez. Terra é substância estável.

	Éter	Ar	Fogo	Água	Terra
OS CINCO ELEMENTOS					
No universo	é o grande espaço vazio, o vácuo onde tudo o que existe se insere	é o ar que preenche todo o espaço vazio	é representado pelo sol, fonte de luz e calor que permite que haja vida no planeta Terra	os oceanos, mares e rios, que cobrem 70% do planeta Terra	o solo sobre o qual caminhamos no planeta
No ser humano	é o espaço vazio que existe entre os nossos órgãos, entre e dentro das nossas células	é o ar que preenche nossos pulmões	é representado por *Agni*, palavra sânscrita que significa o fogo digestivo a crepitar em nosso plexo solar, metabolizando todas as informações que captamos do universo	Cerca de 70% de nossa constituição físico; é o que mantém nossa circulação e lubrificação	os órgãos, músculos, ligamentos e tendões em nosso corpo

Primeiro veio o espaço, dentro do qual o ar, ao se movimentar, gera atrito, que por sua vez gera fogo, que ao evaporar gera água, que quando se condensa se torna terra. Portanto, é o espaço que gera todos os outros elementos, e um depende do outro, sendo intrínseco a ele.

Relembrando: o elemento terra contém em si água, fogo, ar e espaço. O elemento água contém em si fogo, ar e espaço. Fogo contém em si ar e espaço. Ar contém em si espaço.

OS TRÊS *DOSHAS*

Esses cinco elementos ou forças organizam-se em três princípios essenciais: movimento, metabolismo e estrutura. Combinados em proporções únicas e individuais, eles são responsáveis por todas as funções de nossa mente e nosso corpo, gerando nossa constituição psicofísica, ou *dosha* (a palavra sânscrita, pronuncia-se "dôsha"). Os *doshas* podem ser entendidos como três biótipos: *vata*, *pitta* e *kapha*, que são ar, fogo e água, respectivamente.

Vata

União de espaço e ar. *Vata* é o princípio da energia cinestésica. Regula todos os movimentos do corpo e da mente. Tudo o que se move, da molécula ao pensamento – o faz por causa de *vata*. Em sânscrito, significa literalmente "aquilo que movimenta as coisas".

Sua função é colocar a energia em movimento e dar-lhe uma direção. Diz respeito principalmente ao sistema nervoso. É responsável por pensamento, atividade neuromuscular, respiração, circulação e movimentos peristálticos. Está diretamente conectado ao tecido (*dhatu*) ósseo.

Qualidades do elemento ar: frio, leve, seco, irregular, violento, inconstante, ágil e instável.

Pitta

Resultado de fogo (muito) e água (pouca). Regula a fome, a sede e todos os processos de transformação que ocorrem no corpo, como a digestão. Representa o metabolismo e a energia potencial, que dá brilho ao olhar. Em sânscrito, *pitta* quer dizer "aquilo que digere as coisas".

Sua função é gerar energia. Diz respeito principalmente aos sistemas digestivo, endócrino e enzimático. É responsável por clareza mental, percepção visual, digestão, metabolismo e regulagem da temperatura. Está diretamente conectado ao tecido (*dhatu*) sangue.

Qualidades do elemento fogo: quente, leve, intenso, perspicaz, mordaz, impetuoso e cáustico.

Kapha

Mistura terra e água. É a influência estabilizadora que lubrifica, mantém e contém. É o *dosha* responsável pelo acúmulo de gordura no corpo e retenção de líquidos. Em sânscrito, *kapha* é "aquilo que mantém as coisas juntas".

Sua função é regular a energia. Diz respeito principalmente ao sistema linfático. É responsável por dar suporte e nutrir o sistema nervoso, lubrificar o trato digestivo, as articulações e o trato respiratório, regular água e gordura. Está diretamente conectado a cinco dos sete tecidos (*dhatus*) do corpo humano: plasma, músculo, gordura, tecido nervoso e tecido reprodutivo.

Qualidades do elemento terra: frio, pesado, sólido, estável, suave e lento.

EQUILÍBRIO E DESEQUILÍBRIO

Todas as formas de vida combinam os três *doshas*, cada qual de maneira única. No momento em que o espermatozoide do pai fecunda o óvulo da mãe, ambas as células carregam em si porcentagens específicas de *vata*, *pitta* e *kapha* do momento de vida do pai e da mãe, gerando assim a porcentagem individual do novo ser, que determina a *prakriti*, ou seja, nossa natureza, nosso ideal, independentemente da quantidade existente. Isso quer dizer que não é necessário ter 33,3% de cada *dosha* para nossa natureza ser boa – toda *prakriti* é boa quando equilibrada.

Porém, com o passar do tempo, sofremos influências externas – como as estações do ano, nossa idade, alimentação, o clima, nossas emoções. Diante de todas essas influências, nossa *prakriti* se desequilibra, tornando-se então *vikriti*, que em sânscrito quer dizer deturpação.

VI. *DOSHAS*: O UNIVERSO EM VOCÊ   121

Em perfeito funcionamento, os *doshas* proporcionam a saúde e o equilíbrio entre corpo e mente. Como a maioria dos seres humanos vive em *vikriti*, volta e meia adoecemos.

Na natureza, os elementos também sofrem desequilíbrios: um furacão representa desequilíbrio de *vata*; calor excessivo é um desequilíbrio de *pitta*; uma inundação é desequilíbrio de *kapha*.

Atualmente, vivemos em uma era *vata*, dominada pelo movimento – o que gera ansiedade, medo, insegurança. Isso é especialmente nocivo para as pessoas de *vata*, mas também afeta negativamente *kapha* e *pitta*.

Quando os *doshas* se desequilibram em nossa constituição, ou seja, quando passamos a viver em *vikriti*, geramos doenças. O processo tem início com o acúmulo de toxinas – *ama* – em nosso corpo. Essas toxinas impedem o fluxo natural e espontâneo da energia, gerando um primeiro desequilíbrio, que se manifesta como fadiga, cansaço, mal-estar.

Esta é a primeira fase das doenças, como vimos. Mas, com o aumento natural da ingestão de toxinas – que nos rodeiam em todos os momentos da vida –, o desequilíbrio se alastra e vai se acumular em um órgão específico, gerando uma doença também específica. Cada um dos *doshas* tem um órgão onde "reside", que é sua "sede", por assim dizer. Dependendo do *dosha* que se desequilibrou, portanto, é em seu órgão-sede que a doença provavelmente se manifestará.

Vata, que representa a qualidade do movimento, é o líder dos *doshas*, pois sua combinação de espaço e ar é necessária para que tudo o mais exista no universo. Então, *pitta* (fogo e pouca água) e *kapha* (água e terra) dependem de *vata* para existir. Porém, móvel e instável, *vata* é bastante suscetível ao desequilíbrio. E, quando o rei dos *doshas* se desequilibra, os outros tendem a segui-lo. Os textos clássicos da Ayurveda atribuem 80 tipos de doenças a *vata*, 40 a *pitta* e 20 a *kapha* – este, o mais estável dos três.

O bem-estar do ser humano depende do equilíbrio entre os *doshas*, essas energias sutis. Mas um ou dois deles tendem sempre a se destacar, definindo traços de personalidade, metabolismo e aparência física. O *dosha* que se destaca é aquele que dizemos ser o *dosha* da pessoa. Se, então, você ouve alguém falar que "é *vata*", ou "é de *vata*", isso significa que *vata* é seu *dosha* predominante. Se alguém é *pitta-kapha*, é porque esses dois *doshas* se sobressaem em sua constituição.

A determinação do *dosha* de cada pessoa é possível pela observação de suas características. Por exemplo: *vata* é associado a frio, secura, velocidade e leveza; *pitta*, a calor, acidez e clareza mental; e *kapha*, a frio, peso, oleosidade e lentidão. É importante sabermos determinar as porcentagens e combinações dos *doshas* em nossa fisiologia para que possamos minimizar os desequilíbrios.

A SOMA QUE SUBTRAI

Um dos princípios básicos da Ayurveda é que os semelhantes se reforçam (como na homeopatia se diz que 'igual cura igual', mas aqui é exatamente o contrário). Como o objetivo desse sistema de cura é o equilíbrio, não queremos reforçar o que já é predominante, pois essa soma subtrai saúde. O que queremos é trazer para nossa constituição aquilo que temos em menor quantidade. Assim, *vata* pode ser equilibrado por tudo o que seja quente, úmido, oleoso – características opostas às suas. *Pitta* pode ser reduzido por tudo o que minimize o calor e a acidez – ou seja, pelo frio e pelo doce. *Kapha* é contrabalançado por tudo o que dinamize, esquente e compacte.

Com essa regra básica em mente – equilibrar a energia que já se tem em demasia pela introdução de seu oposto –, você pode encontrar os melhores caminhos para balancear seu *dosha*. A Ayurveda aponta as ferramentas existentes e como usá-las para equilibrar nossa constituição, com o objetivo de estar o mais próximo possível de nossa *prakriti* – nossa constituição ideal. Viver em *prakriti* não é sinônimo apenas de uma vida saudável, mas também muito mais prazerosa.

VI. DOSHAS: O UNIVERSO EM VOCÊ 123

TESTE: QUAL É O SEU DOSHA?

Características	Vata	Pitta	Kapha
Seu corpo	Magro, de estrutura e músculos finos, articulações pontudas, tendões e veias proeminentes, juntas que estalam	Constituição média, bom desenvolvimento muscular, mantém o peso	Ossatura grande, estrutura pesada, tendência a ganhar peso
Sua pele	Seca, áspera ou fina	Mista, suave, quente, corada e propensa a irritação	Oleosa, macia, aveludada
Seus cabelos	Seco, quebradiço ou crespo	Liso, fino, com tendência a ficar branco precocemente e à calvície	Grosso, volumoso e com brilho
Seus olhos	Castanhos ou pretos, pequenos, nervosos, secos, com cílios ralos	Azuis ou verdes, de tamanho médio, brilhantes, sensíveis à luz, com cílios ralos e oleosos	Azuis ou pretos, grandes e marejados, com cílios longos e grossos
Suas unhas	Quebradiças	Cor de rosa e macias	Grossas e fortes
Seu apetite	Variável	Grande	Regular
Sua digestão	Variável: num dia boa; no outro, ruim	Excelente, metaboliza qualquer alimento, mas tem tendência a azia e acidez	Lenta e de difícil metabolização
Sua eliminação	Tendência a prisão de ventre	Regular, com tendência a diarreia e fezes moles	Regular e lenta
Sua temperatura corporal	Fria, e não suporta o frio	Quente, e tem intolerância ao calor	Fria, e não suporta umidade
Seu sono	Leve e irregular, com tendência a insônia	Pouco e profundo, dorme fácil e acorda fácil	Pesado e muito, tem dificuldade para acordar
Seu desejo sexual	Variável	Intenso	Regular
Sua mente	Ativa, curiosa, sem descanso	Inteligente e agressiva	Calma, lenta, receptiva
Sua memória	Aprende rápido e esquece rápido	Aprende rápido e demora para esquecer	Aprende devagar e não esquece mais
Seu temperamento	Alegre, animado e gosta de mudanças	Determinado, luta pelo que quer e tende a impor sua opinião	Amoroso, de fácil relacionamento, sempre disposto a ajudar
Suas qualidades	Facilmente adaptável e criativo	Corajoso e determinado	Estável, calmo e pacífico
Sob estresse, você reage com	Ansiedade, preocupação e insegurança	Frustração, raiva e impaciência	Calma, preguiça, depressão e isolamento
Sua rotina diária	Variável	Precisa	Metódica
Seu bolso	Gasta aleatoriamente	Prefere o luxo	Economiza

SEU DOSHA

Quem é você?

O teste apresentado permite que você descubra qual seu *dosha* predominante. Geralmente, temos características dos três elementos e dois se sobressaem – um deles sendo um pouco mais forte do que o outro.

Para cada resposta, leve em conta as tendências que você demonstra desde criança, uma vez que, como explicamos, o *dosha* é fixado no momento da concepção. O elemento mais assinalado será a força dominante em sua estrutura psicofísica.

Para ser *unidosha*, a contagem de pontos do questionário do *dosha* principal deve ser o dobro do elemento que vem a seguir. Esse segundo elemento também vai influenciar em suas características, formas de ser e de agir, mas com força menor. Se nenhum dos dois *doshas* for extremamente dominante, você será *bidosha*, com suas influências se alternando. Se a contagem dos três for mais ou menos igual, você será *tridosha*, o que é raro.

VATA: AO SABOR DO VENTO

Este *dosha* controla todo o movimento biológico, como a inspiração e a expiração, a circulação sanguínea, os impulsos nervosos, os batimentos cardíacos, a comida que entra e sai, o fluxo dos pensamentos. *Vata* é responsável por começar as coisas – por isso, quando em desequilíbrio, a pessoa deste *dosha* fala muito sem chegar a nenhuma conclusão, gasta dinheiro à-toa, compra demais sem, no entanto, adquirir nada necessário.

A energia de *vata* controla o sistema nervoso e se concentra na região do cólon (intestino grosso), pélvis, juntas sacro-ilíacas e lombar. Quando o *dosha* entra em desequilíbrio, esses são os primeiros órgãos a apresentar problemas.

VI. *DOSHAS*: O UNIVERSO EM VOCÊ   125

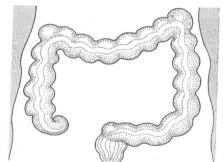

Sede de *Vata*
Cólon, cavidade
pélvica

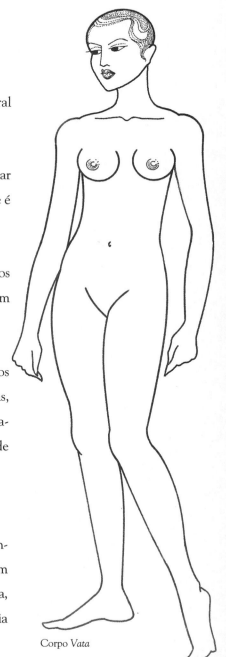

Corpo *Vata*

Características físicas

São pessoas altas ou baixas, porém sempre magras, de estrutura corporal pequena e angulosa. Têm ombros e quadris estreitos.

Podem comer muito e não engordar. No entanto, seu peso pode flutuar durante a vida e, ao envelhecer, às vezes ganham alguns quilos. O apetite é irregular e podem ter fome a qualquer hora, bem como pular refeições.

As juntas são secas, barulhentas e protuberantes. Os dentes são pequenos e também protuberantes. Têm mãos e pés gelados e sentem muito frio. Em geral têm olhos pequenos e cabelos finos e encaracolados. A pele é seca.

Dormem pouco – normalmente seis horas são suficientes – e em horários diversos. De sono leve, acordam com qualquer barulho. São superativas, mas se cansam com facilidade, podendo chegar à exaustão. Isso gera sensação de fraqueza, sobretudo se têm dificuldade para dormir. Necessitam de muito repouso e se beneficiam com rotinas e hábitos regulares.

Características psicológicas

Tendem a ser alertas, com uma mente rápida e ativa. Aprendem novos conceitos e ideias num piscar de olhos, mas tendem a esquecer o que aprenderam com igual rapidez. Como o vento, pensam, falam, andam e movem-se depressa, geralmente sem parar. Gostam de movimento e de novidades. Mudam de ideia e de humor o tempo todo. Amam a liberdade.

Em equilíbrio

São pessoas felizes, entusiasmadas, alertas, criativas, ágeis, comunicativas, energéticas e sensíveis. Fazem amigos rapidamente.

Em desequilíbrio

Apresentam cansaço, ficam angustiadas e ansiosas, sofrem de insônia, prisão de ventre, gases e flatulência. Ficam hipersensíveis e inseguras na hora de tomar decisões. Tornam-se contraditórias, imprevisíveis e instáveis.

Reação ao estresse

Preocupar-se e perguntar-se: "O que EU fiz de errado?"

Balanceando *vata*

Estabilidade emocional, amor e quietude são os melhores remédios para este *dosha*. Criar um ambiente agradável em casa, sem muitas distrações, manter rotinas e respeitar os períodos de descanso também ajudam. A prática de *yoga*, dança e caminhada faz muito bem. *Vata* deve evitar tudo o que seja frio, seco, instável, agitado e fugir das correntes de ar.

No amor

Vata é inconstante, difícil de se comprometer.

PITTA: PODE VIR QUENTE QUE ELE ESTÁ FERVENDO

Dinamismo e paixão caraterizam as pessoas de *pitta*. O *dosha* do fogo representa o metabolismo, sendo responsável por todas as transformações químicas que ocorrem no organismo. *Pitta* faz a digestão, traz luminosidade para o olhar, regula a temperatura e é fonte de energia.

Este *dosha* se concentra na região abdominal: intestino delgado, parte baixa do estômago e fígado. Quando o *dosha* entra em desequilíbrio, esses são os primeiros órgãos a sofrer.

VI. DOSHAS: O UNIVERSO EM VOCÊ   127

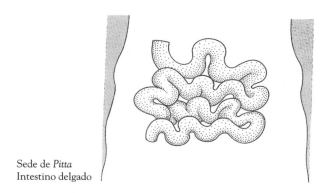

Sede de *Pitta*
Intestino delgado

Características físicas

Pessoas de estrutura e constituição corporal média. Mantêm o peso sem flutuações importantes.

A pele é clara ou avermelhada, muitas vezes com sardas e com tendência a manchar. Como a temperatura do corpo é alta, transpiram e ruborizam com facilidade. Também por isso são avessas ao calor e à exposição prolongada ao sol.

Têm olhos penetrantes, de tamanho médio. Cabelo fino e sedoso, normalmente loiro, castanho claro ou ruivo. A tendência é ficarem com os cabelos grisalhos precocemente e, no caso dos homens, carecas.

Têm excelente digestão e grande apetite. Ficam irritadas se pulam ou atrasam uma refeição. O intestino também funciona com regularidade. Costumam acordar no meio da noite com fome, sede ou calor. Dormem profundamente, por curtos períodos de tempo. Têm forte impulso sexual.

Características psicológicas

É o *dosha* de maior inteligência e também raiva. O raciocínio é rápido, enquanto a mente tem poder de foco e organização. São pessoas ordeiras, enérgicas e competitivas, além de corajosas e independentes. Têm a fala articulada e precisa. Têm iniciativa e costumam dominar as situações. Costumam julgar os outros.

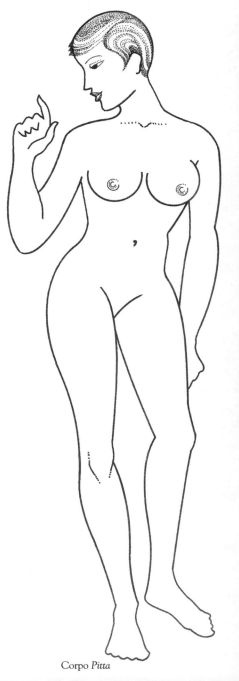

Corpo *Pitta*

Em equilíbrio

Determinadas, precisas e com grande capacidade de liderança e realização. São pessoas calorosas e sabem tomar decisões acertadas.

Em desequilíbrio

Tornam-se impacientes, frustradas e irritadiças. Raivosas, passam a ter comportamento agressivo e intimidador. Mostram-se manipuladoras e competem de forma desenfreada. O senso crítico fica exacerbado, tornam-se sarcásticas e sua busca pela perfeição leva à intolerância. Têm erupções na pele, sofrem com indigestão e azia.

Reação ao estresse

Irritar-se e perguntar: "O que VOCÊ fez de errado?"

Balanceando *pitta*

Aprender a usar de forma construtiva a energia de sua raiva é a maior lição para este *dosha*. No dia-a-dia, é importante abrir espaço na agenda para o descanso, ter senso de humor, comer saladas, tomar bebidas frias (mas não geladas) e praticar esportes, sobretudo a natação. A meditação ajuda a acalmar. *Pitta* deve evitar tudo o que seja quente.

No amor

Naturalmente apaixonadas, as pessoas de *pitta* precisam cultivar a humildade e a paciência para se relacionar efetivamente com um companheiro. Seu maior desafio é unir sexo e coração.

KAPHA: DEVAGAR E SEMPRE

Representa estabilidade e pé no chão. É o *dosha* responsável por nossa estrutura e sistema linfático. Também é *kapha* que dá suporte e nutre o sistema nervoso, lubrifica o trato digestivo, as articulações e o trato respiratório, regula água e gordura.

VI. DOSHAS: O UNIVERSO EM VOCÊ   129

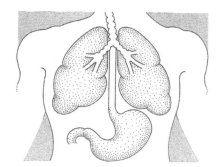

Sede de *Kappa*
Peito e estômago

Energia concentrada no alto do estômago, pulmões e vias respiratórias, os primeiros órgãos a adoecer quando *kapha* entra em desequilíbrio.

Características físicas

As pessoas de *kapha* têm estrutura corporal sólida, ganham peso com facilidade, têm tendência à obesidade e muita dificuldade para emagrecer.

A pele clara é lustrosa, suave e sedosa, e apresenta certa palidez. Têm lábios carnudos, dentes brancos e fortes, bochechas fofas e olhos grandes, de cílios longos. Cabelos grossos, pretos e brilhantes.

De digestão lenta, podem sentir-se pesadas após comer. Não têm muito apetite e toleram bem pular refeições. A eliminação é regular. Precisam de um período maior de descanso e seu sono é pesado e profundo. Transpiram pouco e detestam tempo frio e úmido. Tendem a acumular muco.

Características psicológicas

São lentas em todos os aspectos, como movimentos e raciocínio. Aprendem devagar, mas têm excelente memória. Amáveis, cheias de compaixão, conciliadoras e de bom senso, as pessoas de *kapha* costumam ser excelentes como amigos e pais.

O apego a gente e coisas, bem como ao passado, faz parte de sua natureza. Não se preocupam nem ficam bravas com facilidade. Emocionalmente estáveis, são agradáveis e carinhosas. Pensam muito antes de tomar qualquer decisão.

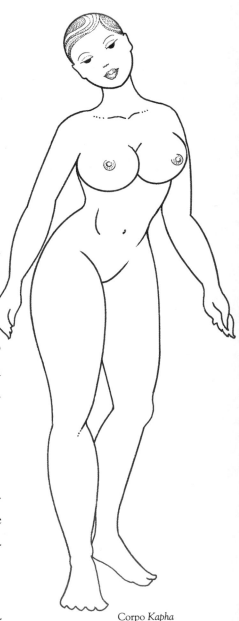

Corpo *Kapha*

Em equilíbrio

Calmas, tranquilas, com bom nível de energia. Pacientes, pensativas, devotadas e amorosas. Gostam de rotina e sabem economizar dinheiro. São pessoas constantes, coerentes, leais, fortes e protetoras. A fala é clara e concisa.

Em desequilíbrio

Apresentam preguiça, fadiga, depressão e dificuldade para expressar os sentimentos. Tornam-se letárgicas, estúpidas, avarentas e superprotetoras. Desenvolvem tendência a dormir demais e ficam resistentes a qualquer mudança. Sofrem com obesidade e com pulmão e nariz congestionados. O apego a coisas, pessoas e ao passado fica extremado, resultando em ciúme e saudosismo.

Reação ao estresse

Entristecer-se e dizer a si mesmo: "Como EU posso ajudar a resolver isto?"

Balanceando *kapha*

A prática de esportes, como lutas marciais e musculação, e a adoção de massagens vigorosas ajudam a revigorar *kapha*. Jardinagem, arrumação da casa e culinária são alguns *hobbies* interessantes.

No amor

Kapha é responsável pela família, pelo lar e pelos relacionamentos estáveis. Sensual, combina a força masculina com a suavidade feminina.

TUDO COMBINADO

Aqui, listamos as possíveis combinações de *doshas* e quais as principais características de quem é *bidosha* – a grande maioria dos seres humanos. A energia cujo nome aparece na frente é a dominante e a outra, secundária.

Vata-pitta

Pessoas com esta combinação de *doshas* normalmente têm a estrutura física frágil e os movimentos rápidos de *vata*. No mais, suas características psicológicas e físicas costumam ser mais equilibradas pela influência de *pitta*. São amistosas e falantes, mas bem mais decididas do que quem é um puro *vata*. O intelecto também é mais focado e aguçado. Elas têm maior energia e estabilidade, melhor digestão, eliminação mais regular e circulação mais rápida. Toleram melhor o frio e são menos sensíveis às mudanças do ambiente. Enfrentam os problemas com maior entusiasmo.

Pitta-vata

De constituição física mediana como a dos puros *pitta*, são pessoas mais fortes e com mais músculos que as de *vata-pitta*. São rápidas e enérgicas nos movimentos. São intensas como *pitta* e não tão leves como *vata*. Apresentam melhor digestão e eliminação do que as *vata-pitta*. Muitas vezes, acumulam as características negativas de medo e raiva dos dois *doshas* ao mesmo tempo. Aceitam desafios e enfrentam os problemas com entusiasmo e, algumas vezes, até com agressividade.

Pitta-kapha

Agem de maneira intensa como *pitta* e apresentam a estrutura física sólida de *kapha*. São mais musculosas do que as pessoas *pitta-vata*. Têm corpo adequado à prática de esportes, pois combinam a energia de *pitta* com a resistência ao esforço de *kapha*. Não gostam de pular refeições e geralmente gozam de saúde boa. Mesclam a estabilidade de *kapha* e a força de *pitta*, com tendência a julgar, criticar e acumular raiva.

Kapha-pitta

Têm excelente musculatura, mas com maior proporção de gordura. Sua estrutura física também é maior. Os movimentos são mais lentos e relaxados do que os de *pitta-kapha*. Têm grande energia.

Vata-kapha

Apresentam a constituição física frágil de *vata*, sem o excesso de movimento. Têm equilíbrio interior, mas, sob estresse, podem demonstrar a impetuosidade característica de *vata*. Quando necessário, são ativos – mas são conscientes de sua tendência à ociosidade. Odeiam o frio e sua digestão é lenta e irregular.

Kapha-vata

São pessoas de estrutura física sólida e que se movimentam com menor velocidade do que *vata*. São mais relaxadas, o que equilibra a tendência de *vata* ao entusiasmo exacerbado. São mais atléticas e têm maior resistência. Podem desenvolver irregularidades na digestão e sentir frio, característica dos dois *doshas*.

Vata-pitta-kapha

Apresentar, de forma balanceada, características dos três *doshas* é algo raro. São as pessoas *tridosha*.

Já naturalmente mais equilibradas, as pessoas *tridosha* costumam ter vida longa e boa saúde, dispondo de sistema imunológico resistente.

SUBDOSHAS

Cada *dosha* tem cinco subdivisões, que ocupam locais específicos no corpo, onde atuam com maior evidência e têm funções determinadas.

Aqui, veremos o significado de cada *subdosha*, sua principal localização no corpo, as funções físicas e mentais pelas quais ele é responsável e as doenças que causa quando entra em desequilíbrio.

Para equilibrar os *subdoshas*, devem-se observar os princípios da Ayurveda, como incluir na rotina *yoga*, meditação, *pranayamas* (exercícios respiratórios), alimentação etc. O Capítulo XI deste livro, "Sempre jovem", detalha a metodologia a ser seguida para atingir e manter saúde perfeita.

De vata

1. Prana Vata

Significado: *prana* quer dizer "primeiro ar". *Pra* é "para a frente", em direção ao primeiro. *Prana* é a energia que alimenta todos os movimentos para dentro, é a energia cósmica da vida.

Sede: cérebro, cabeça, garganta, coração e órgãos respiratórios.

Responsável por: inspiração, clareza da mente, raciocínio e memória. É o que mantém nosso entusiasmo e nos conecta com nossa consciência pura. Dá suporte aos sentimentos e emoções e governa a percepção através dos sentidos, especialmente audição e tato. Traz ar, comida e água para dentro de nós, bem como as impressões sobre o mundo. É responsável ainda pelos atos de engolir, espirrar, cuspir e arrotar.

Em desequilíbrio: causa problemas respiratórios, de cognição, desordens neurológicas, tensão na nuca, dores de cabeça, preocupação, ansiedade, mente hiperativa, insônia, soluços e asma.

Da mesma maneira como *vata* lidera os outros *doshas*, *prana vata* lidera os *subdoshas* de *vata*. Quando temos quantidade suficiente de *prana*, não adoecemos. Portanto, toda doença é relacionada, em algum nível, com falta de *prana*, e podemos auxiliar no tratamento com métodos como *prananyamas* (exercícios respiratórios) e aromaterapia.

2. *Udana vata*

Significado: *udana* quer dizer "movimento para cima".

Sede: umbigo, pulmões e garganta.

Responsável por: fisiologia da fala e, consequentemente, do canto. Governa a maneira como nos expressamos, como expressamos nossa energia na vida, incluindo o trabalho e a maneira de nos comunicar. Determina nossas aspirações. Relaciona-se também com energia, habilidade de fazer esforços, força física e força de vontade.

Em desequilíbrio: gera problemas na fala, na garganta (como dor e tosse seca), dor de ouvido e cansaço.

3. *Samana vata*

Significado: *samana* quer dizer "ar equilibrado".

Sede: estômago e intestinos.

Responsável por: movimentos peristálticos e trajetória do alimento através do trato digestivo. Atua em todos os órgãos, auxiliando na absorção – por exemplo, do ar pelos pulmões. Equilibra as partes superior e inferior do corpo e suas energias.

Em desequilíbrio: provoca má digestão, inchaço, gases, diarreia, assimilação inadequada dos nutrientes e anorexia.

4. Apana vata

Significado: *apana* quer dizer "movimento do ar para baixo".

Sede: cólon, bexiga, umbigo, órgãos sexuais e reto.

Responsável por: controle dos movimentos para baixo, incluindo eliminação de fezes, urina, menstruação, descarga sexual e parto. Governa a absorção da água no intestino grosso e otimiza a absorção dos nutrientes dos alimentos, estágio final da digestão. Ajuda também na alimentação do feto e dá suporte ao sistema imunológico.

Em desequilíbrio: provoca prisão de ventre, diarreia, flatulência, colite, dores na região lombar, disfunções sexuais, cólicas de intestino, problemas de menstruação, doenças urinárias e dos órgãos genitais, espasmos musculares e crescimento da próstata. Em excesso, drena a energia do ser humano, podendo causar decadência física e até a morte.

Como o cólon é a principal sede de *vata*, desequilíbrios de *apana vata* estão na base de muitas doenças relacionadas a este *dosha*.

5. Vyana vata

Significado: *vyana* é o "ar difuso", o ar que está por toda a parte.

Sede: todo o corpo, espalhado na pele, sistema nervoso e sistema circulatório.

Responsável por: circulação, ritmo do coração, pressão do sangue e tato. Também pela eliminação do suor e pelo ato de bocejar. Governa o movimento das juntas e dos músculos. Sua ação está concentrada nas pernas e nos braços.

Em desequilíbrio: causa males do sistema nervoso, problemas circulatórios e doenças cardíacas, como pressão alta e disritmia. Afeta a coordenação motora e causa dificuldades nas articulações.

SUBDOSHAS DE VATA

Fatores que causam excesso ou deficiência em cada um dos *subdoshas de vata*

Subdosha	Fatores causais
Prana	**Excesso**: movimento e agitação, estresse, alimentos estimulantes, cigarro, drogas. **Deficiência**: falta de entusiasmo, letargia, fatores climáticos *kapha* (frio e umidade).
Apana	**Excesso**: laxativos e purgativos, alimentos picantes, ácidos e salgados, gordurosos e todos os fatores *pitta*. **Deficiência**: alimentos refinados, frios e secos, baixo *agni*, anemia e fatores *vata*.
Udana	**Excesso**: falar demasiadamente, ar seco, hiperatividade de todos os tipos, falsa ou exagerada expressão de si mesmo. **Deficiência**: falta de motivação, depressão, incapacidade de expressar seus talentos, alimentação excessivamente *vata*
Vyana	**Excesso**: hipertireoidismo, ansiedade, café e outros excitantes, sono inadequado, fatores *vata* e *pitta*. **Deficiência**: hipotireoidismo, desidratação, fatores *kapha*.
Samana	**Excesso**: nervosismo, ansiedade, alimentação irregular. **Deficiência**: combinações incompatíveis de alimentos, comer sem que a refeição anterior tenha sido digerida, excesso de alimentos *kapha*.

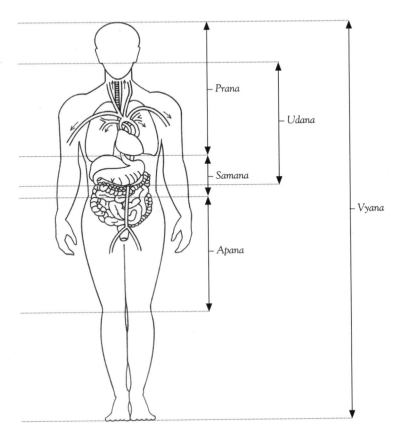

Local dos cinco *subdoshas* de *vata*

Fonte: Sharma e Clark

MOVIMENTO DA FORÇA VITAL

Udana	Ascendente
Samana ... Prana ... Vyana	Equilibradora ... Central ... Equilibradora
Apana	Descendente

Fonte: D. Frawley, *Ayurvedic Healing Course*

Os *subdoshas prana* e *apana* governam a entrada e a saída da energia vital, também chamada *prana*. *Samana* direciona o *prana* para os tecidos (força centrífuga) e *vyana* (força centrípeta) o faz circular pelo corpo. *Udana* representa nossa energia e motivação durante a vida.

De *pitta*

1. *Pachaka pitta*

Significado: *pachaka* é o "fogo que digere". Dessa energia são formados os ácidos e sais da bile, que digerem os alimentos.

Sede: estômago e intestino delgado, principal local em que se assenta *pitta*. Por isso, o equilíbrio deste *subdosha* é fundamental para que o *dosha* não desande.

Responsável porr: digestão dos alimentos, separando os nutrientes dos produtos a serem eliminados. É o que mantém o *agni* elevado, isto é, o fogo digestivo responsável pela metabolização de todos os alimentos e das informações que captamos do universo. Segundo a Ayurveda, a base de nossa saúde depende de boa digestão e de boa eliminação. *Pachaka pitta* também constrói nossos tecidos.

Em desequilíbrio: causa queda da temperatura corporal e problemas digestivos, incluindo azia, hiperacidez e úlceras.

2. *Ranjaka Pitta*

Significado: é o "fogo que colore".

Sede: fígado, vesícula, duodeno, células vermelhas do sangue.

Responsável por: formação das células vermelhas; portanto, equilibrando a química do sangue e distribuindo nutrientes através do fluxo sanguíneo. Confere cor ao sangue, à bile e às fezes.

Em desequilíbrio: gera anemia, problemas de pele e de sangue, hepatite, raiva e hostilidade.

3. Sadhaka pitta

Significado: é o "fogo que determina o que é verdade", o que é real. Permite-nos concretizar os objetivos do intelecto, da inteligência e do ego. Inclui também, em nível inferior, os objetivos de prazer, riqueza e prestígio e e, em nível superior, os objetivos espirituais de libertação.

Sede: coração e cérebro.

Responsável por: funções físicas do coração, emoção, memória e inteligência (*buddhi*). Governa também nossa energia e digestão mental. Digere impressões, ideias e crenças. Responde por nosso poder de discernimento. Como *prana*, exerce movimento para dentro, governando a combustão interna, a liberação de energia das nossas impressões e experiências de vida, que dão poder à mente. Direciona nossa inteligência para dentro.

Em desequilíbrio: leva à depressão e outras disfunções emocionais, como tristeza, raiva, problemas de coração, perda de memória e indecisão. Afeta ainda a clareza mental, com consequente confusão entre fantasia e realidade, ou desilusão.

4. Alochaka pitta

Significado: é o "fogo que governa a percepção visual".

Sede: olhos; em especial, as pupilas.

Responsável por: visão, olhos claros e olhar de contentamento. Como *udana vata*, tem movimento ascendente e nos impulsiona a procurar a claridade e o entendimento. Essa luz, captada por *alochaka pitta*, nos ajuda a alimentar a mente e a alma. A qualidade da alma é sempre visível através da luz dos olhos. Clareza dos olhos denota bom poder digestivo e inteligência mais profunda.

Em desequilíbrio: causa problemas visuais e olhos vermelhos.

5. Bhrajaka pitta

Significado: é o "fogo que governa o brilho da pele e a compleição", mantendo sua coloração, sua uniformidade e seu brilho.

Sede: pele.

Responsável por: metabolismo, vitalidade e uniformidade da pele (em termos de textura e cor). Digere o calor e a luz que absorvemos pela pele. Como *vyana vata*, está envolvido com o sistema circulatório e tem movimento de energia para fora. É o calor da circulação periférica e, em excesso, causa suor.

Em desequilíbrio: gera problemas de pele, como acne, rachaduras, bolhas e câncer.

SUBDOSHAS DE *PITTA*

Fatores que causam excesso ou deficiência em cada um dos *subdoshas* de *pitta*.

Subdosha	Fatores causais
Pachaka	**Excesso:** alimentos muito picantes, ácidos ou salgados, muito quentes e frituras. Não comer quando sentir fome. Emoções *pitta*, como raiva **Deficiência:** baixo *agni*, alimentos doces e formadores de muco. Combinações incompatíveis de alimentos. Comer sem que a refeição anterior tenha sido digerida. Emoções *vata* e *kapha*.
Ranjaka	**Excesso:** alimentação muito rica em proteínas, frituras, muito diversificada, artificial, gordurosa. Combinações incompatíveis de alimentos. Emoções *pitta* **Deficiência:** fatores que causam anemia, como fluxo menstrual excessivo, falta de ingestão adequada dos nutrientes, baixo *agni*.
Sadhaka	**Excesso:** competitividade em demasia, ambientes muito estressantes e conflitivos, emoções como raiva, vaidade, prepotência e arrogância. **Deficiência:** depressão, falta de atividade intelectual, dormir durante o dia e alimentos muito tamásicos e rajásicos
Alochaka	**Excesso:** Estímulos visuais excessivos como ver TV, computadores, não dormir adequadamente, alergias. **Deficiência:** falta de estímulos, frio e umidade, chorar muito.
Bhrajaka	**Excesso:** toxinas no sangue provocadas por emoções; alimentação e estilo de vida excessivamente *pitta*. Exposição excessiva ao sol. **Deficiência:** secura e resfriamento da pele e todos os fatores *vata* e *kapha*.

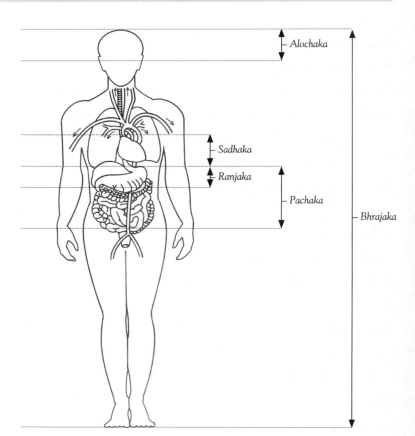

Local dos cinco *subdoshas* de *pitta*

Fonte: Sharma e Clark

De Kapha

1. Kledaka Kapha

Significado: *kledaka* quer dizer "água que umedece".

Sede: estômago.

Responsável por: manter o tecido do estômago umidificado para que o processo de digestão se inicie. Liquefaz a comida no primeiro estágio da digestão. O estômago é a sede de *kapha*; portanto, o equilíbrio deste *subdosha* é muito importante para todo o *dosha*. Trabalha em harmonia com *pachaka pitta* para proteger o tecido do trato digestivo.

Em desequilíbrio: afeta a digestão, tornando-a lenta, causa secreção irregular dos fluidos estomacais ou excesso de muco e prejudica todos os outros *subdoshas* de *kapha*.

2. Avalambaka kapha

Significado: é a "água que dá suporte".

Sede: peito, coração, pulmão e lombar.

Responsável por: dar suporte ao coração e à região lombar. Proporciona força muscular e na região do tronco. Lubrifica pulmões, coração e garganta. Como *apana vata*, tem ação descendente. E é o *subdosha*-chave para curar doenças causadas por desequilíbrio de *kapha*.

Em desequilíbrio: ocasiona aumento de peso, dores nas costas, problemas de coração, congestão no peito, asma e letargia. Causa apego emocional.

3. Bodhaka kapha

Significado: é a "água que gera percepção".

Sede: língua e garganta.

Responsável por: paladar, que, em equilíbrio, impede a obesidade, problema para o qual este *dosha* tem propensão. Umidifica a língua e produz saliva na boca. Governa também o gosto pela vida. Seu refinamento leva à busca de formas mais sutis de prazer do que simplesmente o paladar. Como *udana vata*, exerce ação para cima e gera conhecimento. Como *alochaka pitta*, reside na cabeça e gera percepção.

Em desequilíbrio: prejudica o paladar e interrompe a salivação.

SUBDOSHAS DE KAPHA

Fatores que causam excesso ou deficiência em cada um dos *subdoshas* de *kapha*

Subdosha	Fatores causais
Kledaka	**Excesso**: alimentos *kapha*, comer em excesso, digestão lenta. **Deficiência**: alimentos picantes e ácidos, alimentação irregular, raiva.
Avalambaka	**Excesso**: clima frio e úmido, alimentos formadores de muco, dormir durante o dia, falta de atividade física, mágoa e ressentimentos. **Deficiência**: ar frio e seco, atividade excessiva, medo e insegurança.
Bodhaka	**Excesso**: alergias, alimentação *kapha*, clima úmido e frio. **Deficiência**: desidratação, alimentos adstringentes, ar seco.
Tarpaka	**Excesso**: alergias, depressão, tristeza, pesar, dormir durante o dia, apego. **Deficiência**: nervosismo, agitação, estresse, desequilíbrios emocionais de *vata* e *pitta*.
Sleshaka	**Excesso**: traumas locais, edemas. **Deficiência**: atividade física excessiva, trauma, excesso geral de *vata*.

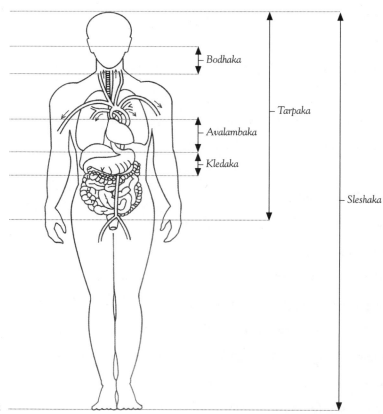

Local dos cinco *subdoshas* de *kapha*

Fonte: Sharma e Clark

4. *Tarpaka kapha*

Significado: é a "água que gera contentamento".

Sede: cabeça, nariz e fluido cerebroespinhal.

Responsável por: umidificar as narinas, a boca e os olhos, o que é essencial para os órgãos dos sentidos, e por manter o fluido cerebroespinhal, fundamental para o sistema nervoso. Governa estabilidade emocional, calma, felicidade e a capacidade de reter informações – memória.

Em desequilíbrio: gera excesso de muco, sinusite, dor de cabeça, diminui o olfato e, em geral, atrapalha todos os sentidos. Causa ainda insônia, descontentamento, mal-estar e nervosismo.

5. *Sleshaka kapha*

Significado: é a "água que lubrifica".

Sede: Juntas.

Responsável por: lubrificar as juntas, fazendo todo o corpo se mover de forma fluida e sem esforço. Como *vyana vata*, é ação para fora e nos dá força e estabilidade nos movimentos externos.

Em desequilíbrio: pode gerar problemas articulares e artrite, inchaço das juntas, dificuldade de movimentação.

O CORPO E A NATUREZA

Os períodos do dia e as estações do ano também são afetados pelos *doshas*. Compreendê-los é fundamental para nosso equilíbrio, pois a Ayurveda preconiza que o ser humano só terá saúde na medida em que viver conectado com os ritmos da natureza, respeitando suas características.

Veja a seguir como obter o melhor resultado com o menor esforço e também que cuidados tomar.

As estações do ano

CUIDADOS NAS QUATRO ESTAÇÕES		
Período	*Dosha*	**Recomendação**
Do outono para o inverno	*Vata*	Quem é *vata* deve tomar cuidado especial com a queda da temperatura e o vento, pois terá tendência a se resfriar
Verão	*Pitta*	Quem é *pitta* deve procurar atividades refrescantes, pois terá tendência a ficar impaciente e agressivo
Do inverno para a primavera	*Kapha*	Quem é *kapha* precisa se proteger de umidade e temperaturas baixas, pois terá tendência a apresentar doenças respiratórias

Os períodos do dia

HORÁRIOS PROPÍCIOS		
Horário	*Dosha*	**Bom período para**
6h às 10h	*Kapha*	Acordar e praticar exercícios físicos
10h às 14h	*Pitta*	Fazer a maior refeição do dia
14h às 18h	*Vata*	Realizar trabalhos intelectuais
18h às 22h	*Kapha*	Começar a se aquietar, em preparação para uma noite de sono tranquilo
22h às 2h	*Pitta*	Estar dormindo, permitindo o rejuvenescimento físico
2h às 6h	*Vata*	Estar dormindo, permitindo o rejuvenescimento cerebral

Quando o dia nasce, a partir das 6h, sob a influência de *kapha*, a natureza se mostra letárgica e preguiçosa, características deste *dosha*. Imperam a quietude e a lentidão. Nosso corpo está igualmente pesado, lento, relaxado. O importante, então, é introduzir a energia oposta, de movimento, para equilibrar o organismo.

Esse é o melhor horário para se levantar. Quem continuar dormindo carregará por todo o dia as características do *dosha* – lentidão e preguiça.

Agni, o fogo digestivo que crepita em nosso plexo solar – e que metaboliza alimentos, emoções e todas as informações captadas por nossos cinco sentidos –, está baixo nesse período, pois é uma força que segue o ciclo do sol. Isso significa que quem tomar café da manhã sem fome não metabolizará bem os alimentos e os armazenará em forma de toxina ou gordura. Principalmente as pessoas de *kapha* devem cuidar para comer pouco ao se levantar.

Este é o melhor período para fazer exercícios físicos. Principalmente quem é de *kapha* terá muitos benefícios seguindo esta regra.

Das 10h às 14h, quando o dia se torna *pitta*, nosso metabolismo fica mais rápido e aumenta o nosso poder de digestão. É o horário ideal para fazer a maior refeição do dia. Com o sol a pino, *agni* está crepitando em sua maior intensidade, pronto para metabolizar com maior facilidade tudo o que comermos.

Às 14h começa o horário *vata*, que controla o sistema nervoso. É o momento ideal para realizar trabalhos mentais e manuais, pois mente e coordenação estão em sua melhor forma.

Durante a noite, os ciclos se repetem, mas de maneira diferente.

Às 18h, quando recomeça o período *kapha* e a natureza vai se preparando para entrar em repouso, devemos fazer o mesmo. O pôr-do-sol devolve ao corpo a letargia necessária para dormir.

Como o sol se põe, *agni* enfraquece, diminuindo nosso poder de digerir os alimentos. Portanto, o jantar deve ser o mais cedo e o mais leve possível. De acordo com os *Vedas*, depois do pôr do sol não devemos ingerir mais nada sólido. E a última refeição deve ser feita no mínimo duas horas antes de deitar, de modo a haver tempo para ser completada a digestão.

Às 20h recomeça o horário *pitta*. O apetite já não é tão forte como ao meio-dia, mas o metabolismo se eleva, o que tende a fazer as pessoas deste *dosha* sentirem vontade quase irresistível de "assaltar" a geladeira. Mas quem resiste e vai para a cama tem muito a ganhar. O sono entre as 20h e as 2h, o horário *pitta*, faz com que o calor gerado por este *dosha* seja usado como combustível para alimentar os tecidos. É a hora de rejuvenescer. Portanto, quem trabalha à noite ou dorme sempre tarde, por qualquer outro motivo, envelhece mais cedo.

Às 2h, o horário *vata* começa novamente. Mas, em vez de clareza mental e rapidez de raciocínio, características da influência deste *dosha* durante a tarde, na madrugada essa energia é a responsável pelo chamado sono REM (em inglês, *rapid eye movement*, movimento rápido dos olhos). Os impulsos do cérebro estão ativos e é nesse período que se dá o rejuvenescimento dos neurônios.

CAPÍTULO VII

A FARMÁCIA DO CORPO

"VOCÊ QUER SABER COMO ESTÁ SEU CORPO HOJE?
LEMBRE-SE DE SEUS PENSAMENTOS DE ONTEM.
QUER SABER COMO ESTARÁ SEU CORPO AMANHÃ?
OLHE SEUS PENSAMENTOS HOJE. OU VOCÊ ABRE SEU
CORAÇÃO OU ALGUM CARDIOLOGISTA O FARÁ POR VOCÊ."

Deepak Chopra

Somos não apenas aquilo que comemos, mas também o que vemos, ouvimos, tocamos e cheiramos. Por meio dos cinco sentidos, expressamos o que se passa conosco e captamos o que acontece no mundo. Eles são a porta de entrada para a percepção – que é resultado da decodificação, feita pelo ser humano, das experiências que vivencia, segundo suas características pessoais, culturais, de formação, de acordo com o momento que atravessa etc. Cada pessoa forma sua própria memória dos sentidos, que por sua vez se associa à ideia de algo que causa prazer ou desprazer.

Por meio de um processo conhecido como condicionamento neuroassociativo, podemos relacionar uma reação de cura a um aroma, uma sensação tátil, uma música, uma visão ou um sabor em particular. Essa capacidade associativa é um grande aliado do ser humano na experiência da cura pelos sentidos.

TODOS OS SENTIDOS

O funcionamento dos sentidos é complexo. Cada um deles tem seus sensores, que captam os estímulos externos e os transformam em impulsos elétricos, então conduzidos até o cérebro. Lá, existe um centro primário para cada sentido, correlacionado a áreas secundárias e terciárias, responsáveis pelas memórias e emoções. Esses centros estão todos interligados em uma rede neural. Conforme os impulsos elétricos são interpretados pelo cérebro, vão sendo conduzidos pelos neurônios através de neurotransmissores, como adrenalina (que nos põe em estado de agitação), serotonina (que nos dá sensação de bem-estar) e outros.

A velocidade de deslocamento da informação ao trafegar pelo sistema nervoso é incrível: de 10 metros a 100 metros por segundo. Se virmos, ouvirmos ou tocarmos algo de que não gostamos, os neurotransmissores liberados nos dão uma sensação de desconforto. Da mesma forma, quando ouvimos ou saboreamos algo de que gostamos, a sensação será de prazer. E pesquisas científicas já demonstram que essas sensações têm impacto na qualidade de vida e na saúde do ser humano.

> POR MEIO DOS CINCO SENTIDOS, ADOECEMOS E NOS CURAMOS, DA MESMA FORMA QUE EXPRESSAMOS O QUE SE PASSA CONOSCO E CAPTAMOS O QUE ACONTECE NO MUNDO.

Nas grandes cidades do mundo atual, assoladas por poluição visual e sonora, poluição do ar, *fast food* e culto ao individualismo, é fundamental prestar atenção à maneira como alimentamos nossos sentidos.

No dia-a-dia, muitas toxinas acabam entrando por essas portas de comunicação com o universo e vão se acumulando em nosso organismo dentro dos *srotas* – os canais sutis pelos quais circula o *prana* – impedindo o fluxo natural e espontâneo dessa energia que nos conecta com o todo.

Como já vimos, esse é o primeiro estágio da doença, cujos sintomas são fadiga e mal-estar generalizado. No Ocidente, esses primeiros sinais de alerta emitidos pelo corpo não são considerados doenças propriamente ditas, mas "apenas" desconfortos gerados pelo estresse nosso de cada dia. Mais: dos seis passos para a formação das doenças, só reconhecemos os dois últimos – perdendo a chance de atuar preventivamente, quando o mal ainda não se manifestou.

Relembrando, eis os passos da formação da doença – cada um deles também considerado uma doença, segundo a Ayurveda:

1. **Acúmulo de toxinas**: por meio do desequilíbrio dos *doshas*
2. **Agravamento**: as toxinas continuam se acumulando e começam a gerar o excesso do desequilíbrio, que ultrapassa então a sede de cada *dosha*
3. **Disseminação**: as toxinas são tantas que o desequilíbrio do *dosha* começa a se espalhar por todo o corpo
4. **Localização**: o desequilíbrio se instala em determinado órgão
5. **Manifestação**: sintomas físicos começam a aparecer
6. **Erupção**: a doença, como nós ocidentais a concebemos, enfim se manifesta

Manter nosso corpo saudável é expressão de gratidão ao universo, é uma obrigação e um prazer que cabe a cada um de nós. Nossa realidade interior é projetada na consciência coletiva. Se formos saudáveis, seremos espelhos de uma realidade plena de harmonia, alegria, paz e amor.

120 ANOS DE (BOA) VIDA

Sistema de saúde que coloca ênfase especial na prevenção, a Ayurveda nos ensina que, se buscarmos, no dia-a-dia, eliminar as toxinas já acumuladas e não deixarmos que novas se instalem, estaremos aumentando não só nossos anos de vida, mas a qualidade de vida dos nossos anos.

Segundo essa ciência indiana, o ser humano foi programado para viver até os 120 anos, com direito a envelhecer sem doenças, expirando o último alento da mesma maneira que inspira o primeiro na hora do nascimento. Se é através dos cinco sentidos que captamos as toxinas, capazes de nos impedir de chegar a essa bela marca de mais de um século de saúde, é também por meio deles que podemos combatê-las.

E que combate delicioso! Pois começa pela solicitação de focalizar a atenção em nós mesmos, para perceber que temos o poder da cura dentro de nós. Nosso corpo é uma grande farmácia, e nele estão todos os "remédios" para manter nossa saúde.

Eliminar toxinas e prevenir a captação de novas exige que estejamos com nossos cinco sentidos em estado de alerta – no aqui e no agora. Implica vivenciar o momento presente, colocando atenção e intenção nas escolhas que fazemos. Ter a intenção da cura já é meio caminho andado para criar o hábito de vivenciar cada instante, fazendo constantemente escolhas saudáveis e benéficas para nosso bem-estar.

Quando utilizamos os cinco sentidos a nosso favor, resgatamos prazeres muitas vezes esquecidos em meio à correria diária. Passamos a dar importância a coisas aparentemente pequenas, mas que fazem grande diferença na qualidade de vida. Assim, de mansinho, prazerosamente, nosso corpo entra em sintonia com o universo, recupera sua inteligência interior, e começamos então a liberar toda a farmácia que existe dentro de nós, na medida certa, na hora precisa. Tudo em doses únicas e individuais, como preconiza a Ayurveda. E tudo de graça.

O mundo sensorial é feito de encantamento e magia. Sábio o ser humano que faz dele um aliado em direção ao bem-viver! Vale explorá-lo com paixão.

AUDIÇÃO: RESPOSTA PREDOMINANTE DE VATA

Deixar algo entrar por um ouvido e sair pelo outro sem se afetar não é tão simples como gostaríamos de crer. Os sons têm impacto profundo sobre o ser humano. Mais ainda no caso de quem é *vata*. Com a audição (*shabda*) extremamente sensível, esse *dosha* é facilmente desequilibrado por sons que incomodam.

Em todas as áreas, o ser humano busca ordem, segurança e conforto. Sem organização rítmica, melódica e harmônica, os chamados sons dissonantes, popularmente conhecidos como ruídos, tendem a ser desorganizadores, ou seja, a causar mal-estar. É o caso de sirenes, britadeiras, alarmes.

Isso é tão sério que estudos feitos pela Universidade Federal de São Paulo (Unifesp), por exemplo, concluíram que o ruído tem a propriedade de aumentar a sensibilidade à dor, fazendo que doentes de UTI precisem de maior quantidade de analgésicos devido aos barulhos emitidos pelas máquinas. Além disso, os pacientes desses ambientes têm mais dificuldade de dormir, ficam estressados e acabam se recuperando mais lentamente.

Se os sons podem fazer tanto mal, podem, igualmente fazer um bem enorme. Sons e cores são nossos aliados na cura, segundo a Ayurveda. Cada órgão do nosso corpo vibra em sintonia com o universo, em uma frequência específica. A doença se instala quando ocorre a desconexão.

É isso mesmo: há uma permanente vibração de sons no universo, e esses sons nos fazem lembrar da nossa verdadeira essência, da nossa natureza. O barulho do vento, o cair da chuva e das folhas, a dança das ondas do mar, o gorjear dos pássaros – todos esses são sons

O PODER DOS MANTRAS

com extremo poder de cura. Rodeados por eles, em meio à natureza, nos reconectamos com o todo – ou, se preferirmos, com o divino.

Esses sons que restabelecem nossa ligação com o todo são o princípio dos *mantras* – sons primordiais nascidos no vazio do universo, transformados em matéria e energia e descobertos por antigos *rishis*.

A vibração dos *mantras* nos conecta com energias arquetípicas muito poderosas. Há sons para cura, prosperidade, sabedoria, proteção, remoção de obstáculos, sucesso, fortalecimento do sistema imunológico etc. São infinitas as possibilidades de escolha.

Para a cura, os *mantras* ligados aos *chakras* são altamente recomendados. Chamados de *bija mantra* (som semente, em sânscrito), eles atuam no equilíbrio dos sete pontos de energia localizados da base da coluna até o topo da cabeça. Quando colocamos nossa atenção e intenção em cada um dos *chakras*, repetindo seu *mantra* correspondente, conseguimos descongestionar a região, permitindo que a energia flua livremente.

CHAKRAS E MANTRAS			
Chakra	Localização	Mantra	Cor
Muladhara	base da coluna	Lam	vermelho
Swadhisthana	abaixo do umbigo	Vam	alaranjado
Manipura	plexo solar	Ram	amarelo
Anahata	coração	Yam	rosa ou verde
Vishuddha	garganta	Ham	azul celeste
Ajña	terceiro olho	Ksham	azul índigo
Sahasrara	topo da cabeça	Om	dourado

A repetição desses sons tem a capacidade de fazer os órgãos correspondentes a cada *chakra* vibrar novamente em sintonia perfeita.

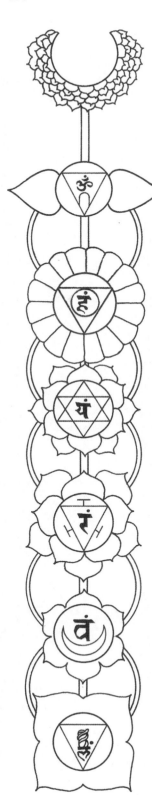

1. Sahasrara Chakra

Responsável: pela consciência universal, fonte da intuição.

Localização: topo da cabeça, córtex cerebral, glândula pineal.

2. Ajña Chakra

Responsável: por intuição, consciência espiritual, clarividência.

Localização: ponto entre as sobrancelhas, glândula pituitária.

3. Vishuddha Chakra

Responsável: por expressão de criatividade, conhecimento, abundância.

Localização: garganta, pescoço, glândulas tireoide e paratireoide.

4. Anahata Chakra

Responsável: por respiração, circulação, percepções de amor e compaixão.

Localização: coração, plexo cardíaco, timo.

5. Manipura Chakra

Responsável: por força de vontade, imortalidade, fama, liberdade, intelecto, poder.

Localização: região do umbigo, plexo solar, sistema digestivo, fígado.

6. Swadhisthana Chakra

Responsável: por sexualidade, família, sensações, apetite, sistema reprodutor.

Localização: região genital.

7. Muladhara Chakra

Responsável: por necessidades de sobrevivência, segurança e estabilidade.

Localização: períneo, abaixo dos genitais, acima do ânus, região sacra, três primeiras vértebras e glândulas suprarrenais.

VII. A FARMÁCIA DO CORPO 153

EXERCÍCIOS

Meditação nos *chakras*

Sente-se com a coluna ereta, olhos fechados, confortavelmente. Coloque sua atenção em cada *chakra* com a intenção de curar. Mentalmente, visualize as cores e repita o *mantra* associado a cada *chakra*.

O ideal são 108 repetições para cada ponto de energia. Por que 108? Porque esse é um número sagrado na Índia, ainda que hoje as razões para isso sejam desconhecidas.

É importantíssimo manter a atenção nos *chakras* e a intenção da cura durante a prática dos *mantras* e das visualizações. O ser humano pode mudar sua realidade direcionando sua percepção e consciência para o aspecto que julgar necessário. A intenção tem infinito poder de organização, que nos ajuda a atingir nossos objetivos.

***Mantra* de poder**

Um *mantra* de poder para ser repetido a qualquer hora é **Aham brahmasmi.** Significa: "eu sou Brahma, eu sou o criador do universo, o poder do universo está dentro de mim". Ao repetir este *mantra*, o som funciona como um diapasão. Todas as células do corpo entram em sintonia com o todo, com o poder do todo – e, gradativamente, se tornam o todo.

MÚSICAS QUE CURAM

A musicoterapia – tratamento por meio de música e de sons harmônicos – é prova de que os sons têm o poder de favorecer a recuperação de doentes e melhorar o estado de ânimo. Eles podem mudar nossa fisiologia: elevando ou abaixando a pressão sanguínea, aumentando ou diminuindo os batimentos cardíacos, por exemplo.

Pesquisa do Royal Children's Hospital, de Victoria, na Austrália, atestou os benefícios da musicoterapia como coadjuvante no tratamento de crianças com fibrose cística. Da mesma forma, já há médicos que gostam de realizar cirurgias ouvindo música para combater o estresse e manter a concentração. E outros que orientam as gestantes a levarem para a sala de parto a música relaxante que punham para o bebê ouvir durante a gestação. Essa melodia familiar ajuda a acalmar o bebê e também a mãe e até diminui a quantidade de anestesia necessária em muitos casos.

Mas que tipo de música faz bem? Aquela de que gostamos, por certo – só que esse não é o único critério. Estudos realizados na Universidade de Brunel, em Londres, na Inglaterra, comprovaram que a *performance* de quem se exercita é influenciada pelo ritmo da música que toca no local. Isso confirma que o organismo tende a entrar em sintonia com os sons ambientes. E o fato é que certas composições melódicas podem ser relaxantes, ou estimulantes, ou trazer alegria, enquanto outras podem ser estressantes, induzir à apatia ou à depressão.

Os sons das cubas tibetanas de cristal ou de metal produzem maravilhas em nosso corpo, assim como os sons de sinos e tambores. Já a música popular contemporânea tende mais a espelhar o estado tumultuado do mundo do que a oferecer refúgio.

Essa percepção e a vontade de mudar o atual estado de coisas já levou até um grupo de artistas, educadores e músicos dos Estados Unidos a fundar, em abril de 2004, o Movimento Música Positiva. Seu objetivo: promover, apoiar e apresentar música que faça bem ao ser humano, sendo emocional e espiritualmente elevadora. O grupo recomenda a quem deseja sintonizar vibrações sonoras mais elevadas que ouça gêneros como música sacra renascentista ocidental e música clássica indiana. E ensina que existe música que perturba o sistema nervoso, deprimindo e induzindo ao estresse, como o *rap* e o *heavy metal*.

A musicoterapia recomenda certos gêneros para auxiliar no combate a estados de espírito desanimadores, suscitar sentimentos elevados ou injetar dose extra de energia. As principais recomendações são:

- ❀ **Ansiedade**: pode ser combatida com músicas que tenham intervalos mais longos entre as notas.
- ❀ **Energia extra**: é obtida com ritmos agitados.
- ❀ **Relaxamento**: combina com cantos gregorianos.

VII. A FARMÁCIA DO CORPO 155

❁ **Sensação de segurança e estabilidade**: é fomentada pelas composições clássicas de mestres como Bach, Vivaldi e Haendel.

Segundo a tradição dos *Vedas*, todos temos dentro de nós uma música sagrada – *gandharva*, ritmo dos seres celestiais. Esse gênero foi descrito por sábios da região dos Himalaias, que, por meio da meditação, tiveram acesso à estrutura de diferentes campos interiores da consciência – onde nascem as imagens que vemos em nossos sonhos. Um desses campos é o gandhárvico, no qual músicos chamados *gandhar-vas* cantam e tocam permanentemente para alegrar os deuses. Quando entoamos *mantras* com o coração cheio de gratidão e amor, afirmam as sagradas escrituras indianas, conquistamos a possibilidade de nos elevar até o campo gandhárvico e nos transformar em *gandharvas* em nossa essência. Essa transformação gera uma sutil energia de amor e proteção à nossa volta.

Para os textos védicos, o divino está ao alcance de todos nós – assim como o diabólico, posto que tudo é apenas uma questão de vibração.

A vibração coerente de amor é o que nos conduz ao campo gandhárvico ou a qualquer outro habitado por seres celestiais – que se alimentam do amor incondicional da mesma forma como os seres humanos precisam de comida. Quando oferecemos a eles o néctar do amor, eles retribuem nos beneficiando em todas as áreas de nossa vida, segundo explica Tom Kenyon, especialista em *gandharva*.

Vata, *pitta* e *kapha* também podem se beneficiar de *músicas específicas**. O ideal é utilizar a musicoterapia de manhã, ao acordar, para estabelecer o tom do dia, e à noite, antes de deitar, para proporcionar um bom sono.

*MÚSICAS ESPECÍFICAS

No CD *Ayur-Yoga*, trilha sonora do DVD de mesmo nome, que oferece aulas de *yoga* específicas para cada *dosha*, Márcia De Luca apresenta músicas criadas por Constant Papineanu, destinadas a equilibrar *vata*, *pitta* e *kapha*.

❁ **Vata**: Gosta de músicas que tranquilizem e reduzam sua angústia e ansiedade.

❁ **Pitta**: Precisa de música que refresque, diminuindo sua irritabilidade e impaciência.

❁ **Kapha**: Para tirar este *dosha* da letargia, cai muito bem música que dinamize.

Faça experiências para descobrir a música certa para você: aquela que eleva seu espírito, aconchega suas emoções, traz força, esperança, vitalidade. E ouça sua música em volume baixo. Os seres humanos estão ficando surdos precocemente por ouvir música em decibéis muito mais altos do que o ideal. Especialmente quem é *vata* precisa fugir do barulho e dos sons altos, que têm grande poder de desestabilizar este *dosha* tão volátil.

Reconhecer o poder do som é também entender que as palavras que pronunciamos podem nos afetar positiva ou negativamente. Cuidado, então, com o que fala: as palavras de carinho constróem, fortalecem o sistema imunológico, tornam o mundo melhor. As palavras de ódio fazem o oposto e intoxicam quem as pronuncia bem como todos ao redor.

Cuidado igualmente com o que pensa, pois os pensamentos vibram em nossa mente como se fossem palavras proferidas. Se assim não fosse, de nada adiantaria repetir mentalmente os *mantras*. E, aliás, o *mantra manasika* (mental) é mais poderoso do que o *pranava* (falado). Nossos pensamentos também são parte da farmácia do corpo – use-os com sabedoria, pois eles constróem nossa realidade.

O SOM DO SILÊNCIO

De todos os sons do universo, nenhum é tão importante quanto o silêncio – a ausência de sons –, luxo máximo em um mundo tomado pela poluição sonora. Mas esse luxo é vital para o ser humano. Sem silêncio, a qualidade do sono é pior, por exemplo. Mais: quem está o tempo todo ouvindo barulho nunca consegue ouvir a si próprio.

Silenciar a mente é um desafio recompensador. Pesquisas sobre meditação, que nada mais é do que o treinamento para aquietar a mente, apontam desde o fortalecimento do sistema imunológico até níveis menores de estresse e maiores de criatividade como resultado dessa prática.

VISÃO: A RESPOSTA PREDOMINANTE DE *PITTA*

A visão (*rupa*) é o sentido mais desenvolvido no ser humano. Por causa dela, passamos a nos comunicar pela escrita e, assim, transmitir informações de geração para geração, diferenciando-nos dos animais.

Entre os *doshas*, *pitta* é o mais ligado à visão – como sempre, para o bem e para o mal. Isso quer dizer que as imagens têm grande poder sobre o *dosha* do fogo, podendo incendiá-lo ou acalmá-lo.

É pela visão que todos temos a primeira percepção do que está ao nosso redor. A partir de então, interpretamos se aquilo nos agrada ou não. A feiúra é uma forma de violência, enquanto a beleza, como tão perfeitamente resumiu Vinicius de Moraes, é fundamental. Entender a reação que o belo e o feio causam no organismo já é objeto de estudo de pesquisadores – e com resultados importantes. Quem tem pressão alta, por exemplo, deveria evitar filmes violentos ou mesmo o noticiário diário, que só narra tragédias. Esse tipo de história tensiona todo o corpo, incluindo veias e artérias, o que dificulta a passagem do sangue, aumentando ainda mais a pressão. Já uma boa comédia tem efeito contrário: faz rir e relaxa o organismo, diminuindo a pressão arterial.

Nas grandes cidades, a poluição visual é fonte permanente de estresse. Mas todos podemos nos cercar, em casa e no trabalho, de estímulos visuais positivos, que contribuam para criar coerência dentro de nós, diminuindo assim as toxinas em nosso corpo.

O PODER DOS YANTRAS

Assim como os sons primordiais nos ajudam a equilibrar nosso ser, existem também formas primordiais. São os *yantras*, representação gráfica dos *mantras*, capazes de gerar coerência em nossas ondas cerebrais, induzindo a um estado de calma e equilíbrio.

Desenho: Joca Benavent Monfort

O *Shri Yantra*, esta belíssima imagem que você vê aqui, é uma das mandalas mais poderosas do hinduísmo e representa todo o universo. Seu *mantra* correspondente é **Om**. O simples fato de olhar para as formas desse *yantra* estimula a coerência entre os dois hemisférios do cérebro, que normalmente funcionam por critérios diferentes: o lado esquerdo sendo todo razão; o direito, todo emoção.

EXERCÍCIO

Meditação no *Shri Yantra*

Comece focalizando o centro do *shri yantra*. Este ponto central é chamado de *bindu* e representa a unicidade por trás de toda a diversidade do mundo físico.

Agora, focalize os triângulos que envolvem o *bindu*. O triângulo apontado para baixo representa o poder criativo feminino, enquanto o triângulo que aponta para cima representa a energia masculina.

Expanda seu olhar até incluir os círculos externos aos triângulos. Eles representam os ciclos dos ritmos cósmicos. A imagem do círculo incorpora a noção de que o tempo não tem início nem fim. A região mais longínqua do espaço e o núcleo interno de um átomo pulsam ambos com a mesma energia rítmica da criação. Este ritmo está dentro e fora de você.

Perceba as pétalas de lótus do lado externo do círculo. Observe que elas apontam para fora, como que se abrindo. Elas ilustram o despertar de nosso entendimento. O lótus também representa o coração, o local onde o "eu" se assenta. Quando o coração se abre, o entendimento vem.

O quadrado na parte externa do *yantra* representa o mundo da forma, o mundo material que nossos sentidos nos mostram, a ilusão de separação, de limites e fronteiras definidos.

Na periferia da figura, há quatro portais em forma de T. Observe que apontam para o interior do *yantra*, os espaços mais internos da vida. Eles representam nossa passagem terrena, do externo e material para o interno e sagrado.

Agora, olhe por alguns instantes para dentro do *yantra*, permitindo que as formas e os desenhos diferentes surjam naturalmente. Deixe que seu olhar vá ficando desfocado. Concentre-se no centro do *yantra* e, sem piscar nem mover os olhos, gradualmente comece a expandir seu campo de visão. Continue a expandi-lo até que esteja recebendo informação de mais de 180 graus. Observe que toda essa informação estava lá o tempo todo, mesmo que só agora você tenha se conscientizado disso.

Lentamente, comece a reverter o processo: do todo para o foco somente no centro do *yantra*. Então, feche os olhos. Você ainda poderá ver o *yantra* com os olhos da mente. Os desenhos representados por essas formas primordiais expressam as forças fundamentais da natureza, que governam o mundo e cada um de nós.

CORES QUE CURAM

Cor é a vibração da luz absorvida através dos olhos (*alochaka pitta*) ou da pele (*bhrajaka pitta*). Serve para energizar os nervos e estimular a mente. As cores erradas desequilibram a atividade mental e podem deprimir, assim como as certas trazem harmonia, podem aumentar nossa força emocional e criatividade.

Na cromoterapia, lâmpadas coloridas são usadas para tratar corpo, mente e emoções com a luz apropriada. Roupas coloridas também nos afetam com suas diferentes vibrações. O mesmo ocorre na decoração da casa: da cor das paredes à dos objetos.

Mas nada se compara às cores que captamos diretamente da natureza. Seu poder curativo é maior do que qualquer cor artificial. O azul do céu, o verde das plantas, o branco da neve, o marrom da terra – cada uma dessas cores está a nosso dispor para ser absorvida. E, quando não podemos estar em contato com a natureza, vizualizar suas cores com os olhos da nossa mente e direcionar seu poder para as várias partes do nosso corpo é um exercício muito efetivo também.

Cada *dosha* tem suas cores preferidas – e saber usá-las faz um bem enorme. Da mesma forma, cada *dosha* pode se beneficiar do uso de certas pedras preciosas – veja quais a seguir.

Vata: Precisa contrabalançar sua disposição mental e física com cores quentes (como os tons de terra), úmidas (tons pastel, bege, azul e verde claro) e calmantes (de novo azul e verde claros).

Invista em tons pastel e nos *dégradés* terrosos: amarelo, tijolo, ferrugem. Os dourados também aquietam e tranquilizam *vata*. Cores fortes, como vermelhos e laranjas, podem afetar o sistema nervoso muito sensível deste *dosha* e, portanto, devem ser evitadas. O mesmo vale para os contrastes muito fortes, que estimulam *vata* em demasiado. As cores escuras, como cinza e preto, devem ser usadas em combinação com as calmantes e úmidas para não desvitalizar este *dosha*.

Pedras preciosas: rubi, pérola, coral vermelho, esmeralda, safira amarela, safira azul, diamante.

Pitta: Beneficia-se com cores que refresquem e acalmem. Lilás, verde claro, azul e branco refrescam este *dosha*. Já as cores do fogo, como vermelho, laranja e amarelo, reforçam sua característica quente, sendo-lhe prejudicial. Todos os tons cítricos, muito brilhantes e vibrantes, são desaconselhados para *pitta*.

Pedras preciosas: pérola, coral vermelho, esmeralda, safira amarela, safira azul, diamante.

Kapha: É estimulado pelas cores quentes, secas e vibrantes. Pode abusar dos contrastes fortes. Vermelho e alaranjado, amarelão e ouro energizam *kapha*. Já verde e azul podem ser usados, desde que em tons vibrantes. Este *dosha* deve evitar os tons pastel e terrosos, que só aumentariam sua letargia.

Pedras preciosas: rubi, safira amarela e safira azul.

RELÓGIO BIOLÓGICO

É pelos olhos que regulamos o chamado ciclo circadiano, nosso relógio biológico. A visão da claridade (dia) ou da escuridão (noite) é que indica ao organismo o tempo de relaxar ou despertar. O sono, afinal, tem relação direta com a quantidade de luz. Ambientes em que a entrada de iluminação é constante – seja natural ou artificial – podem dificultar a qualidade do sono.

Para seguir a Ayurveda, que prega a harmonia com a natureza, devemos começar usando a luz e a escuridão como indicadores para nossas atividades. Durante o dia, estamos cheios de energia; à noite, é tempo de relaxar e de nos preparar para dormir. Quando está escuro, o cérebro produz um hormônio chamado melatonina, que induz ao sono. Noites maldormidas podem levar a alteração no humor, na memória e na concentração. E esse é um problema crescente nas cidades, pois um tipo particular de poluição visual é a luminosa.

Nos Estados Unidos, já se criou até um movimento de defesa da noite – considerada "em extinção". A International Dark-Sky Association foi fundada em 1988, tem sede no Arizona e apoio, entre outros, da Sociedade Americana de Astronomia. Em seu encontro anual de 2006, ocorrido em março, os membros da sociedade ouviram os resultados de pesquisa conduzida pelo médico David E. Blask, do Bassett Research Institute, de Cooperstown, Nova York, sobre como a luz artificial durante a noite pode afetar a saúde, especificamente promovendo o crescimento das células cancerosas em mulheres com câncer de mama. Em seu quarto, então, veja formas de barrar a entrada de luz para garantir uma noite não só repousante, mas também saudável.

A poluição luminosa é extremamente prejudicial para toda a natureza: muitas espécies de pássaros migratórios dependem da luz das estrelas para se guiar – e cada vez mais se perdem num mundo de iluminação artificial.

OLFATO: A RESPOSTA PREDOMINANTE DE *KAPHA*

O epitélio olfativo humano (a pele do interior do nariz) contém cerca de 20 milhões de células sensoriais, cada qual com seis pelos sensoriais, capazes de identificar os mais va-riados cheiros. Comparado ao de outros mamíferos, porém, nosso olfato é pouco desenvolvido. Um cachorro, por exemplo, tem mais de 100 milhões de células sensoriais, cada qual com no mínimo 100 pelos sensoriais. Os receptores olfativos são neurônios genuínos, com receptores próprios, que penetram diretamente no sistema nervoso central, atuando, portanto, sobre nossos instintos e emoções.

Os seres humanos devem muito aos cheiros. Grande parte do que chamamos gosto, por exemplo, é na verdade olfato, pois os alimentos, ao penetrar na boca, liberam odores captados pelo nariz. As sensações olfativas funcionam ao lado das gustativas, auxiliando no controle do apetite e da quantidade de alimentos que são ingeridos.

Também a atração sexual, além de ser despertada pelo estímulo visual, tem a ver com os feromônios – substâncias que atuam nos receptores olfativos e estimulam as áreas do cérebro responsáveis pelo sistema límbico, referente à procriação.

O sistema límbico também está ligado à memória. É por isso que os cheiros estão sempre associados a lembranças, como o do café da manhã na casa da avó, o da terra úmida após a primeira chuva de primavera no sítio da infância e muitos outros... Da mesma forma, quando uma pessoa se interessa por outra, cria uma memória olfativa – e toda vez que elas se encontrarem haverá um estímulo. Esse estímulo, por seu turno, estará associado a uma emoção.

O poder dos aromas é tamanho que já vem tendo ampla utilização comercial. O marketing olfativo visa dar identidade a uma marca e reforçar a fidelidade do cliente a ela pelo cheiro. A estratégia dá resultado, segundo pesquisa do Smell & Taste Research Institute, entidade americana que estuda a influência dos cheiros e sabores no comportamento das pessoas. Em uma experiência conduzida no cassino do Hotel Hilton, de Las Vegas, as apostas cresceram 45% durante os três fins de semana em que o ambiente foi aromatizado com notas que estimulam a confiança. Já profissionais que trabalham na mesa de operações cambiais dos bancos revelam que se sentem mais calmos quando o ambiente é aromatizado com fragrância de lavanda. Isso dá tanto resultado que a lavanda só pode ser utilizada durante alguns períodos do dia, para que a produtividade não caia.

A ROTA DOS CHEIROS

A partir do nariz, os aromas seguem para todo o corpo.

1. O cheiro entra no nariz e as células olfativas captam as moléculas aromáticas por meio dos cílios (pelinhos especiais situados no teto da passagem nasal).

2. Os nervos olfativos – que, por estarem diretamente ligados ao cérebro, já foram descritos até como "células cerebrais fora do cérebro" – enviam impulsos nervosos para o sistema límbico.

3. Espécie de arquivo de cheiros, sensações e emoções, o sistema límbico repassa a informação para a hipófise, que a distribui para outras glândulas do corpo, influenciando na produção dos hormônios, no ritmo dos batimentos cardíacos e da respiração etc.

4. As moléculas aromáticas que entram pelas narinas também seguem para os pulmões, de onde partem para o sangue, carregadas junto com o oxigênio que alimenta as células.

Segundo a Ayurveda, a inalação de aromas benéficos e agradáveis ao olfato propicia a desintoxicação do organismo. *Kapha* é o *dosha* de olfato (*gandha*, em sânscrito) mais sensível – e, portanto, deve investir na aromaterapia como importante ferramenta para buscar seu equilíbrio.

UM MUNDO DE AROMAS

As plantas aromáticas formam um extenso universo: são mais de 30 mil. Dessas, o ser humano conhece 300 – nada mais do que um centésimo do total. Entre as já estudadas, estão muitas que utilizamos no dia a dia. Eis alguns exemplos:

- **temperos**: orégano, alho, cebola, gengibre
- **alimentos**: laranja, tangerina
- **desinfetantes**: pinho, eucalipto
- **perfumes**: rosa, jasmim, *patchouli*
- **higiene pessoal**: menta em pastas de dentes
- **medicina caseira**: boldo, camomila etc., utilizadas na forma de chás para o alívio de cólicas estomacais e enjoos

Muito provavelmente, foi por acaso que o homem antigo descobriu o valor medicinal de certas plantas. Outras devem ter sido testadas por ele depois de vê-las sendo ingeridas por animais doentes. O uso de fumos é uma das formas mais primitivas da medicina: magos e sacerdotes queimavam plantas para que sua fumaça e os aromas expelidos servissem a um determinado propósito, fosse alegrar as pessoas, fosse induzir a experiências místicas ou provocar sonolência em um enfermo por exemplo.

Pelos registros deixados, sabemos que o povo egípcio, cerca de 3.000 anos a.C., já utilizava substâncias aromáticas para fins medicinais e cosméticos. Na Grécia antiga, os soldados carregavam um unguento à base de mirra (rica em componentes cicatrizantes antissépticos) para tratar ferimentos. No século XII, os perfumes da Arábia (leia-se óleos essenciais) faziam sucesso em toda a Europa.

Além da Ayurveda, também a medicina tradicional chinesa baseia-se na fitoterapia. E mesmo a medicina ocidental moderna, chamada de alopatia, deve a maioria de seus remédios aos princípios ativos extraídos das plantas. Três exemplos bem conhecidos: a aspirina (ácido acetilsalicílico, muito presente em óleos essenciais, como no óleo de cravo), a penicilina (descoberta por Alexander Fleming em 1928 numa pesquisa sobre fungos, e que deu início à era dos antibióticos) e a morfina (substância extraída da papoula, que atua no sistema nervoso como um potente anestésico).

A ESSÊNCIA DA CURA

O termo aromaterapia foi empregado pela primeira vez em 1964, pelo químico francês René-Maurice Gattefossé, para indicar o conjunto de formas terapêuticas que se vale dos princípios ativos dos chamados óleos essenciais para prevenir males físicos, emocionais e mentais e para auxiliar nos processos de cura.

Óleos essenciais são extratos concentrados de plantas aromáticas, que podem se apresentar em folhas, flores, frutos, sementes, lenho e raízes. Na aromaterapia, os óleos essenciais são os instrumentos usados para prevenir doenças e auxiliar na cura, aliviar o estresse, provocar alterações de humor, influenciar nosso metabolismo e psique.

O efeito terapêutico dos óleos essenciais se deve a suas estruturas moleculares bastante complexas, que apresentam em média 300 elementos químicos em constante interação. Agem no corpo humano de várias formas:

- **sobre a pele** (por penetração cutânea): protegem, desintoxicam e regeneram
- **pelas vias respiratórias**: agem como expectorantes, descongestionantes e desinfetantes
- **pelo olfato**: penetram sem barreiras em nosso sistema nervoso central

Assim, dependendo da "porta de entrada" utilizada, um mesmo óleo tem certas funções específicas – o que torna os óleos essenciais multifuncionais.

O universo de substâncias encontradas nos óleos essenciais é bem vasto – mais de 10 mil –, sendo muitos deles amplamente utilizáveis pela medicina preventiva. Exemplos:

- **eugenol**: presente no óleo essencial de cravo, é utilizado pela medicina odontológica
- **mentol**: presente no óleo essencial de menta, é um ótimo antisséptico bucal, vasoconstritor e bactericida
- **pineol**: presente no óleo essencial de pinho, é desinfetante
- **alfabisabolol**: presente no óleo essencial de camomila, é um potente regenerador das células

RECEITAS DE EQUILÍBRIO

Para aumentar sua eficácia, a Ayurveda recomenda aplicar os óleos essenciais em lugares especiais, como no terceiro olho, no topo da cabeça, nas têmporas, na base do nariz, atrás das orelhas, no pescoço – mas jamais nas mucosas. Podemos também colocar uma gota de óleo no dorso das mãos e nos pulsos e cheirar periodicamente. Outros pontos importantes: o coração; região do peito, para problemas de pulmão; plexo solar, para problemas digestivos; umbigo e abaixo do umbigo para distúrbios sexuais.

Os óleos essenciais atuam aumentado a produção de *ojas* – em sânscrito, a seiva da vida. Isso equilibra os *doshas* e promove uma natureza sátvica, ou seja, equilibrada pela união perfeita entre movimento (*rajas*) e inércia (*tamas*).

Ao mesmo tempo, é preciso não exagerar: o excesso no uso dos aromas pode desequilibrar os mesmos *doshas* que, na medida certa, seriam equilibrados.

Seguem alguns dos aromas que mais beneficiam cada *dosha* e as receitas para combater alguns dos males que mais afligem pessoas de *vata*, *pitta* e *kapha*.

VII. A FARMÁCIA DO CORPO

Normalmente, os aromas são usados em aromatizadores elétricos ou a vela, diluídos a gosto em água. Vaporizadores também funcionam, assim como pingar o óleo essencial em lâmpadas de abajures. Para as receitas aqui listadas, o preparo é sempre o mesmo: aplicar o óleo essencial em um difusor de aromas (elétrico ou a vela) e ficar exposto ao cheiro por pelo menos 20 minutos.

Vata: Se dá bem com aromas que tenham uma mistura de calor, doçura e acidez. Destaque para os óleos essenciais derivados principalmente de flores e frutas, como laranja, rosa, gerânio, flor de laranjeira, canela, manjericão, gengibre, cravo, cardamomo e baunilha.

Este *dosha* é desequilibrado por aromas leves e fortes.

Para combater:
- ❀ **ansiedade**: misture 7 gotas de óleo essencial de lavanda com 3 de laranja-doce
- ❀ **insônia**: 10 gotas de óleo essencial de lavanda

Pitta: Necessita de uma mistura de aromas doces e refrescantes, como sândalo, menta ou hortelã, rosa, jasmim, *lemon grass*, lavanda e gardênia.

Aromas picantes podem desequilibrar este *dosha*.

Para aplacar:
- ❀ **raiva**: misture 6 gotas de óleo essencial de lavanda, 2 gotas de óleo essencial de *ylang-ylang* e 2 gotas de óleo essencial de *grapefruit*;
- ❀ **estresse**: 8 gotas de óleo essencial de lavanda e 2 gotas de óleo essencial de alecrim

Kapha: É beneficiado por uma mistura de aromas quentes, mas com um toque mais acentuado de ervas e especiarias, como zimbro, almíscar, eucalipto, cânfora, cravo, olíbano, mirra e manjerona.

Deve evitar aromas doces e refrescantes, que agravam o *dosha*.

Para auxiliar na cura de:

- ❀ **depresssão**: 8 gotas de óleo essencial de *grapefruit* (toronja) e 2 gotas de óleo essencial de alecrim
- ❀ **letargia**: combinar 8 gotas de óleo essencial de eucalipto com 2 gotas de alecrim

Lembrando de nossa capacidade neuroassociativa, que nos permite ligar uma reação de cura à experiência de um odor particular, vale investir nas fragrâncias que nos fazem bem. Por exemplo: se cada vez que sentarmos para meditar usarmos um perfume de sândalo, logo aprenderemos a associar a sensação de relaxamento com o aroma. Com o tempo, sentir o cheiro do sândalo já induzirá à sensação de relaxamento.

PALADAR: *KAPHA* DE NOVO

Enquanto comemos, também estamos processando informação que captamos do universo em nosso corpo físico. A Ayurveda tem um conceito próprio sobre como lidar com o sentido do paladar. Em vez de contagem de calorias ou porções recomendadas de proteínas, carboidratos e gorduras, a Ciência da Longevidade leva em consideração o sabor de cada refeição. É isso mesmo: o segredo de uma refeição equilibrada é ter os seis sabores da natureza – doce, azedo (ou ácido), salgado, picante, amargo e adstringente. A maioria dos alimentos tem mais de um sabor, mas a língua reconhece aquele que é predominante.

Em sânscrito, sabor é *rasa* – palavra que também quer dizer emoção. E não por acaso. A Ayurveda nos ensina que, por meio dos alimentos, temos a oportunidade de equilibrar nossas emoções, evitando assim comer compulsivamente. Mas teremos um capítulo inteiro, o próximo, dedicado a este assunto tão importante.

TATO: VATA OUTRA VEZ

O corpo humano é coberto por cerca de 1,5 a 2 metros quadrados de pele – nosso maior órgão, representando 15% do peso corporal. Esse invólucro funciona como barreira defensiva imunológica e tem papel na regulação da temperatura do organismo, mas é também responsável por manifestações sensitivas de pressão, dor ou prazer.

O processo do tato (*sparsha*) é o seguinte: as sensações são captadas na pele por terminações nervosas sensitivas livres e também pelos chamados corpúsculos neurorreceptores, especializados em identificar esses estímulos, sejam desagradáveis, sejam agradáveis. Mais: a pele* é uma rica fonte de substâncias curativas. Quando estimulado pelo toque terapêutico, este órgão responde imediatamente de forma benéfica para as emoções e o corpo.

Dedicado a investigar os efeitos das terapias do toque em todas as idades, o Touch Research Institute da Universidade de Miami, nos Estados Unidos, vem demonstrando que as massagens terapêuticas reduzem os hormônios do estresse, aliviam sintomas de depressão, fortalecem o sistema imunológico, facilitam o ganho de peso em bebês prematuros e melhoram a atenção.

Entre as mais de 100 pesquisas já conduzidas pelo instituto, uma das mais conhecidas foi realizada com prematuros massageados durante 15 minutos, três vezes ao dia. Esses bebês ganharam 47% mais peso, ficaram mais alertas e saíram do hospital em média seis dias antes dos prematuros não-massageados. Outro estudo, realizado com adolescentes, indicou diminuição no nível de agressividade após um mês de massagens. E uma comparação entre adolescentes americanos e franceses mostrou que os primeiros se tocam menos quando conversam e são mais agressivos.

MASSAGEM FAZ BEM

Segundo a Ayurveda, a massagem é tão importante para a saúde e a beleza quanto uma dieta equilibrada e hábitos de vida saudáveis. E deve ser um ritual diário, pois fortalece o sistema imunológico e promove o bem-estar.

*EM SEU LIVRO *THE WISDOM WITHIN*, o médico endocrinologista Deepak Chopra ensina que, estimulada pela massagem ou outro toque terapêutico, a pele produz antidepressivos, hormônios que melhoram a circulação e poderosas substâncias que previnem o envelhecimento.

Importante saber que não devemos fazer massagem se estivermos doentes, especialmente se houver febre, porque a técnica libera as toxinas presentes no corpo.

As técnicas ayurvédicas são aplicadas com óleos à base de ervas – obedecendo ao princípio de que não devemos aplicar em nossa pele nada que não possamos comer. Elas estimulam os *marmas*, pontos semelhantes aos da acupuntura, espalhados por todo o corpo.

A massagem é entendida como o primeiro passo para a limpeza do corpo, que continua com o banho – quente para *vata*; morno para *pitta* e *kapha*. O ideal é usar sabonetes neutros e apenas nas axilas, na região genital e nos pés. Assim, a pele mantém uma fina camada do óleo que foi utilizado na massagem, protegendo-a contra as agressões do meio ambiente. Essa rotina é especialmente importante para as pessoas de *vata*, que têm pele extremamente seca.

Na Índia, o óleo de gergelim é o mais utilizado por ser purificante, com efeitos bactericida, fungicida e antiinflamatório. Uma massagem diária com óleo de gergelim fortalece a pele, melhorando sua cor e textura. O gergelim, bem como o óleo de amêndoas, com alto poder de hidratação, são especialmente benéficos para *vata*. *Pitta* pode usar óleos mais refrescantes, como o de oliva ou o de coco. E *kapha* precisa de óleos mais leves e quentes, como os de girassol ou mostarda.

A melhor hora do dia para fazer massagem é logo cedo, mas a qualquer momento a técnica faz bem para o organismo: acalma o sistema nervoso e estimula o endócrino, rejuvenesce e hidrata a pele, tonifica os músculos e purifica o organismo, eliminando toxinas.

Quem sofre de insônia pode experimentar fazer seu ritual de massagem logo antes de deitar-se, pois dormirá muito melhor. Especialmente as pessoas de *vata* reagem bem a esse tratamento.

Uma automassagem completa, *autoabhyanga*, leva dez minutos. Quando não dispomos desse tempo, podemos estimular alguma parte do corpo para benefícios específicos:

- ❁ estimular o ponto central entre os olhos, na testa, promove estabilidade mental e clareza de pensamentos
- ❁ estimular a garganta aumenta sua capacidade de se expressar
- ❁ estimular a área do peito sobre o coração acalma as emoções
- ❁ estimular o plexo solar, área sobre o diafragma, tem forte poder de centrar o corpo, lembrando que um corpo centrado equilibra as emoções
- ❁ estimular o baixo abdômen equilibra a energia sexual
- ❁ estimular as solas dos pés promove o sono

É bom esquentar o óleo antes de começar a massagem, mas sem superaquecê-lo. Colocar cerca de 20 ml em uma xícara e esta em uma tigela com água bem quente. Deixamos o óleo em banho-maria durante alguns instantes. Importante: usar óleo de boa qualidade e procedência.

Fazer a massagem no banheiro, pois durante a *abhyanga* é possível que o óleo caia no chão. Podemos também colocar um banquinho de plástico dentro do chuveiro e fazer a *abhyanga* lá dentro, para minimizar a sujeira. Não importa qual seja o *dosha* da pessoa, é preciso que ela tenha uma atitude de amor para com o seu corpo durante o processo.

Abhyanga: toque-se

Bastam dez minutos para seguir este ritual de limpeza do corpo e nutrição da alma. A automassagem é um dos remédios da Ayurveda para encontrarmos o equilíbrio. Devemos aplicar o óleo em temperatura média (morno). Respirar conscientemente durante o processo, inspirando e expirando no mesmo ritmo, para auxiliar o corpo a eliminar toxinas.

Ao final, um banho morno, sempre deixando uma fina camada do óleo na pele, para tonificá-la, protegê-la e manter a musculatura aquecida. Para lavar a cabeça após a massagem, esfregamos xampu sem nada de água no cabelo e só depois molhamos os fios. Com o cabelo molhado antes de aplicar o xampu, fica mais difícil retirar o óleo.

Os passos da *autoabhyanga*

1. Devemos iniciar a automassagem pela cabeça: despejar uma colher de sopa de óleo no couro cabeludo e massagear vigorosamente, usando as palmas das mãos. Cobrir toda a extensão do couro cabeludo com pequenos movimentos circulares, como se espalhando xampu.

2. Passamos a massagear o rosto e as orelhas, com movimentos mais suaves. Para um efeito calmante, fazemos fricções nas têmporas e atrás das orelhas.

3. Colocamos uma pequena quantidade de óleo nas mãos e massageamos pescoço e nuca, fazendo movimentos para cima e para baixo. Depois, usamos as palmas das mãos e os dedos para fazer movimentos circulares nos ombros. Importante: devemos massagear as juntas, incluindo ombros, cotovelos, quadris, tornozelos e pulsos, com movimentos circulares; já as partes longas do corpo recebem movimentos para cima e para baixo.

4. Depois dos ombros, massageamos vigorosamente as partes longas dos braços, para cima e para baixo, e, usando movimentos circulares, os cotovelos e pulsos.

5. Agora, é a vez do peito, que é massageado em círculos, sempre no sentido de baixo para cima. Na área do coração, usamos o pulso para fazer movimentos verticais suaves, para baixo e para cima.

6. Em seguida, passamos a massagear o estômago em sentido horário. Pondo mais óleo nas mãos e, sem esforço, massageamos as costas, com movimentos para cima e para baixo, como e até onde for possível. Por fim, dedicamos atenção especial ao cóccix: insista com vigor, pois esta área é propensa ao acúmulo de toxinas.

7. Da mesma maneira como fizemos com os braços, massageamos agora as pernas: movimentos circulares nos quadris, joelhos e tornozelos; movimentos para baixo e para cima nas partes longas.

8. Com o restante do óleo, massageamos vigorosamente os pés, esfregando a palma da mão nos dedos dos pés como se estivéssemos engraxando um sapato. Para estimular o fluxo sanguíneo, espalhe o óleo em movimentos vigorosos, permitindo que ele penetre na pele, libere impurezas dos tecidos e melhore sua nutrição.

Outros tratamentos pelo toque muito utilizados na Ayurveda são:

* **Abhyanga**: massagem feita por terapeuta (um ou dois): a mesma massagem com óleo quente herbalizado que pode ser autoaplicada, mas com um nível de relaxamento maior. Feita a quatro mãos, ela promove a coerência das ondas cerebrais e equilibra os hemisférios direito e esquerdo do cérebro, na medida em que os dois lados do corpo são tocados simultaneamente. O tratamento aquieta a mente, alimenta o sistema nervoso, purifica e elimina toxinas, eleva o sistema imunológico e ativa a circulação.
* **Shirodhara**: um fio de óleo quente herbalizado cai suavemente na testa do paciente durante 20 minutos. É excelente para o equilíbrio do sistema nervoso. Esse tratamento é idealmente feito após a *abhyanga*, para promover um relaxamento ainda mais profundo.

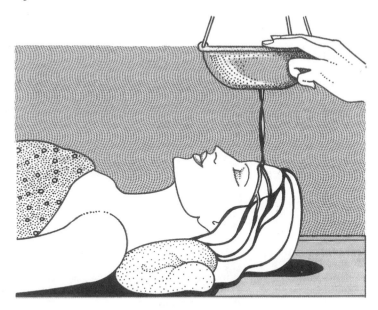

* **Garshana**: o tratamento começa com uma massagem feita com óleo quente herbalizado para hidratar a pele. Em seguida, massagem esfoliante com uma mistura de óleo de gergelim, sal grosso, alecrim e manjericão, que é aplicada com luvas de seda. Finalmente, o paciente fica envolto em um plástico durante o relaxamento para aquecer o corpo e eliminar ainda mais toxinas, gorduras e celulite. Excelente para equilibrar *kapha*, estimulando o organismo e eliminando excesso de água.

PANCHA KARMA

A farmácia do corpo depende de nossas ações diárias para ser mantida em ordem. E uma das maneiras mais importantes de equilibrar os *doshas* e eliminar as toxinas é através do *pancha karma*, um conjunto de cinco ações ou tratamentos que todo ser humano deveria fazer duas vezes ao ano, de preferência no outono e na primavera.

Pancha karma é um tratamento invasivo, razão pela qual só pode ser indicado por um médico especializado em Ayurveda, que acompanhará sua realização. O ritual todo tem três passos: *purva karma*, preparação; *pancha karma* em si, que é a purificação; e *uttara karma*, manutenção.

PURVA KARMA: PREPARAÇÃO

- **Dieta de desintoxicação**: chás de ervas medicinais, óleos medicinais ou *ghee* (manteiga clarificada).
- **Massagens**: sessões de *abhyanga*, a duas ou quatro mãos; *shirodhara* e *swedana*.

PANCHA KARMA: PURIFICAÇÃO

São cinco as ações de purificação:

1. **Virechana**: excelente para o equilíbrio de *pitta*, é uma técnica de purificação envolvendo fígado, intestino delgado, pâncreas, baço e parte do estômago. O tratamento dura sete dias. Durante os cinco primeiros dias, o paciente ingere, em jejum, um medicamento que vai soltar as toxinas do fígado. No terceiro e quinto dias, ele passa pela aplicação de *abhyanga*, *shirodhara e swedana*, para direcionar as toxinas para liberação pelo canal gastrointestinal e pelos poros. No sexto dia, há um descanso. No sétimo dia, o paciente ingere outro medicamento para eliminação final das toxinas. Durante os sete dias, além do tempo de preparação e manutenção, o paciente segue uma dieta prescrita pelo médico responsável.

2. **Vamana**: purificação do estômago, para equilíbrio de *kapha*. Chás medicinais induzem vômitos terapêuticos, que eliminam o excesso de muco e secreções do estômago e do sistema respiratório.

3. **Basti**: purificação do intestino, por meio de lavagens, para equilíbrio de *vata*. O médico prescreve a duração, que pode ser de 7, 14 ou 21dias. Durante todo esse período, o paciente reveza dois tipos de tratamento: *sneha* e *niruha*. Ambos consistem na introdução de óleos herbalizados por sonda retal. *Sneha* é uma pequena quantidade de medicamento, destinado a umectar as toxinas que ficam sedimentadas nas paredes do intestino grosso / cólon. *Niruha* é uma quantidade maior de medicamento, que promove a eliminação das toxinas liberadas pelo processo anterior (*sneha*).

4. **Nasya**: purificação das vias nasais, indicada para desequilíbrios de *vata* e *kapha*. Cura distúrbios dos órgãos dos sentidos, cabeça e garganta.

5. **Rakta mokshana**: purificação do sangue.

UTTARA KARMA: MANUTENÇÃO

Após passar pelo *pancha karma*, o paciente deve manter rotinas saudáveis de vida, incluindo alimentação saudável, automassagem diária, *yoga* e meditação. A manutenção é para sempre – significa mudar o estilo de vida.

EXERCÍCIO

Desintoxicação *light*

Se o *pancha karma* só pode ser feito com acompanhamento médico, há uma versão *light* de desintoxicação que podemos realizar em casa, bastando obter o OK do médico.

Durante cinco dias, dieta com vegetais cozidos, grãos e sopa de lentilha; eliminar frituras, alimentos fermentados, laticínios, carnes e qualquer carboidrato que não seja integral.

Durante três dias, comer sementes de gergelim e uvas passas amarelas para lubrificar o trato digestivo; basta ingerir uma colher de chá dessa mistura uma hora antes de cada refeição ou duas horas após a refeição.

Tomar pequenos goles de chá de gengibre durante todo o dia, ingerindo ao menos um litro de líquido.

Na noite do quarto dia, fazer uma *abhyanga* completa com óleo, mergulhando depois em um banho quente de banheira.

Por volta das 22hs, tomar uma colher de chá de iogurte com um comprimido do laxante aprovado por seu médico, para evacuar durante a noite.

Comer comidas leves no dia seguinte, especialmente sopas. Passamos gradualmente a introduzir outros tipos de alimentos até a volta à nossa alimentação normal.

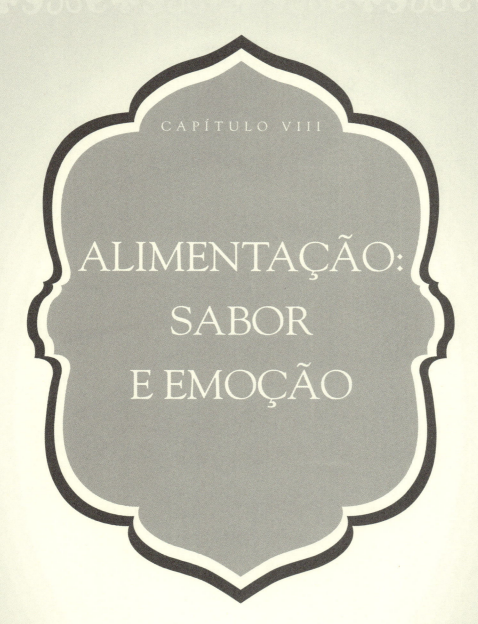

CAPÍTULO VIII

ALIMENTAÇÃO: SABOR E EMOÇÃO

"A DIETA CORRETA É
A ESSÊNCIA DA PREVENÇÃO
DE DOENÇAS E A BASE DE UMA
VIDA SAUDÁVEL E FELIZ."

David Frawley

VIII. ALIMENTAÇÃO: SABOR E EMOÇÃO

A nutrição é um dos mais importantes elementos da Ayurveda, pois é capaz de conservar a saúde e prevenir doenças. Mas, para essa ciência milenar, nossa tão conhecida contagem de calorias não faz nenhum sentido – a nutrição ayurvédica se baseia em algo muito mais gostoso: o sabor.

Como vimos no capítulo anterior, sabor é *rasa* em sânscrito e não por acaso também quer dizer emoção. De fato, cada sabor está relacionado com algumas emoções e, ao equilibrarmos nossa dieta, automaticamente equilibramos nossos sentimentos.

Isso já diminui muito a compulsão pela comida – que nada mais é do que comer quando nossa alma sente fome, esquecendo-nos completamente de que essa fome jamais pode ser saciada por um alimento sólido.

Viver para comer, em vez de comer para viver, rouba anos de vida e vida dos anos. E, no entanto, a obesidade é hoje um problema de saúde pública, e seus níveis vêm num *crescendo*. Há 30 anos, no Brasil, estavam acima do peso 3,9% da população masculina e 7,5% da feminina entre 10 e 19 anos. Hoje, essas proporções são, respectivamente, 18% e 15,4%, o que significa, em números da Pesquisa de Orçamentos Familiares 2002-2003 do Instituto Brasileiro de Geografia e Estatística (IBGE), que temos 6 milhões de adolescentes obesos, além de quase 40 milhões de adultos nessa situação.

Aprender a equilibrar as refeições é, portanto, uma necessidade premente – e, seguindo-se os preceitos da Ayurveda, uma deliciosa aventura por um mundo de sabores e emoções. Nessa história, o personagem principal se chama *agni* – o fogo digestivo.

Quem tem *agni* forte pode comer veneno e metabolizá-lo em néctar. Quem tem *agni* fraco pode comer néctar e metabolizá-lo em veneno. E a potência de *agni* não é questão de sorte, mas resultado das escolhas que fazemos no nosso dia a dia.

CADA SABOR ESTÁ RELACIONADO COM ALGUMAS EMOÇÕES; ASSIM, AO EQUILIBRAR NOSSA DIETA, EQUILIBRAMOS NOSSOS SENTIMENTOS.

O SABOR DA SAÚDE

Depois do respirar, comer é nossa função corporal mais vital. O ser humano se nutre ao converter a energia e a informação de plantas e animais em inteligência biológica de seu corpo. E assim como um madeiramento fraco resulta numa edificação frágil, uma nutrição pobre leva a um organismo doentio. Para criar e manter um corpo saudável, nosso alimento deve ser nutritivo, nossa digestão deve ser forte e nossa eliminação, eficiente.

Uma refeição equilibrada deve conter os seis sabores da natureza: doce, azedo (ou ácido), salgado, picante, amargo e adstringente. Todos são necessários ao organismo para nos sentirmos satisfeitos e para que os nutrientes necessários estejam integralmente presentes em cada refeição.

A maioria dos alimentos tem dois ou mais sabores, mas um *rasa* é predominante – aquele que a língua reconhece. O mais sutil para identificarmos é o adstringente – mais ligado a uma sensação na boca do que propriamente a um gosto. Para reconhecê-lo, imaginamo-nos mastigando um alimento pastoso, como uma banana ou um caqui, qualquer coisa que "estale" na boca: esse é o sabor adstringente.

Assim como o universo e o ser humano, também os alimentos são formados pelos seis grandes elementos, *mahabhutas*:

- **Sabor doce**: composto pelos elementos terra e água, cria a massa do nosso corpo e é responsável pela lubrificação. É nutritivo e calmante.
- **Sabor azedo**: soma de terra e fogo, contribui para a formação da massa corporal, aumentando o calor dentro de nosso organismo. Ajuda na digestão e abre o apetite.
- **Sabor salgado**: a junção de água e fogo lubrifica e aumenta o calor do corpo; levemente sedativo, esse sabor é ainda laxativo e auxilia na digestão.
- **Sabor picante**: composto por fogo e ar, aumenta o calor e seca o organismo; estimula a digestão e alivia a congestão; é o sabor que ajuda a perder peso.
- **Sabor amargo**: ar e espaço se unem neste que é o sabor que mais seca nosso sistema; é anti-inflamatório e desintoxicante.
- **Sabor adstringente**: a somatória dos elementos ar e terra tem o efeito de compactar e densificar, além de secar o organismo.

ELEMENTOS DO SABOR		
Doce	Madhura	Terra + Água
Azedo	Amla	Terra + Fogo
Salgado	Lavana	Água + Fogo
Picante	Katu	Fogo + Ar
Amargo	Tikta	Ar + Espaço
Adstringente	Kashya	Ar + Terra

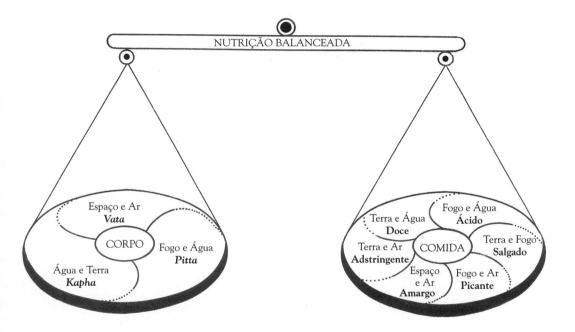

Na tabela adiante, podemos aprender o sabor de cada alimento, sua função no organismo e a emoção que ele nutre quando ingerido de forma balanceada e quando consumido em excesso.

É útil usar esse quadro como guia, mas, aos poucos, é preciso refinar o paladar. Assim, começaremos a perceber naturalmente os sabores de cada alimento. Por exemplo: a cenoura é doce e adstringente; o espinafre, amargo e adstringente.

182 AYURVEDA – CULTURA DE BEM-VIVER

GOSTO SE DISCUTE			
Sabor	**Função**	**Fontes**	**Emoções**
Doce	nutre, forma os tecidos do corpo	leite, manteiga, *ghee*, ovos e queijo branco; grãos como granola, arroz, aveia, trigo e cevada; pães e massas; frutas (sempre maduras) como manga, melancia, cereja, melão, figo, goiaba, banana, pêssego, tâmara, morango, abacate, coco e papaia; amendoim, amêndoas, nozes, macadâmia, pecã, pistache e castanhas; especiarias adocicadas, como canela, cardamomo, *dill*, erva-doce, menta e noz-moscada; carne, peixe e frango; óleos, azeites e gorduras; legumes como cenoura, batata-doce, alcachofra, aspargos, beterraba, cebola cozida, milho, vagem, cogumelos, abóbora; sementes de papoula, abóbora, gergelim e girassol; mel; açúcares e adoçantes em geral	Ingestão balanceada: produz satisfação, traz boas lembranças da infância, evoca sentimentos de amor. Em excesso, promove o apego e a carência afetiva
Azedo	estimula o apetite, auxilia a digestão	frutas cítricas, como laranja, mexerica, abacaxi, limão, kiwi, morango e *grapefruit* (toronja); iogurtes e queijos amarelos; tomate e picles; vinagre; orégano; bebidas gasosas; vinhos	Ingestão balanceada: estimula a audácia, o desejo de aventura, um sentimento de excitação. Em excesso: promove inveja e ressentimento
Salgado	sedativa, auxilia a digestão	sal; molho de soja (*shoyu*) e molhos em geral; peixes de água salgada como haddock e bacalhau; algas marinhas; carnes salgadas como a carne-de-sol	Ingestão balanceada: produz energia e aumenta a coragem. Em excesso: estimula o ciúme e a hostilidade
Picante	estimula o metabolismo, facilita a digestão, limpa, evita congestão	gengibre, alho, cebola, mostarda, salsinha, manjerona, pimentas e condimentos em geral	Ingestão balanceada: dá mais sabor à vida, cria o desejo pela novidade. Em excesso: pode gerar raiva, impaciência e sarcasmo
Amargo	anti-inflamatória, desintoxicante	vegetais verdes e amarelos em geral, como berinjela, espinafre, endívia, agrião, rúcula, couve de bruxelas, couve, escarola, brócolis e chicória; azeitonas; café; cúrcuma	Ingestão balanceada: leva ao desejo de mudança e crescimento. Em excesso: pode criar amargor e fustração.
Adstringente	seca e compacta os alimentos, ajudando a formar a massa fecal	feijões e lentilhas; soja e tofu; vegetais como milho, aipo, alface, cogumelos, batata, repolho, couve-flor, brócolis, ervilha e cenoura; chás pretos; frutas como maçã, caqui, pêra, banana, uva, romã e banana; mel; avelãs	Ingestão balanceada: promove introspecção, clareza mental, humor. Em excesso: agrava sentimentos de insegurança e cinismo

TRIO MARAVILHA

Ao lado de *rasa* e de cada um dos seis sabores, outros dois conceitos formam o tripé da nutrição ayurvédica. Assim como no Ocidente pensamos em termos de carboidratos, proteínas e gorduras, a Ayurveda trabalha com *rasa*, *vipaka* e *virya*.

Rasa é o primeiro sabor, aquele que sentimos na boca. Como já vimos, são ao todo seis e cada um cumpre um papel importante no processo digestivo, a saber:

- **doce**: deveria ser ingerido no início de cada refeição, pois estimula as enzimas da saliva, dando início à digestão dos carboidratos
- **azedo**: estimula as secreções ácidas do canal gástrico
- **salgado**: estimula a secreção dos sais da bile da vesícula para o duodeno
- **picante**: estimula as enzimas digestivas do intestino delgado
- **amargo**: seca as fezes no intestino grosso
- **adstringente**: atua no cólon, auxiliando na compactação do material fecal em preparação para a eliminação

Vipaka é o pós-sabor, que fica no organismo depois da digestão. São apenas três, como podemos ver na tabela a seguir.

PÓS-SABOR	
Rasa	*Vipaka*
Doce e salgado	Doce
Azedo	Azedo
Picante, amargo e adstringente	Picante

Virya é a potência do alimento, seu valor nutritivo, determinado pelos *gunas* ou qualidades. Os *gunas* aparecem na natureza em três pares de opostos:

- ✿ pesado x leve
- ✿ oleoso x seco
- ✿ quente x frio

Na tabela adiante, como os *gunas* influenciam os *doshas* e alguns exemplos de alimentos.

GUNAS: QUALIDADES DOS ALIMENTOS	
oleoso *(snigdha)*	seco *(rooksha)*
aumenta *kapha* e diminui *vata*	aumenta *vata* e diminui *kapha*
leite integral	mel
feijão de soja	lentilha
coco	repolho
azeite de oliva	biscoitos *crackers*
manteiga	granola

quente *(ushma)*	frio *(sheeta)*
aumenta *pitta* e diminui *vata* e *kapha*	aumenta *kapha* e diminui *vata* e *pitta*
pimenta	menta
ovo	leite integral
amêndoa	açúcar
cebola	iogurte
rabanete	maçã

pesado (*guru*)	leve (*laghu*)
aumenta *kapha* e diminui *vata*	**aumenta *vata* e diminui *kapha***
carne vermelha	frango
trigo	cevada
queijo	legumes cozidos
pães	leite desnatado
massas	quinua (*)

(*) Cultivada pelos incas, a quinua (também *quínua* e *quinoa*) era considerada um alimento sagrado. Rico em aminoácidos, proteínas, vitaminas, minerais, carboidratos e fibras, é classificado hoje como o melhor alimento do mundo. É exportado pela Bolívia e começa a ser plantado no Brasil.

O mais importante a lembrar a respeito dos *gunas* é que os alimentos pesados são de digestão mais difícil do que os outros. Portanto, quando nossa capacidade de digestão for ou estiver mais lenta, devemos evitar alimentos pesados e favorecer os leves. Mesmo quem tem digestão normal deve sempre equilibrar a ingestão desses alimentos para não vir a apresentar problemas nessa área.

As combinações de *virya* e *rasa* influenciam os *doshas*, equilibrando-os ou agravando-os, como mostra o quadro.

VATA			
Equilibra		**Agrava**	
rasa	*virya*	*rasa*	*virya*
doce	pesado	picante	leve
azedo	oleoso	amargo	seco
salgao	quente	adstrngente	frio

PITTA			
Equilibra		Agrava	
rasa	*virya*	*rasa*	*virya*
doce	frio	picante	seco
amargo	pesado	azedo	leve
adstringente	seco	salgado	oleoso

KAPHA			
Equilibra		Agrava	
rasa	*virya*	*rasa*	*virya*
picante	leve	doce	pesado
amargo	seco	azedo	oleoso
adstringente	quente	salgado	frio

ALIMENTANDO SEU *DOSHA*

Sem esquecer o princípio básico de que as refeições equilibradas são aquelas que contêm os seis sabores (*rasa*), cada pessoa deve buscar privilegiar alguns deles e usar menos de outros, de acordo com as porcentagens de seu *dosha*.

Por isso, convém reconhecer os sabores que beneficiam ou agravam cada um dos *doshas*, sempre dentro do conceito de que os iguais se reforçam e causam desequilíbrio. Ou seja, quem é *vata* não quer aumentar essa energia, e sim diminuí-la ao mesmo tempo que aumenta *pitta* e *kapha*, para equilibrar seu organismo.

O *dosha* predominante de cada pessoa deve determinar os alimentos de sua dieta, mas é interessante perceber que, sempre que estamos equilibrados, nosso corpo automaticamente pede os sabores e as qualidades dos alimentos de que necessitamos. Esse é um

VIII. ALIMENTAÇÃO: SABOR E EMOÇÃO   187

exemplo de nossa conexão com a natureza – um dos princípios mais importantes para a Ayurveda.

Aqui apresentamos em detalhe a dieta ideal de cada *dosha*.

VATA

Seco, frio e leve, este *dosha* deve favorecer alimentos oleosos, quentes e pesados. É recomendável a pessoa de *vata* priorizar os sabores doce, azedo e salgado e diminuir (mas não eliminar!) a ingestão de tudo o que seja picante, amargo e adstringente. Os pratos cozidos são sempre melhor opção do que os crus. As comidas típicas de inverno são perfeitas: sopas, pães quentes, cereais com leite quente, chás de ervas. Uma boa quantidade de comida é importante para contrabalançar a leveza deste biótipo, mas comer em demasia é uma péssima ideia, pois *vata* tem má digestão.

* Laticínios: são bons, mas o leite deve ser tomado de preferência morno e separado das refeições.
* Frutas: indicadas as doces e pesadas, como abacate, banana, manga, papaia, pêssego, damasco, cereja, coco, figo e tâmara; todas as frutas cozidas também vão bem; evitar comer ao natural frutas leves e secas, como maçã, pêra e romã.
* Vegetais: cozidos *al dente* são melhores do que em saladas; favorecer aspargo, beterraba, cenoura, pepino e batata-doce; reduzir brócolis, repolho, couve-flor, cogumelos, folhas verdes e pimentas.
* Grãos: arroz, trigo e milho são os melhores; aveia cozida também.
* Óleos e alimentos gordurosos: indicados, pois lubrificam a secura de *vata*.
* Condimentos: cardamomo, cominho, gengibre, canela, sal, cravo, semente de mostarda, pimenta preta, assa-fétida, alho e cebola cozidos, basílico, orégano, alecrim; evitar coentro, açafrão e cúrcuma.
* Carnes: frango, peixe e peru e, em pequena quantidade, frutos do mar.
* Nozes e assemelhados: em pequena quantidade.
* *Tahine*: pasta de gergelim.

- *Lassi*: esta tradicional bebida indiana cai muito bem (ver receita no final deste capítulo).
- *Tofu* e *mung dahl* (espécie de lentilha indiana).

PITTA

Por ser quente, este *dosha* deve favorecer comidas mais frias e líquidos. O ideal é privilegiar os sabores doce, amargo e adstringente e reduzir o consumo de alimentos picantes, salgados e azedos. *Pitta* não deve comer pratos muito quentes, preferindo a temperatura morna. Os crus, como saladas e *sushis*, lhe caem muito bem.

- Frutas: doces, como uva, melão, cereja, coco, manga, laranja doce e figo; reduzir a quantidade de frutas cítricas como *grapefruit* (toronja), damasco e todas as frutas vermelhas.
- Vegetais: os melhores são aspargo, pepino, batata, batata-doce, folhas verdes, abóbora, brócolis, couve-flor, alface, abobrinha, repolho e cogumelos; reduzir tomates, pimentas, cenoura, beterraba, berinjela, cebola e alho.
- Grãos: arroz, trigo, cevada e aveia.
- Carnes: peixes, carne branca de frango, faisão e peru; evitar carnes vermelhas e frutos do mar.
- Laticínios: usar leite e manteiga em quantidade moderada; se possível, preferir o *ghee* à manteiga; tomar cuidado com iogurtes e queijos amarelos, porque o sabor azedo agrava *pitta*.
- Saladas: são uma ótima pedida, principalmente no verão.
- Chá: de menta.
- Sorvetes: na hora do almoço.
- Cereais: tomados com leite frio.
- Óleos e alimentos gordurosos: azeite de oliva, óleos de coco e de girassol.
- Condimentos: canela, coentro, cardamomo, erva-doce, endro, menta, açafrão e cúrcuma; evitar condimentos muito picantes.
- Evitar: ovos e nozes em geral, exceto as sementes de abóbora e girassol.

KAPHA

Pesado, oleoso e frio, *kapha* deve favorecer comidas leves, secas e quentes e os sabores picante, amargo e adstringente. Ao mesmo tempo, deve controlar o consumo de alimentos doces, azedos e salgados. Recomenda-se começar as refeições com os sabores amargo e picante, para diminuir o apetite.

❀ Laticínios: melhor consumir leite desnatado, fervido e em pouca quantidade, pois aumentam a mucosidade, o que agrava *kapha*; adicionar gengibre ou cúrcuma também é boa ideia.

❀ Frutas: maçã, pêra, damasco e romã, pois são leves e secas; evitar frutas pesadas, como banana, tâmara, manga, papaia, abacate, coco e também as frutas ácidas.

❀ Feijões: todos, menos feijão de soja e *tofu*.

❀ Chá: tomar chá de gengibre durante as refeições.

❀ Grãos: favorecer cevada, milho e aveia; reduzir arroz e trigo.

❀ Nozes e assemelhados: consumir com muita moderação.

❀ Condimentos: todos são bons, exceto sal.

❀ Óleos e alimentos gordurosos: os melhores são os de milho e de girassol.

❀ Sementes: de abóbora e de girassol.

❀ Vegetais: praticamente todos, incluindo aspargos, beterraba, brócolis, cenoura, couve-flor, repolho, berinjela, alho, folhas verdes, cogumelo e espinafre; reduzir o consumo apenas de tomate, pepino, batata-doce e abobrinha.

❀ Carnes: brancas de frango e peru; frutos do mar; reduzir carnes vermelhas.

❀ Minimizar: doces e adoçantes; mel é o único tipo de adoçante recomendado, e não pode ser cozido.

FONTES DA JUVENTUDE

Todos os *doshas* se beneficiam muito da ingestão de água – uma das mais eficazes maneiras de eliminar toxinas, por meio da urina e do suor –, que é a verdadeira fonte da juventude. Estudos comprovam que nossa sensibilidade à sede diminui com a idade – ou seja, passamos a sentir menos sede. Ao mesmo tempo, a desidratação acelera o processo de envelhecimento. Portanto, beber água rejuvenesce.

A maioria das pessoas não bebe água suficientemente e não sabe disso, ainda que possa apresentar um ou mais sintomas do problema, como dor de cabeça, prisão de ventre e pele seca.

Para saber a quantidade de água que devemos beber em um dia, há uma fórmula:

$$A = PC/32$$

Traduzindo: o consumo de água ideal é igual a nosso peso corporal dividido por 32. No Ocidente, costuma-se pregar que todos devem beber até dois litros d'água por dia, mas, para a Ayurveda, essa uma medida deve ser individual, personalizada.

Devemos sempre dar preferência à água mineral – e evitar ao máximo água da torneira, mesmo nos países em que ela é tratada e, em teoria, potável. Água pura é a melhor bebida que existe.

ALIMENTOS QUE AJUDAM A MANTER A JUVENTUDE	
alho	iogurte magro
amêndoas	leite
aveia	lentilha
banana	maçã
brócolis	mel
cebola	morango
chá verde	pão integral
couve-flor	salmão
figo seco	suco de laranja
folhas verdes em geral	*tofu*
germe de trigo	tomate
ghee	

Também o alimento correto atua em nosso organismo como um remédio contra o envelhecimento – causado pelos radicais livres, moléculas instáveis que apresentam número ímpar de elétrons e prejudicam nossas células.

Agressões externas (como a poluição) e internas (como o cigarro e o álcool) levam ao acúmulo de radicais livres, que então precisam ser combatidos. A simples ingestão de frutas e vegetais com poder antioxidante ajuda a suprir as deficiências vitamínicas e a reverter drasticamente a idade biológica. O melhor é sempre optar pelos orgânicos – pois os agrotóxicos também são fonte de radicais livres.

PRAZER À MESA

Não é só o que comemos e bebemos que tem o poder de gerar saúde – a maneira como nos alimentamos também conta. A hora da refeição é sagrada. É preciso degustar o alimento devagar, mastigando muito bem. O segredo é vivenciar o momento presente, ouvir o nosso corpo, reconhecer nossos sentimentos. Para isso, alguns hábitos fáceis de incorporar ao dia-a-dia fazem toda a diferença. São as técnicas de inteligência do corpo, também chamadas TICs:

- ❋ Só comer quando tivermos fome. O apetite é nosso melhor amigo para determinar a hora certa de comer: ele mostra que o corpo está preparado para receber o alimento. Mas é preciso saber distinguir fome de verdade de fome emocional. Todo alimento ingerido sem fome de verdade não será bem metabolizado pelo organismo e se tornará *ama* dentro do nosso organismo. Devemos usar nosso marcador interno para saber a hora de comer: começar quando estiver no 2 e parar quando chegar ao 7.

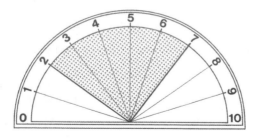

* Deixar 1/3 do estômago vazio para ajudar na digestão. A quantidade de alimento necessária para cada ser humano é aquela que cabe na concavidade de suas mãos unidas. Isso permite que a digestão seja completa, pois sobra espaço para a formação do bolo fecal.

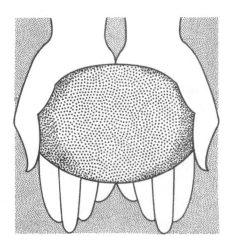

* Não comer quando nervosos ou chateados. Nesse estado de espírito, o organismo libera enzimas e substâncias químicas emocionais que não favorecem a digestão.
* Comer sempre sentados, em ambiente calmo e confortável. Nunca discutir enquanto nos alimentamos. Quando comemos no meio do caos, metabolizamos essa energia também.
* Nada de ver TV nem de ler durante as refeições. Comer bem exige atenção e consciência. Se estivermos fazendo outras coisas ao mesmo tempo, tendemos a comer mais, pois não percebemos quando o corpo está satisfeito. E a sabedoria do organismo precisa ser ouvida e respeitada. Vivenciar o momento presente é um treino contínuo e um poderoso gerador de saúde.
* Comer em silêncio. Sempre que possível, devemos fazer as refeições em silêncio, observando os seis sabores, colocando atenção e intenção no ato de nos alimentar, de nutrir nosso corpo e nossa alma. Ao menos uma vez por semana, respeitar esse ritual, que nos ajuda demais a aprender a comer.
* Jamais comer antes que a refeição anterior tenha sido totalmente digerida e metabolizada. Esse processo leva de duas a seis horas. Manter a atenção permanente

VIII. ALIMENTAÇÃO: SABOR E EMOÇÃO 193

em nosso corpo é importantíssimo. Colocar a mão sobre a barriga, na altura do estômago, para aprender a ouvir as sensações do nosso corpo.

⚜ Acender o fogo digestivo antes de comer. Cerca de 15 minutos antes da refeição, comer algumas fatias de gengibre cru, com uma pitada de sal e uma gota de limão, para acender *agni*, o fogo digestivo. A capacidade de melhorar a eficiência da digestão é comum a todas as especiarias e ervas, que são verdadeiros remédios naturais.

⚜ Comer devagar e não exagerar na quantidade: dois pontos importantes para ter uma boa digestão. O hipotálamo dá o comando de saciedade para o organismo cerca de 20 minutos após o início da refeição. Se comermos lentamente, teremos comido menos quando esse sinal apitar. Portanto, só devemos encher o garfo novamente quando tivermos acabado de mastigar e engolir a garfada anterior.

⚜ Mastigar muito bem: Só devemos engolir o alimento em estado pastoso, pois nosso estômago não tem dentes; não falar durante a mastigação.

⚜ Dar preferência a alimentos frescos e da estação: são os mais ricos em energia vital.

⚜ Preferir os pratos preparados na hora: deixar os congelados, enlatados e restos só para emergências, porque esses alimentos perdem a energia vital; consequentemente, as enzimas que otimizam nossa digestão também diminuem.

⚜ Comer mais alimentos levemente cozidos, mornos ou quentes: controlar a ingestão de alimentos crus, porque sua assimilação é mais difícil, principalmente para quem é *vata* (que tem digestão irregular) ou *kapha* (que sofre com digestão lenta).

⚜ Evitar tudo o que é gelado: isso diminui a *agni* e ainda minimiza o poder de nossas papilas gustativas. Como resultado, sentimos menos o gosto e comemos mais e errado. Quando quisermos comer ou beber algo gelado, devemos fazê-lo na hora do almoço, quando *agni* está em seu máximo. Convém lembrar que *agni* segue o ciclo do sol. Portanto, café da manhã e jantar devem ser refeições leves, e o almoço deve ser a refeição principal.

⚜ Procurar almoçar entre 12hs e 13hs e jantar entre 18hs e 19hs: o ideal seria não comer nada sólido depois das 20hs.

⚜ Tomar goles de água morna ou de chá de gengibre: fazer isso durante todo o dia, incluindo a hora da refeição. Esse hábito nos ajudará a otimizar o processo digestivo elevando *agni*, o responsável por metabolizar todas as informações que captamos do universo, bem como o alimento que ingerimos.

AYURVEDA – CULTURA DE BEM-VIVER

❀ Colocar os seis sabores em todas as refeições: dar ênfase aos mais indicados para o próprio *dosha*.

❀ Acrescentar um sétimo "sabor" à lista, o amor: todo alimento deve ser preparado com amor para que sua digestão seja perfeita.

❀ Jamais tomar leite às refeições: o leite deve ser ingerido sozinho, acompanhado apenas do sabor doce – caso de biscoitinhos, por exemplo.

❀ Após a refeição, comer sementes de erva-doce: o chá dessa erva também ajuda na digestão, mas a semente é melhor.

❀ Ter sempre atitude de gratidão à natureza: pelo presente do alimento que ela nos oferece.

❀ Andar durante 15 minutos após se alimentar

Duas boas dicas: (1) para contrabalançar a acidez estomacal, cozinhar utilizando ervas refrescantes, como coentro, cominho e erva-doce e, antes da refeição, tomar duas colheres de sopa de suco de *aloevera* ou uma xícara de chá de alcaçuz; (2) para eliminar gases e flatulência, cozinhe com louro, cardamomo, canela ou uma pitada de assa-fétida.

Importante: Quando nossa capacidade digestiva não é suficiente para metabolizar o alimento que ingerimos, permanece em nosso organismo um resíduo de substâncias não-digeridas. Esse resíduo tóxico, *ama*, enfraquece a eficiência do sistema digestivo, provocando problemas como constipação, fadiga, dificuldade respiratória e pouca energia.

A força de nosso apetite reflete o estado de nosso fogo digestivo. Precisamos de um bom apetite para nos ajudar a digerir e absorver o alimento que comemos.

AGNI: MAIS FOGO NA LAREIRA

Nunca é demais repetir: *agni* é o fogo digestivo responsável por metabolizar todas as informações que captamos do universo por meio dos cinco sentidos. Mas como elevá-lo? A cada dia, naturalmente, o ritmo desse fogo sobe e desce, fazendo-nos ter pouca fome de manhã, muita fome na hora do almoço e fome moderada à noite. Entre esses horários, é como se *agni* "se fechasse" dentro de si mesmo para se dedicar a digerir a comida que

VIII. ALIMENTAÇÃO: SABOR E EMOÇÃO

ingerimos nas refeições. Quando nossa digestão estiver completa, ele "se abre" novamente para receber mais alimento. À noite, como o sol, *agni* se põe – e nada mais que seja ingerido será metabolizado de forma apropriada.

A Ayurveda ensina uma forma eficaz para revitalizar *agni* e mantê-lo sempre aceso. É como se tivéssemos fogo queimando permanentemente dentro de uma lareira interna em nosso organismo. Acesa, a lareira não permite que haja fumaça.

Ritual para acender *agni*

Sexta-feira

É o dia ideal para começar.

Tomar o café da manhã e o almoço normalmente.

Não comer nada durante a tarde, nem beber álcool.

O jantar deverá ser nutritivo, mas leve – evitar comidas picantes e queijos.

Na hora de dormir, tomar um laxante, seguido de um copo de água quente.

Ir para a cama cedo. O intestino poderá funcionar durante a noite ou pela manhã.

Sábado

Passar o dia tomando líquidos. O objetivo é diminuir o apetite e digerir o mínimo de calorias, fazendo *agni* diminuir para depois subir. Ter um dia tranquilo, apenas lendo, assistindo à TV, sem se cansar.

Não fazer esforços pesados, como exercícios físicos – no máximo, dar uma caminhada pela manhã e outra à tarde. No caso de sentir fraqueza e fome, tomar uma colher de sopa de mel com um copo de água morna e deitar para descansar. É normal sentir o corpo leve e um pouco de tontura.

Se o mal-estar persistir, comer algo leve.

Vata e *pitta* devem beber sucos de fruta diluídos em água quente. Os sucos de uva e de maçã se prestam muito bem para esse fim. Tomar um copo de suco no café da manhã, outro no almoço e outro no jantar. Entre as refeições, tomar mais três ou quatro copos de suco. Não exceder essa quantidade. Tomar água à vontade.

Kapha poderá tomar apenas água quente, se conseguir.

Domingo

É o dia de começar a fazer *agni* voltar a funcionar.

Tomar um café da manhã leve. Comer um cereal quente, como mingau de aveia com um pouquinho de manteiga, leite e açúcar. Tomar chá de ervas para acalmar o estômago. Se ainda sentir fome, beba um copo de suco de frutas. Não tomar café, chá preto e sobretudo não fumar.

Não comer nada até a hora do almoço.

Exatamente ao meio-dia (horário de maior potência de *agni*) almoçar bem, mas sem exagerar na quantidade. Evitar comidas salgadas e apimentadas e não tomar álcool. Beber chá de gengibre antes e durante a refeição ou apenas água morna durante a refeição.

Não comer nada até o jantar. Jantar cedo e esperar pelo menos três horas antes de dormir. Comer menos quantidade do que no almoço. Uma boa opção é arroz, lentilhas e verduras ao vapor.

Depois de recondicionar *agni*, o ritmo do ciclo voltará ao normal e a pessoa naturalmente quererá um café da manhã leve, um almoço mais substancial (procurar almoçar sempre no mesmo horário) e um jantar frugal (tratar de comer cedo e também sempre no mesmo horário).

Mantendo *agni* elevado

1. Evitar:

- ❀ comer entre as refeições; a exceção é *vata*, que deve fazer um lanche leve no meio da tarde
- ❀ mascar chicletes ou chupar balas (que são uma falsa estimulação)
- ❀ estimulantes fortes, como café, álcool ou comidas muito salgadas
- ❀ pular refeições; somente quem é *kapha* pode, eventualmente, deixar de fazer uma refeição; *pitta* precisa se alimentar três vezes ao dia e *vata*, quatro.

VIII. ALIMENTAÇÃO: SABOR E EMOÇÃO

2. Colocar na dieta:
- ✿ gengibre
- ✿ mistura de iogurte e água

Gengibre

Para continuar estimulando *agni*, tomar pequenos goles de água morna durante o dia e incluir o gengibre no cardápio – a mais importante das ervas para ajudar o organismo a aguentar os "deslizes" que todos cometemos: comer congelados, alimentos com agrotóxicos, frituras e outras bobagens que entram no cardápio do dia a dia.

O gengibre pode ser usado de diversas maneiras:
- ✿ em pó ou ralado: colocar em vegetais, pães, bolos e biscoitos
- ✿ ralado: salpicado em qualquer prato
- ✿ natural: mastigar um pedaço
- ✿ chá de gengibre: tomar o dia todo, desde que a pessoa não tenha úlcera ou outros problemas gástricos – nesse caso, tomar apenas água morna

Quem é *vata* pode misturar o gengibre com sal. Já quem é *pitta* deve preferir um chá de gengibre mais fraco, com um pouco de açúcar ou adoçante. *Kapha* pode adoçar o chá de gengibre com mel.

R E C E I T A

Chá de gengibre

Coloque no fundo de uma garrafa térmica três fatias de gengibre cru, cinco sementes de cardamomo, dois paus de canela e três cabeças de cravo;
Despeje água fervendo e deixe em infusão enquanto vai tomando;
Quando a água terminar, basta acrescentar mais, sem precisar recolocar os ingredientes.
Obs.: a quantidade de cada ingrediente pode ser mudada de acordo com seu paladar

Outras ervas boas para elevar *agni* são:
- ✿ pimenta preta
- ✿ cardamomo
- ✿ pimenta caiena

* canela
* cravo
* mostarda

Importante: *Pitta* deve minimizar a quantidade de ervas que consome.

Sede de quê?

Uma dieta líquida periódica também é excelente para ajudar a inflamar *agni*. Realizada na frequência indicada para cada *dosha*, essa prática nos mantém saudáveis e retarda o envelhecimento. O intuito desse jejum de alimentos sólidos não é emagrecer, mas, sim, dar uma trégua ao estômago, purificá-lo.

Vata: uma vez por mês
Pitta: uma vez a cada 15 dias
Kapha: uma vez por semana

EXERCÍCIO

Jejum de 36 horas

Procurar fazer este jejum na segunda-feira, para compensar excessos do final de semana.

A preparação começa no domingo à noite, com uma refeição leve, de preferência uma sopa.

No dia seguinte, só são permitidos líquidos: leite, sucos de frutas ou verduras, iogurte batido com aveia e amêndoas, sopas. Água pura e chás de ervas à vontade.

A finalização ocorre no café da manhã da terça-feira, que deve atender ao índice verdadeiro de fome da pessoa.

Durante o período do jejum, podemos beber de tudo, quantas vezes forem necessárias, porque o objetivo não é passar forme nem emagrecer. Mas, ao adotar essa interrupção da alimentação de maneira disciplinada e repetida, a pessoa verá que passa naturalmente a ter menor necessidade de alimentos. O organismo encontra seu ponto de equilíbrio, e o peso se mantém.

No dia seguinte ao da dieta líquida, a digestão estará a todo vapor, metabolizando em forma de energia tudo o que for ingerido pelos cinco sentidos – não só os alimentos, portanto, mas também as emoções.

ERVAS PARA A LONGEVIDADE

Na Ayurveda, há três suplementos indicados para a longevidade. São chamados *rasayanas* e consistem em ervas que só podem ser consumidas com orientação médica. São eles:

Ashwagandha (*Withania somnifera*): literalmente, "cheirando como um garanhão". Esse suplemento é conhecido por seu grande efeito no rejuvenescimento masculino, proporcionando ao homem "a força de um cavalo". Reduz o estresse, eleva o sistema imunológico e influencia as substâncias químicas da glândula pituitária, que regula os hormônios sexuais. A Ayurveda recomenda a ingestão de uma colher de chá de *ashwagandha* em leite quente adoçado com mel antes de dormir. É especialmente eficiente nos dias em que o homem ejaculou, com a intenção de renovar o estoque de *ojas* liberado no sêmen. Indicado para aumentar também o desejo sexual das mulheres.

Shatavari (*Asparagus racemosus*): quer dizer "capaz de suportar 100 maridos" e é o equivalente feminino do *ashwagandha*, pois alimenta a energia criativa feminina, de que tanto a mulher quanto o homem dispõem. Ajuda na tensão pré-menstrual, aumenta o fluxo do leite na amamentação e alivia os efeitos da menopausa. Ajuda também nos problemas do estômago. Fortalece o organismo feminino por completo. Apesar de ser primeiramente recomendado para mulheres, também pode ser tomado por homens. Assim como *ashwagandha*, deve ser ingerida com leite morno adoçado com mel ou açúcar mascavo. A combinação de *ashwagandha* e *shatavari*, uma colher (de chá) de cada, diluída em uma xícara de leite quente, com um pouco de açafrão e mel, é um excelente tônico para homens e mulheres e um potente renovador de *ojas*.

Amalaki (Emblica officinalis): é fonte das mais poderosas de vitamina C, 20 vezes mais potente do que a laranja. Indicada para homens e mulheres em geral. *Amalaki*, ou simplesmente *amla*, é recomendada para aumentar a saúde, proteger o DNA, baixar níveis de colesterol e aliviar azia.

Chyavan prash: considerada o maior *rasayana* da Ayurveda, é uma pasta composta de várias ervas, incluindo as três já citadas. É excelente rejuvenescedor. Recomenda-se tomar uma ou duas colheres (de chá) por dia.

Conta a lenda que um rei pediu a um velho sábio, Chyavan, que se cassasse com sua jovem filha. O sábio ficou preocupado de não conseguir satisfazer às necessidades sexuais da futura esposa. Em meditação, ele concebeu a fórmula de ervas que restauraria sua força, juventude e vitalidade. Daí o nome *Chyavan prash*, ou geleia de Chyavan.

DIETA SÁTVICA

A Ayurveda preconiza uma dieta sátvica, ou seja, equilibrada, que misture *tamas* e *rajas*, gerando *sattwa*. Há alimentos naturalmente sátvicos, que devemos tentar incluir em maior quantidade e com frequência em nossas refeições. Os principais são:

leite

ghee (manteiga clarificada)

frutas e sucos de frutas

arroz

amêndoas

trigo

lentilha

tâmara

mel

lassi

VIII. ALIMENTAÇÃO: SABOR E EMOÇÃO 201

Aprenda aqui algumas deliciosas receitas da dieta ayurvédica.

Lassi

Essa tradicional bebida indiana pode ter sabores variados, bastando misturar sua receita básica, dada abaixo, com a fruta de sua preferência. Algumas boas pedidas são: manga (para *vata*), maçã (para *kapha*) e pêra (para *pitta*).

Coloque no liquidificador um pouco de cardamomo em pó, uma pitada de açafrão e 3 colheres de água quente;

Misture lentamente por 10 segundos;

Adicione 1 copo de iogurte natural, 1 copo de água e, se achar necessário, uma colher (chá) de açúcar mascavo.

Adicione algumas gotas de água de rosas no final.

Obs.: Para desequilíbrio de *vata*, pode-se adicionar um pouquinho de sal; para *pitta*, algum adoçante, como açúcar mascavo; para *kapha*, gengibre, pimenta preta e mel.

Ghee (manteiga clarificada)

Coloque um pacote de manteiga sem sal em uma frigideira em fogo baixo;

Deixe derreter completamente, aumente o fogo para médio;

Com uma colher, passe a retirar a espuma que começar a se formar;

Quando a manteiga começar a ferver, abaixe o fogo novamente e deixe cozinhar por 10 minutos em panela destampada, mexendo de vez em quando para não grudar no fundo.

O *ghee* estará pronto quando o leite se tornar sólido no fundo da panela e de uma cor dourado-amarronzada.

Tire do fogo, deixe esfriar e coloque em uma jarra ou vasilha.

O *ghee* pode ser guardado por um longo tempo na geladeira, mas poderá também ficar fora dela por várias semanas, desde que em local fresco. É excelente para ser utilizado no lugar de óleo para saltear legumes, arroz e carnes; e como manteiga em pães e sobremesas.

RECEITAS PARA OS DOSHAS

As receitas a seguir foram criadas por Sri Govinda, sacerdote brâmane, professor de atividades védicas e filosofia Vaishnava e fundador do Centro de Cultura Védica de Campos (RJ), e por sua esposa, Lakshmi Kantha.

Vata

Creme de aspargos

Ingredientes
1/2 maço de aspargos frescos
3 colheres (sopa) de *ghee*
2 colheres (sopa) de farinha de cevada
2 copos e meio de creme de leite
1/2 colher (chá) de sal
Uma pequena porção de páprica

Modo de fazer
Lave os aspargos e corte-os em pedaços. Aqueça o *ghee* na panela ou numa frigideira grossa. Refogue os aspargos no *ghee* até amolecerem. Reserve-os. Coloque a farinha de cevada no *ghee* e adicione o creme de leite aos poucos; mexa até engrossar tendo cuidado para que a mistura fique homogênea (sem pelotas). Adicione os aspargos e cozinhe em fogo baixo até que vire um creme. Acrescente o sal e polvilhe a páprica sobre a preparação. Sirva a seguir.
Obs: Bom como acompanhamento de arroz e torradas.

Tempo de preparo: 15 minutos
Rende 3 porções

Inhame oriental

Ingredientes
1 kg de inhame
3 colheres (sopa) de *ghee*

VIII. ALIMENTAÇÃO: SABOR E EMOÇÃO   203

2 colheres (sopa) de gergelim preto

1 colher (chá) de sal marinho

1 xícara de coentro fresco picado

Modo de fazer

Cozinhe o inhame com casca no vapor. Unte uma forma com uma colher de *ghee*, descasque os inhames e corte ao meio. Coloque na forma. Salpique o resto do *ghee*, o gergelim e o sal. Coloque no forno por 15 minutos. Retire, salpique o coentro e coloque mais 5 minutos no fogo

Tempo de preparo: 25 minutos

Rende 4 porções

Vata Lassi

Ingredientes

1/2 copo de queijo *cottage*

1/2 copo de iogurte

3/4 de copo de água

1 colher (sobremesa) de cominho em pó

1 colher (sopa) de mel ou 3 tâmaras grandes picadas

1/2 colher (chá) de suco de limão.

Modo de fazer

Bata no liquidificador o queijo, o iogurte e a água. Adicione os demais ingredientes e bata novamente.

Pitta

Sopa de ervilha partida

Ingredientes

2 copos de ervilha partida

10 copos de água

3 cenouras grandes cortadas

1 a 2 maços de aipo finamente cortados

1 pitada de assa-fétida

1 colher (chá) de sal marinho

1/2 colher (chá) de pimenta preta moída

1 colher (chá) de missô

Modo de fazer

Ponha as ervilhas e a água num pote grande e ferva. Quando começar a ferver, adicione as cenouras, o aipo e a pitada de assa-fétida; tampe. Cozinhe por duas horas ou até as ervilhas dissolverem, formando uma sopa grossa. Adicione o sal, a pimenta preta e o missô. Sirva quente.

Tempo de preparo: 2 horas e meia

Rende 4 porções

Salada mista de verdes

Ingredientes

1 cabeça de alface

1 beterraba média cortada

1 xícara de cenoura ralada

1 xícara de repolho roxo cortado

1 abobrinha média em fatias

1/2 xícara de broto de feijão ou alfafa

Modo de fazer

Lave as verduras e seque-as. Coloque o alface em uma tigela grande. Arrume o resto das verduras como quiser. Coloque os brotos em cima para decorar e sirva com o molho.

Molho

Ingredientes

1 xícara de suco de maçã

1/2 xícara de laranja-doce

2 colheres (sopa) de *shoyu*

1/2 xícara de abacate amassado

3 colheres (de sopa) de coentro cortado

1 colher (chá) de gengibre fresco

1 colher (chá) de cominho moído

1 colher (chá) de mostarda

Modo de fazer: bata tudo no liquidificador

Tempo de preparo: 10 minutos

Rende 4 porções

Pitta Lassi

Ingredientes

1/2 copo de queijo *cottage*

1/2 copo de iogurte

3/4 copos de água

2 colheres (chá) de coentro em pó

3 tâmaras grandes picadas

Modo de fazer: bata tudo no liquidificador e sirva.

Kapha

Arroz indiano

Ingredientes

1 copo de arroz *basmati*

1 colher (chá) de óleo de girassol

1/2 colher (chá) de sementes de mostarda

1/2 colher (chá) de sementes de cominho

3 copos e meio de água

1 colher (chá) de sal marinho

1/4 de colher (chá) de pimenta preta fresca

Modo de fazer

Em fogo médio, coloque para cozinhar as sementes de mostarda e cominho juntamente com o óleo. Quando as sementes estalarem, adicione a água, o arroz e o sal. Tampe a panela e cozinhe em fogo baixo por aproximadamente 15 minutos. Adicione a pimenta preta, misture e sirva.

Tempo de preparo: 25 minutos

Rende 4 porções

Legumes picantes

Ingredientes

1/4 colher (sopa) de óleo de girassol

1 colher (sopa) de semente de mostarda preta

1/2 colher (sopa) de pimenta caiena

1/4 de colher (sopa) de cúrcuma

1 pitada de assa-fétida

1 pitada de sal

1/4 de pimenta vermelha cortada

pequenos pedaços de couve-flor

pequenos pedaços de cabeça de brócolis

pouca água

Modo de fazer

Em uma panela média, aqueça o óleo. Doure a semente de mostarda até que fique crocante. Adicione a pimenta caiena, a cúrcuma, a assa-fétida e o sal. Refogue a pimenta vermelha, os pedaços de couve-flor e o brócolis.

Adicione água, cubra e deixe cozinhar em fogo baixo por 10 minutos. Sirva quente.

Tempo de preparo: 10 minutos

Rende 4 porções

Kapha Lassi

Ingredientes

1/2 copo de iogurte

1 copo de água

2 colheres (chá) de mel

1/2 colher (chá) de canela

1/2 colher (chá) de gengibre em pó

1/2 colher (chá) de pimenta-do-reino

1/2 colher (chá) de cominho

3 favas de cardamomo

Modo de fazer: bata tudo no liquidificador e sirva. Evite excessos.

Tridosha

Kitchiri

Ingredientes

200 gramas de arroz

250 gramas de *dahl* (lentilha indiana) partida, lavada e escorrida

1/4 de couve-flor cortada em pedacinhos

2 tomates picados

3 colheres de sopa de *ghee*

1/2 xícara de castanhas de caju torradas picadas

2 colheres (sopa) de manteiga (não pode ser margarina)

4 colheres (sopa) de gengibre fresco ralado

2 pimentas frescas amassadas

1 colher (chá) de cúrcuma

1 pitada de assa-fétida

2 colheres (chá) de coentro fresco picado

sal e pimenta-do-reino

Modo de fazer

Ferva o *dahl* na água salgada e aromatizada com a cúrcuma, até ficar macio. Em outra panela, aqueça o *ghee*, e, nele, doure o cominho, a pimenta e o gengibre. Junte a assa-fétida e a couve-flor. Cozinhe por 5 minutos ou até que comecem a aparecer manchinhas escuras na couve-flor. Acrescente o arroz, deixe levantar fervura, baixe o fogo e tampe. Mexa de vez em quanto para evitar que grude no fundo da panela. Cinco minutos antes de retirar, misture os tomates, a pimenta-do-reino e as castanhas de caju. Antes de servir, deixe derreter um pedaço de manteiga sobre o *kitchiri* e guarneça com coentro picado.

Tempo de preparo: 45 minutos
Rende 4 porções

Obs: o *ghee* e a assa-fétida podem ser encontrados em lojas de produtos indianos.

Brócolis, couve-flor e cenouras ao vapor

Ingredientes
1 maço de brócolis
1 cabeça de couve-flor
3 cenouras

Modo de fazer

Lavar os brócolis e cortá-los em pedaços finos e compridos. Lavar a couve-flor e cortá-la em pedaços. Raspar as cenouras e cortá-las em quatro tiras finas. Coloque os legumes em boa uma quantidade de água em uma panela a vapor e deixe-os cozinhando por 10 minutos. Arrume os legumes alternadamente em uma travessa para servir. *Vata* deve usar maior quantidade de sal e azeite de oliva ou *ghee* para condimentar.

Tempo de preparo: 10 minutos
Rende 4 porções

CAPÍTULO IX

MEDITAÇÃO: EM BUSCA DO SILÊNCIO PERDIDO

"A FALA PERTENCE AO TEMPO;
O SILÊNCIO, À ETERNIDADE."

Thomas Carlyle

Dhyana é a palavra sânscrita que significa meditação. É um dos três estágios de aquietamento mental. O primeiro é *pratyahara*, a abstração dos sentidos; o segundo é *dharana*, a concentração; o terceiro é *dhyana*, manter a mente imóvel. Meditar é estar com o corpo relaxado e a mente alerta. É acionar o melhor de si. É calar a mente para ouvir a alma. É integrar corpo, mente e espírito.

Meditar não tem nada a ver com religião. Aliás, quando falamos de alma e espírito, escolhemos usar termos de compreensão mais generalizada, mas há quem possa preferir a palavra essência, por exemplo. O nome é o que menos importa. A técnica da meditação não exige nenhuma crença nem tampouco habilidade. Como tão bem coloca o psicólogo britânico John Clark em seu livro *A Map of Mental States* ("Um mapa dos estados mentais"): "A meditação é um método pelo qual a pessoa se concentra mais e mais sobre menos e menos". Mas isso demanda perseverança. Principalmente num mundo em que recebemos continuamente milhares de estímulos sensoriais, em que somos pressionados a aprender cada vez mais e sempre há mais a aprender. O silêncio, fundamental para a sanidade mental, parece não caber nesse mundo – a não ser que nós façamos uma parada deliberada para buscá-lo.

MEDITAR É A MELHOR FERRAMENTA PARA A REALIZAÇÃO ESPONTÂNEA DOS DESEJOS.

Assim como precisamos nos livrar das toxinas acumuladas no corpo se quisermos ser fisicamente saudáveis, também temos que limpar as impurezas impregnadas em nossa mente, como medo, raiva, ansiedade e culpa – todas as emoções negativas que nos desequilibram e nos impedem de bem-viver. A conexão corpo-mente ainda leva essas emoções nefastas a se transformar em hormônios de estresse, causando também o envelhecimento precoce. Isso é classificado na Ayurveda como *ama* mental, a toxina mais perigosa que existe.

A meditação faz uma espécie de faxina geral. A mente apaziguada auxilia na prevenção de doenças, acelera a recuperação física e pode até curar. Meditar é também a melhor ferramenta para o autoconhecimento, o autodesenvolvimento e a realização espontânea dos desejos.

O objetivo primordial da meditação é a parada gradativa das ondas mentais. Em outras palavras, buscar o silêncio que existe dentro de nós, mas que se perde na agitação diária, na confusão de pensamentos e sentimentos. Quando o corpo fica imóvel e a mente silencia, o que acontece? Com a palavra o genial físico Albert Einstein: "Penso 99 vezes e nada descubro, paro de pensar e a verdade me é revelada".

A CHAVE DE CASA

A origem da meditação tem mais de 5 mil anos e encontra-se numa prática da antiga Índia – o *yoga* (em respeito à tradição, preferimos usar a palavra pronunciando-a "iôga" e no gênero masculino, como em sua origem sânscrita, em vez de aportuguesá-la). Trata-se de uma técnica ao mesmo tempo de concentração e de relaxamento. Em inglês, o estado meditativo é definido como *restful alertness*, que pode ser traduzido como "estado de alerta relaxado" – a mente fica alerta enquanto o corpo relaxa, ainda que a coluna se mantenha sempre ereta.

Quando o ser humano nasce, é integro, é parte contínua do universo. Esse é o campo da pura potencialidade, onde tudo é possível. Com o passar do tempo e o estresse diário a que estamos submetidos, nos afastamos dessa união com o todo, dando início a um processo de desintegração – o campo da pouca potencialidade. O retrato científico da pouca potencialidade é a descoberta de que utilizamos, no máximo, 10% de nossa capacidade cerebral. Esse campo também é o início de todas as doenças – físicas e da alma.

Os campos da pura potencialidade e da pouca potencialidade são como dois quartos de uma mesma casa – a nossa casa, onde moramos. No primeiro quarto, a luz é permanente. No outro, a porta se fechou de tal forma que apenas réstias de luz são visíveis – uma lembrança de que existe a luz, ainda que ela não consiga entrar. A maioria dos seres humanos vive permanentemente nesse quarto escuro, alguns nem desconfiando de que há um quarto iluminado logo ali ao seu alcance, do outro lado da porta, dentro da sua própria casa. Outros, por sua vez, percebem, pelas réstias de luz, que existe um mundo diferente, ainda que não consigam enxergá-lo.

IX. MEDITAÇÃO: EM BUSCA DO SILÊNCIO PERDIDO

A meditação é a chave que destranca a porta entre os quartos, permitindo à luz banhar toda a sua casa, todo o nosso ser. Quando a casa inteira está repleta de luz, a vida se torna um milagre: o comum se revela extraordinário, o mundano vira sagrado, as pequenas coisas mostram seu imenso significado. Como isso acontece? Simples: no momento em que nos iluminamos, toda a nossa existência se ilumina também, ao passo que, quando estamos trancados na escuridão, o mundo inteiro fica escuro.

De forma bem resumida, meditar é um santo remédio: faz bem para o corpo, para a mente e para o espírito. Mais uma vez: não se trata de mágica, tampouco de fé – ainda que o budismo, o hinduísmo, o catolicismo e outras religiões se utilizem da meditação. O bem-estar e a melhora da saúde conquistados com a prática diária são consequência de alterações químicas e fisiológicas que a meditação estimula e já cientificamente comprovadas.

Tanto assim que a técnica faz parte dos serviços ambulatoriais e hospitalares de alguns dos maiores centros médicos do mundo. No Brasil, desde o início do ano 2000, o Hospital do Servidor Público Municipal de São Paulo inclui a meditação em terapias pré e pós-cirúrgicas e no tratamento de hipertensos e de pacientes que sofrem de dores crônicas.

O melhor: meditar não tem contra-indicação – lembremos, porém, que pessoas que sofrem de distúrbios mentais, como esquizofrenia, devem consultar um médico antes de iniciar a prática. Todo mundo pode praticar, em qualquer idade – em geral, é possível ensinar as crianças a partir dos 7 anos, mas pais que sejam meditadores regulares são acompanhados por seus filhos até antes disso.

A CIÊNCIA ASSINA EMBAIXO

A meditação vem sendo estudada sistematicamente pela medicina ocidental desde os anos 1960, quando o médico cardiologista americano Herbert Benson, fundador do Instituto Benson-Henry de Medicina Mente / Corpo, de Boston, e professor da Universidade Harvard, nos Estados Unidos, começou a pesquisar a chamada "resposta do relaxamento": uma série de alterações fisiológicas e psíquicas provocadas pela repetição contínua de uma palavra, um som, uma frase ou uma prece e pelo descarte passivo de pensamentos intrusivos.

O estudo da chamada *relaxation response* parte do princípio de que as interações entre a mente e o corpo podem ser cientificamente mensuradas. Tais pesquisas estão baseadas em um esforço multidisciplinar, que inclui:

❀ investigação no nível molecular e celular
❀ estudos clínicos em cardiologia, neurologia, oncologia, cirurgia e ginecologia-obstetrícia
❀ estudos das dimensões comportamental, psicossocial e espiritual
❀ investigações sociológicas de sistemas de saúde e educação, com avaliação de redução de custos

Segundo esses estudos, o estado de relaxamento profundo muda as respostas físicas e emocionais do indivíduo diante de situações de estresse.

Estudos científicos do dr. Herbert Benson na Universidade Harvard mostram que, em média, 60% das consultas médicas poderiam ser evitadas caso as pessoas usassem sua capacidade mental para combater de forma natural as aflições, tensões e os medos, que são causadores de problemas físicos. E a meditação é a maneira mais efetiva de treinar a disciplina mental – consequentemente, de fortalecer a mente. Os efeitos são impressionantes. A prática diária da meditação reduz:

❀ frequência dos batimentos cardíacos
❀ pressão arterial (ou seja, auxilia no tratamento da hipertensão)
❀ ritmo respiratório e consumo de oxigênio
❀ frequência das ondas cerebrais
❀ suor
❀ tensão muscular
❀ níveis de colesterol
❀ adrenalina

IX. MEDITAÇÃO: EM BUSCA DO SILÊNCIO PERDIDO 215

E promove:

- ❀ coerência das ondas mentais
- ❀ fortalecimento da imunidade, com maior porcentagem de células T
- ❀ aumento da serotonina, o chamado "hormônio do bem-estar"
- ❀ maior concentração e tempo de atenção
- ❀ mais criatividade, eficiência, produtividade e energia

Pessoas que meditam diariamente incluem ainda entre os benefícios da prática:

diminuição de
- ❀ ansiedade
- ❀ depressão
- ❀ irritabilidade
- ❀ alterações de humor

aumento de
- ❀ memória
- ❀ capacidade de aprendizado
- ❀ sentimento de felicidade
- ❀ estabilidade emocional
- ❀ vitalidade e rejuvenescimento
- ❀ autodisciplina
- ❀ sensação de paz

Ou seja, todas as alterações provocadas pela prática meditativa são o exato oposto daquelas provocadas pela reação de luta ou fuga, respostas tradicionais do corpo e da mente às situações estressantes. O estresse é o grande mal moderno – e é impossível fugir dele. Mas é possível aprender a enfrentá-lo. A meditação faz isso, tirando o eixo de referência das situações externas e colocando-o dentro de nós, onde há permanente paz e equilíbrio.

Alguns conhecidos defensores da meditação na comunidade científica dos EUA são:

Herbert Benson, cardiologista, fundador do Instituto Benson-Henry de Medicina Mente / Corpo Universidade Harvard, chefe da Divisão de Medicina Comportamental no Beth Israel Deaconess Medical Center, autor de sete livros pioneiros sobre o tema medicina mente/corpo.

Dean Ornish, cardiologista, professor de medicina na Universidade da Califórnia, fundador do Instituto de Pesquisa em Medicina Preventiva de Sausalito, Califórnia, autor de *best-sellers* como *Amor & sobrevivência*, Rio de Janeiro: Rocco, 1999.

Deepak Chopra, endocrinologista, fundador do Chopra Center, em São Diego, Califórnia, autor de mais de 30 *best-sellers*, entre os quais *As sete leis espirituais do sucesso*, *Corpo sem idade*, *mentes sem fronteira*, *A cura quântica* e *Como conhecer Deus*, todos já lançados no Brasil.

David Goleman, psicólogo, autor do *best-seller Inteligência emocional*, Rio de Janeiro: Objetiva, 1996.

Só nos últimos anos, essa técnica milenar foi objeto de mais de 500 estudos clínicos nos Estados Unidos, comprovando que:

* Meditar controla significativamente a pressão arterial alta, em níveis comparáveis ao de drogas de amplo uso médico – e sem provocar efeitos colaterais – "*Hypertension*", AMA *Medical Journal*.

* Quem medita é capaz de reduzir a dor crônica em mais de 50%, enquanto aumenta a produtividade e melhora o humor – Jon Kabat-Zinn, médico, Stress Reduction Clinic, University of Massachusetts.

* 75% das pessoas insones que receberam treinamento em relaxamento e meditação conseguem adormecer em até 20 minutos depois de se deitar – dr. Gregg Jacobs, psicólogo, Harvard.

* As terapias de relaxamento podem reduzir consideravelmente problemas de dores nas costas, artrite e dor de cabeça – National Institute of Health, 1996.

* Reduzir o estresse mental é mais benéfico ao tratamento das doenças do coração do que o exercício físico – dr. James Blumenthal, Duke University, 1997.

IX. MEDITAÇÃO: EM BUSCA DO SILÊNCIO PERDIDO   217

❀ Meditadores são menos ansiosos, temem menos a morte e são mais espontâneos, independentes e autoconfiantes. Pesquisa que comparou dois grupos: um de pessoas que meditam regularmente e outro de pessoas que não meditam – *Atlantic Monthly*, maio de 1991.

❀ 20 dentre 22 pessoas ansiosas demonstraram redução de 60% em seus níveis de ansiedade após praticar meditação por dois meses – Universidade de Massachusetts;

❀ Mulheres com sintomas agudos de tensão pré-menstrual demonstraram redução de 58% nos sintomas após cinco meses de meditação diária – *Health*, setembro de 1995.

❀ A meditação pode diminuir o ritmo do envelhecimento. Um estudo demonstrou que pessoas que meditavam há mais de cinco anos eram biologicamente 10 a 15 anos mais jovens que não-meditadores com a mesma idade cronológica – *International Journal of Neuroscience*, 1992.

❀ Meditar combate a infertilidade associada a dificuldades psicológicas – dr. Herbert Benson, Universidade Harvard.

Ainda que a meditação tenha sido trazida para o Ocidente com o intuito de eliminar o estresse e que seus benefícios para a saúde já tenham sido comprovados cientificamente e continuem sendo objeto de estudos, o principal objetivo da prática em sua origem é o autoconhecimento.

Segundo a *Vedanta*, a base filosófica do hinduísmo, que relembra a arte de ser feliz, a maior causa de sofrimento do ser humano é não saber quem é. Os grandes *rishis* diziam que a meditação é a *sadhana*, ou prática, mais importante do dia, exatamente para preservarmos – ou resgatarmos – nossa verdade interior e a verdade cósmica da natureza. Dessa forma, todos conseguimos perceber qual é nosso *dharma* – propósito de vida – e como dedicá-lo em benefício da humanidade. Esse processo é a base da cura e da felicidade.

COMO, ONDE, QUANDO?

Quem já domina a técnica da meditação é capaz de praticá-la a qualquer momento, em qualquer lugar. Mas, para chegar a esse estágio, é preciso treinamento. E todo dia tem que ser dia de praticar: só assim o ser humano vai gravando essa nova ação na memória celular. Cada ato nosso gera uma memória em nossas células, que por sua vez gera um desejo de repetir aquela ação – é o chamado ciclo kármico. E é preciso transformar o ato de meditar em hábito, no mesmo nível de dormir e comer.

O ideal é meditar duas vezes ao dia, sempre no mesmo horário e no mesmo local, ao acordar e ao cair da tarde, durante 30 minutos de cada vez. Sua vida não permite um ritmo desses? Não tem importância. Cada um deve fazer o que é possível para si. Que tal começar com 5 minutos diários, aumentar para 10 e, quem sabe, ir até 15? Mas é mais importante meditar duas vezes por dia, mesmo que por menos tempo, do que por mais tempo uma única vez no dia. Importante: a segunda meditação deve ser feita antes do jantar, no final da tarde, pois, como gera o estado de alerta relaxado, não é recomendável praticar antes de dormir. E manter a regularidade é essencial: conforme as pessoas veem os benefícios da meditação em sua vida, percebem que esse é o tempo mais bem-investido do mundo.

Comer aumenta a atividade do corpo, enquanto meditar a diminui; portanto, o ideal é meditar com o estômago vazio ou após duas horas de uma refeição. No entanto, não devemos sentir fome – um suco é sempre bem-vindo antes de iniciarmos a prática.

De preferência, devemos meditar em um local tranquilo, sem barulho, sem interferências. Em casa, desligamos o telefone, avisamos os outros que não queremos ser interrompidos durante a meditação e procuramos ficar sozinhos num local da casa. Assim, será mais fácil mergulhar dentro de nós. Se ouvirmos algum barulho enquanto meditamos, não devemos deixar que isso nos atrapalhe. Para meditar, convém irmos além do sentido da audição, além de todos os cinco sentidos, praticando *pratyahara*, o primeiro passo nessa prática – e que, como já vimos no início deste capítulo, equivale à abstração dos sentidos.

Acomodamo-nos sentados, de forma confortável, com a coluna necessariamente ereta. Assim, a energia flui pelo corpo sem barreiras e permanecemos alertas. Tentar meditar deitado, por exemplo, é receita para o fracasso – vamos simplesmente relaxar e acabar adormecendo, já que o corpo associa a postura deitada com o sono. Quem pratica *yoga* medita na posição de lótus ou semilótus.

Posição de lótus

Posição de *siddhasana*

Mas, para começar, devemos nos sentar em uma cadeira de espaldar alto ou mesmo no chão, colocando uma almofada ou travesseiro sob o cóccix e apoiando as costas em outra almofada, encostada na parede, de forma a dar suporte à coluna vertebral. O conforto é fundamental para que o meditador não se distraia.

Manter os olhos fechados para que a atenção não seja voltada para o nível da atividade, justamente o oposto do objetivo da meditação, que é mergulhar fundo dentro de nós.

Criar um local especial para meditar pode ser uma boa ideia: colocar ali flores, velas, imagens – os objetos que fizerem sentido para cada um. Isso torna o ambiente agradável e, ao entrar ali, sentiremos essa energia boa, que ajuda na meditação.

Podemos usar a aromaterapia como auxiliar no processo. De preferência, escolhendo um aroma da nossa preferência e procurando meditar sempre num ambiente dominado por esse cheiro. Ao senti-lo, o corpo já começará a se preparar para meditar. A essência de lavanda acalma e induz a um estado de relaxamento propício para a meditação. Mas vale fazer experiências até encontrar o aroma certo. Na Índia, o sândalo é o mais usado.

Quem está se iniciando no caminho da meditação pode achar interessante ter um grupo com o qual praticar uma vez por semana ou a cada 15 dias – um incentivo extra para continuar, uma boa oportunidade para trocar experiências e expor dúvidas é uma ótima forma de acelerar o aprendizado. Durante a meditação, mudamos a frequência das ondas mentais – e isso é contagioso. Assim, sempre que pudermos meditar junto de alguém que já pratica faz tempo, devemos agarrar a oportunidade.

O processo todo tem que ser natural. Quanto menos fazemos, maiores os resultados. Assim, acolher as sensações que surgirem no corpo, as imagens, lembranças, barulhos, cores que aparecerem na mente. Tudo faz parte do processo meditativo. Acolher sem nos apegar: reconhecer e deixar passar. O desapego é a chave para o aquietamento gradativo.

EXERCÍCIO

Meditação na respiração

Meditar é um mais ou menos como andar de bicicleta. Podemos ouvir alguém ensinando a técnica, mas só aprendemos mesmo ao praticar. Mil palavras não substituem a experiência. Assim, antes de continuar, vamos fazer um exercício utilizando a respiração. A meditação que faz do ato de respirar uma ferramenta de concentração é muito comum nas aulas de *yoga*. Cria um estado de profundo relaxamento para o corpo e a mente. Quem quiser pode colocar uma música de fundo – como os sons primordiais de chuva, mar, cachoeira, pássaros etc.

Sentar em posição confortável, com a coluna ereta e os olhos fechados.
Inspirar e prestar atenção em como o ar enche nossos pulmões. Depois, expirar, também estudando o caminho que o ar percorre no organismo.
Não tentar alterar nem controlar o ritmo respiratório. Apenas observar a respiração e perceber que ela pode mudar em velocidade e profundidade. Não importa o que aconteça, devemos continuar observando a respiração entrando e saindo das narinas, inocentemente, sem resistir a nenhuma mudança.

Não tentar dirigir os pensamentos. Deixar que eles venham e vão, sem nos preocupar. Quando nos pegarmos pensando em alguma coisa, gentilmente focalizar a mente na respiração.

Desapegar-nos de qualquer expectativa que possamos ter em relação à prática. Não importa o que acontecer, voltar sempre a observar a respiração.

Manter essa atitude por 5 minutos. A contagem deve ser natural, sem despertador. É surpreendente como nosso corpo percebe a passagem do tempo medida que formos nos acostumando a meditar, veremos que nossos olhos se abrem assim que é atingido o tempo programado para o exercício. No começo, não devemos nos ater ao tempo, praticando o quanto acharmos condizente e abrindo os olhos então.

Esperar um ou dois minutos antes de abrir os olhos após terminar a meditação.

FISIOLOGIA DO ESTADO DE RELAXAMENTO EM ALERTA

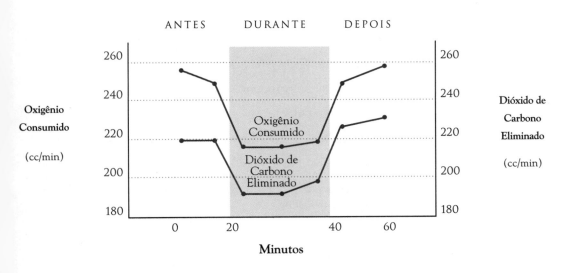

O CAMINHO DAS PEDRAS E
OS ELEFANTES COR-DE-ROSA

O objetivo da meditação – silenciar a mente – é atingido de forma gradativa. O tempo todo estamos pensando. Nossos pensamentos se emendam uns nos outros com tal velocidade que na maioria das vezes nem nos damos conta de como um assunto se liga a outro nessa nossa conversa interior permanente. Mas o fato é que, entre um pensamento e outro, existe uma brecha. E nós não somos os pensamentos – somos o pensador, quem tem o pensamento. Portanto, nossa verdadeira essência reside na brecha, no espaço silencioso entre os pensamentos. Esse instante fugaz é silencioso – e é a porta de entrada para o campo da pura potencialidade.

A ideia básica na prática da meditação é ir aumentando o silêncio interior, aumentando a brecha entre os pensamentos. Isso é fácil? É, porque, para meditar, basta não fazer nada, só descartar passivamente os pensamentos enquanto nos concentramos em alguma ferramenta das milhares que existem para a meditação. É difícil? É, também, como viu quem tiver praticado o exercício acima. É difícil, porque não estamos acostumados a não fazer nada: queremos ter controle sobre o processo, poder apressá-lo, dirigi-lo – e isso não é possível em se tratando de meditação.

Se alguém nos diz: não pense em elefantes cor-de-rosa, qual a primeira imagem que vem à nossa mente? Elefantes cor-de-rosa, claro – mais *pink*, impossível! É a mesma coisa quando lutamos contra os pensamentos. Por isso, não brigar com os pensamentos durante a prática é fundamental – senão, é aí mesmo que eles se fortalecem. A dica é relaxar: pensar é parte da natureza humana, bem como silenciar. E da mesma forma que o mundo hoje nos programa para pensar sem parar a um ponto tal que o silêncio vira artigo de luxo, podemos reprogramar a mente para, de forma gradativa e sem esforço – mas com persistência – aumentar o silêncio.

Esse é o segredo: não lutar contra os pensamentos e, aos poucos, de forma natural, aumentar a brecha silenciosa entre eles. Se dermos atenção ao pensamento quando ele aparece, estará criada a cadeia da ilusão, que agita e aprisiona a mente. Um exemplo

IX. MEDITAÇÃO: EM BUSCA DO SILÊNCIO PERDIDO

prático: a dona de casa se pergunta o que fazer para o almoço; decide fazer carne assada com abobrinha; aí, lembra que não tem abobrinha e precisará ir ao supermercado; então, associa com uma extensa lista de compras, já pensando em quem convidar para o jantar de um outro dia; e aí tem que ligar para as pessoas; e assim a cadeia está formada.

Porém, se não dermos atenção ao pensamento, deixamos que se vá assim como veio, aquela ideia perde poder, se dissolve naturalmente. Ou, de volta à dona de casa: ela se pergunta o que vai ter para o almoço, reconhece esse pensamento, mas volta seu foco para a meditação e a pergunta sai de cena. Porque o pensamento é mesmo como se fosse a cena de um filme: ele entra na nossa mente, a cena se desenrola e ele sai. Com a prática disciplinada e assídua da meditação, as brechas vão ficando maiores, e assim vamos entrando em contato com todo o nosso potencial. Basta ter força de vontade, praticar e dar tempo ao tempo. Os benefícios vão aparecer.

Podemos comparar a meditação ao clima. Num dia faz sol, no outro o céu está nublado, no dia seguinte chove. Mas, mesmo quando há nuvens e até quando chove, o sol continua onde sempre esteve – nós é que não conseguimos vê-lo por uma condição atmosférica passageira.

Na prática da meditação, não há errado. O sol brilha sempre. Podemos vivenciar três experiências principais – todas igualmente válidas, pois a cada vez que meditamos ocorre exatamente aquilo que for ideal para cada um naquele momento:

1. **Dormir**: é uma forma que o corpo tem de mostrar que está cansado; talvez convenha rever nossos hábitos de vida para conseguir dormir mais.

2. **Muitos pensamentos, inquietude e tédio**: bem-vindos os pensamentos que se atropelam uns aos outros, o nariz que começa a coçar assim que fechamos os olhos para iniciar a prática, o pé que formiga, isso e aquilo que começam a incomodar. Como já falamos, meditação é faxina: sem ela, as toxinas que o corpo e a mente acumulam seriam liberadas em alguns anos sob a forma de doenças. Com a prática regular, os níveis

de estresse diminuem drasticamente e nos aquietar fica mais fácil. Forma-se, então, o ciclo kármico que já vimos: a ação de meditar gera em nossas células a memória da meditação que por sua vez gera o desejo de meditar.

3. Entrar na brecha, nos espaços entre os pensamentos: é quando seduzimos nosso espírito, integramos corpo-mente-alma e ouvimos nossa voz interior, o sábio que existe dentro de nós.

Não devemos julgar. Em certos dias, a meditação será mais fácil, em outros, mais difícil. Aconteça o que acontecer durante aqueles minutos de prática, é exatamente o que precisávamos que ocorresse. A palavra-chave é desapego: não vemos os benefícios da meditação durante a prática, e sim no dia-a-dia.

De qualquer forma, o simples estado de repouso do corpo é curativo. Não é à toa que os médicos sempre pedem a seus pacientes que repousem no processo de recuperação de alguma doença. O repouso é uma das formas de autocura do organismo. A perfeição se manifesta aqui e agora. Só é preciso ter disciplina – sem cerimônia. Mal comparando, meditar é como escovar os dentes – uma prática que deve ser feita diariamente para garantir a saúde, mas que nem por isso é cercada de solenidade.

O processo de meditação faz o ser humano ir sendo atraído para sua consciência pura, sua inteligência maior, de forma que possa enfim viver em estado de total bem-aventurança. Esse é o estado de *samadhi*, palavra em sânscrito que batiza o objetivo final do *yoga*. Não por acaso, o *yoga* e a meditação têm a mesma finalidade: aquietar a mente e permitir que o ser humano acesse o campo da pura potencialidade, seduzir o espírito e abrir espaço para ouvirmos as mensagens inspiradoras de nossa alma.

MEDITAÇÃO É MATEMÁTICA

Há milhares de técnicas para meditar. A primeira diretriz para classificá-las foi o entendimento de que todos os sistemas têm por meta o 0 ou o 1 – o esvaziamento ou a união com o divino (entendido como Deus pelos religiosos ou simplesmente como a essência de cada pessoa nas tradições não ligadas a nenhuma religião). A via para o 0 é a penetração no vazio da própria mente. O caminho para o 1 é a concentração.

LINHAS DE MEDITAÇÃO				
Linha	Características	Estratégia	Estado alcançado	Técnicas
Concentração	a mente elege um objeto de concentração	fixar o foco mental em um só objeto, como a chama de uma vela, por exemplo. Cada vez que a mente se distrai, o praticante retorna ao ponto de atenção	leva a atenção do praticante a fundir-se com o objeto observado	*Yoga* (foco na respiração), visualizações (foco em uma imagem), meditação transcendental ou MT (foco em um *mantra* pessoal), meditação no som primordial (foco em um *mantra* pessoal), meditação cristã (foco no *mantra maranatha*, que significa "vem, Senhor" em hebraico), meditação integrada (foco no *mantra* Um)
Atenção	a mente oberva-se a si mesma	fazer com que qualquer pensamento ou estímulo externo (como o barulho de um carro passando na rua, por exemplo) se transforme no objeto da meditação	leva o meditador a perceber o funcionamento da mente, deixando que os pensamentos se sucedam sem se prender a nenhum deles	Gurdjieff (foco na autolembrança, o "eu verdadeiro"); Krishnamurti (foco no autoconhecimento)

Há tantos cursos quanto técnicas de meditação. É preciso ter aulas para aprender a meditar? Não necessariamente, porque neste livro mesmo você vê que os requisitos para a prática são simples e fáceis: sentar com a coluna ereta, fechar os olhos, focar a mente, permitir as idas e vindas dos pensamentos, sem se prender a eles. Mas um curso pode ajudar? Pode, sim, e muito: para tirar dúvidas, trocar experiências, fazer uma checagem de sua técnica. Devemos apenas fugir de qualquer escola que se julgue única, superior, melhor. Todas as formas de meditação são válidas, e o importante é encontrar aquela que mais combina com a gente.

A seguir, mais algumas formas de meditação para o leitor se exercitar.

EXERCÍCIO 1

Meditação na vela

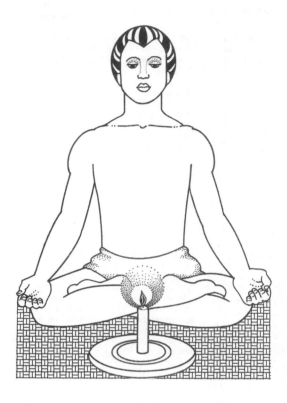

Sentar confortavelmente com a coluna ereta, de preferência em um quarto com pouca iluminação. O ideal é preparar o ambiente colocando um aroma relaxante. Não usar música, apenas o silêncio. Acender uma vela e fixar o olhar na chama. Concentrar a atenção no objeto, como se nada mais existisse. O objetivo é nos tornarmos um com a chama da vela: ser ao mesmo tempo o observador e o objeto observado. Atentar para os movimentos da chama, a dança cósmica de movimento ascendente. Procurar não piscar, fortalecendo também os músculos dos globos oculares e promovendo uma purificação dos canais lacrimais. A uma determinada altura, os olhos vão começar a lacrimejar. Então, devemos fechar os olhos e continue vendo mentalmente a imagem da chama da vela dançando, no ponto entre as sobrancelhas. Podemos permanecer assim pelo tempo que quisermos.

IX. MEDITAÇÃO: EM BUSCA DO SILÊNCIO PERDIDO

EXERCÍCIO 2

Visualização

Essa técnica segue as orientações de uma voz – que pode ser um CD, por exemplo. A voz dá instruções do que a mente deve imaginar, como o contato com a natureza (um jardim, uma cachoeira, o mar). Ocupada em seguir esse roteiro, a mente aos poucos se acalma.

A visualização também pode ser autoinduzida. Imagine por exemplo que você está no seu jardim encantado, em um lugar onde você se sinta realmente fora deste mundo.

Com os olhos da sua mente, veja que dentro do seu coração existe esse jardim secreto: o gramado é perfeito, com uma pequena estufa branca localizada no meio. Lentamente, vá passeando por esse espaço, utilizando os cinco sentidos para nutrir sua fisiologia e acalmar sua mente. Olhe as suas flores prediletas, perceba as diferentes cores e tons, os aromas, as texturas... Sinta em sua boca o frescor da manhã, ouça o canto dos passarinhos, sinta o sol tocando sua pele. Sinta paz e sente-se no banco branco localizado dentro da estufa, permitindo que todos os seus sentidos sejam inebriados pelos estímulos correspondentes.

Esse jardim secreto existe mesmo dentro do seu coração: e você pode entrar nele sempre que quiser usando apenas a atenção, a intenção e sua imaginação. É grátis!

EXERCÍCIO 3

Meditação na música

Sente-se confortavelmente com a coluna ereta, coloque um CD com uma música de que você goste bastante e concentre-se em apenas ouvir os sons.

Dessa maneira, também a mente vai aos poucos se aquietando.

As músicas calmantes são as mais indicadas para esse exercício, mas nada impede que você escolha outro tipo.

AYURVEDA – CULTURA DE BEM-VIVER

EXERCÍCIO 4

Meditação na dança

Desenvolvida pelo mestre indiano Osho (ou Rajneesh) nos anos 1960, esta técnica parte do princípio de que para a mente se aquietar é preciso que o corpo entre em catarse. Essa catarse é provocada pelo movimento. Assim, coloque uma música bem agitada. Feche os olhos e deixe seu corpo se movimentar de acordo com o ritmo. Quanto mais acelerado, melhor.

Ao final da música, você deve parar totalmente – ou seja, você sai do movimento total para a imobilidade. Então, assuma a postura de meditação e fique em silêncio durante o tempo que desejar, percebendo como sua mente se acalmou.

EXERCÍCIO 5

Meditação com *mantras*

Mantra, como vimos, é som. Nas variadas técnicas de meditação que se utilizam de *mantras*, esses sons são repetidos mentalmente ou vocalizados de forma contínua.

O *manasika mantra*, isto é, pensado, tem efeito mais poderoso no nosso sistema nervoso. Durante sua repetição mental, ele vai se tornando mais e mais sutil até que transcende o pensamento. Produz também um efeito de grande poder de cura.

Quando escolhemos a meditação em um *mantra*, devemos acionar nossa bola de pingue-pongue interior, que vai do pensamento ao *mantra*, do *mantra* ao pensamento, sem esforço, sem julgamento, sem questionamento. Lembrando: é fundamental nos desapegar do resultado final, pois este virá espontaneamente.

Há *mantras* específicos para promover certos objetivos:

* *Om*: limpa a mente, abre os canais energéticos e aumenta *ojas*, a seiva da vida, segundo os ensinamentos da Ayurveda. É o som que nos permite aceitar quem somos e nos abrir para as forças positivas do universo. Ajuda a acordar nossa energia vital para que o processo de cura ocorra dentro de nós e abre nosso potencial para a consciência maior.

IX. MEDITAÇÃO: EM BUSCA DO SILÊNCIO PERDIDO   229

❀ *Ram*: dá força, acaba com o medo, acalma, traz paz. Muito indicado para curar insônia e fazer a pessoa voltar a dormir depois de um pesadelo. Fortifica *ojas* e o sistema imunológico.

❀ *Hum*: ajuda a nos libertar de forças negativas, doenças, emoções prejudiciais. Aumenta *agni*, o fogo digestivo, responsável pela metabolização de todas as informações que captamos do universo por meio de nossos cinco sentidos (o que comemos, vemos, ouvimos, cheiramos e tocamos) e pelo processamento de nossas emoções e nossos pensamentos. Elimina toxinas físicas e psicológicas, abrindo e desobstruindo os canais energéticos. Aumenta o poder da mente e da percepção.

❀ *Aim*: aumenta a concentração, o raciocínio lógico e melhora a capacidade de expressão pela palavra. Aguça a inteligência e acelera o aprendizado. Alivia distúrbios mentais e nervosos.

❀ *Shrim*: promove saúde, beleza, criatividade e prosperidade. Torna a mente mais sensível.

❀ *Hrim*: aumenta a produtividade e a eficiência. Auxilia em processos de desintoxicação.

❀ *Krim*: aumenta o poder de ação e impulsiona a capacidade de promover mudanças em nossa vida. Excelente para ser vocalizado enquanto estivermos cozinhando.

❀ *Klim*: dá vitalidade sexual e controle da natureza emocional. Aumenta *ojas*, a seiva da vida, responsável por nosso sistema imunológico. Ativa as propensões artísticas e a imaginação.

❀ *Shanti*: *mantra* de paz, pode ser usado para promover calma, desapego e contentamento. É excelente para desordens do sistema nervoso. Ajuda a controlar estresse, ansiedade, tremores e palpitações.

❀ *Shum*: aumenta a vitalidade, a energia, a fertilidade e o vigor sexual. Estimula a criatividade e o senso artístico.

❀ *Som*: aumenta a energia, a vitalidade, a alegria e a criatividade. Aumenta também *ojas*, a seiva da vida, fortalece a mente, o coração e os nervos. É excelente para promover o rejuvenescimento.

❀ *Gam*: promove a inteligência, as habilidades matemáticas e científicas, a estabilidade mental, a paciência e a perseverança.

❀ *Hom*: estimula a força de vontade, a sabedoria e o desejo de transformação.

EXERCÍCIO 6

Meditação integrada

Desenvolvida por Márcia De Luca, vale-se da repetição mental do *mantra* **Um**, por ser este, ao mesmo tempo, desprovido de qualquer conotação religiosa e fortemente enraizado no sistema de crenças do ser humano, que busca a unicidade entre corpo, mente e espírito. Este *mantra* é um dos que já tiveram seu efeito comprovado nas pesquisas do dr. Herbert Benson na Universidade Harvard. Para praticá-lo: sentar com a coluna ereta, em postura confortável, e repetir silenciosamente o *mantra*.

EXERCÍCIO 7

Meditação no som primordial

Técnica milenar descrita nos *Vedas* e resgatada pelo dr. Deepak Chopra, utilizando um *mantra* individual para cada pessoa. Esse *mantra* é o som que vibrava no universo no momento em que a pessoa nasceu – e é descoberto levando-se em consideração a data, o horário e o local de nascimento. Com essas informações, especialistas realizam um cálculo de matemática védica e astrologia védica – *jyotish* –, que estuda ainda o movimento da Lua em relação ao planeta Terra. A repetição mental do som serve como veículo para aquietar a mente e sua vibração relembra a cada uma de nossas células a perfeição do momento do nascimento e a totalidade.

OS SETE NÍVEIS DE EXPANSÃO DA CONSCIÊNCIA

Tudo na natureza está em evolução. Com a prática da meditação, temos uma poderosa ferramenta para evoluir, descobrindo nossa essência. Isso é possível, porque a mente funciona como um rádio. Se o rádio não estiver funcionando bem, receberá os sinais com interferência. Da mesma maneira, se nossa mente estiver poluída por estresse e toxinas, não poderemos viver plenamente. Meditando, vamos limpando a mente e, assim, sintonizando sem interferência a mais importante de todas as estações de rádio: a do nosso verdadeiro eu.

A maioria das pessoas está limitada a vivenciar apenas três estados de consciência, todos localizados no tempo e no espaço:

Sono profundo

Estado obtuso de consciência, com apenas muito pouca percepção do que existe ao redor e em si mesmo. É o estado de menor consciência experimentado pelo ser humano.

Sonho

A consciência existente já é maior, mas todos os eventos que ali se passam são apenas produtos da própria mente.

Vigília

Para a maioria das pessoas, é a realidade normal da vida. Para quem medita, esse estado é reconhecido como limitado e ilusório. A experiência da realidade continua a ser uma criação da mente, porque depende da interpretação de cada um. Os fatos não são separados da experiência de quem os está vivenciando.

A partir da meditação, outros estágios de consciência ficam ao nosso alcance. Esses estados avançados começam a se tornar realidade em nosso dia a dia.

Atma darsham

Atma é alma e *darsham*, experiência direta. Ao atingir a brecha entre os pensamentos, temos um vislumbre de nossa alma ou do melhor de nós mesmos. É como se conseguíssemos entreabrir a porta entre o quarto escuro em que estamos e o quarto iluminado que fica logo ao lado – mas no qual ainda não conseguimos entrar. Esta experiência é não-local: vai além do tempo e do espaço. Quando começamos a prática da meditação, nos damos conta de que existe dentro de nós algo que vai além do corpo, algo mais profundo – alma para alguns, essência para outros. Aí começa a experiência direta com a alma / essência, mas ainda muito nova. Iniciamos um processo de ida e vinda do campo localizado para o campo não localizado. Em nível bem prático, começaremos a perceber mais coincidências em nossa vida – por exemplo, quando precisamos falar com alguém, essa pessoa nos telefona.

Consciência cósmica

O vislumbre da alma / essência passa a ser uma vivência. A porta entre os dois quartos está aberta e reconhecemos a escuridão (o campo da pouca potencialidade) e a luz (o campo da pura potencialidade) ao mesmo tempo. Quando começamos a ter mais intimidade com nossa alma, passamos a vivenciar as duas realidades – física e virtual – ao mesmo tempo e com frequência. É como se estivéssemos praticando as ações em nossa vida no plano físico e, ao mesmo tempo, observando nossas ações de lá da realidade virtual. Essas experiências podem ser vivenciadas nos três primeiros níveis de consciência, enquando dormimos, sonhamos ou durante o estado de vigília. Aqui começamos a ver os milagres.

Consciência divina

Nos damos conta de que todos os seres humanos têm dentro de si os dois campos. Tornamo-nos conscientes de nossos inúmeros papéis durante a vida e do fato de que não somos os papéis, e sim quem os desempenha. Passamos a entender e apreciar esses papéis (de mãe / pai, esposa / marido, empregador / empregado etc.) sem que sejam ofuscados pelas boas ou más situações que surgem na vida. Aqui começamos a perceber que somos o criador dos milagres.

Consciência unificada

Percebemos que o nosso campo da pura potencialidade é, na verdade, o mesmo de todos os seres humanos – pois, nesse nível, todos somos um. Então, há paz interior. Vem a revelação: a vida é o milagre. Só quando um número suficiente de pessoas se der conta de que todos somos um é que haverá paz no mundo.

Dentro do campo da pura potencialidade, em que todos somos um, nossas escolhas são o que nos torna indivíduos. Normalmente, elas estão condicionadas às nossas ações do passado, o ciclo kármico que já vimos. Em outras palavras, as sementes de memórias, *samskaras*, e desejos, *vasanas*, que armazenamos, geram nossa individualidade dentro da universalidade do espírito.

Com a meditação, nossa percepção é conduzida do nível da atividade para níveis de maior aquietamento até que o processo acalme nossa mente ao ponto de deslizarmos além de todos os pensamentos e o silêncio do nosso espírito emergir dentro de nós. Esse treino tem a capacidade de limpar condicionamentos nocivos ao nos colocar permanentemente diante de todas as escolhas possíveis. Quando voltamos da meditação, trazemos para dentro de nós as qualidades do espírito e as integramos no nosso dia a dia e, consequentemente, resgatamos pouco a pouco o melhor de nós, fazendo as escolhas mais adequadas à nossa felicidade.

IX. MEDITAÇÃO: EM BUSCA DO SILÊNCIO PERDIDO

A partir da meditação, criamos uma energia de poder e começamos a gerar momentos sincrônicos, as famosas coincidências. Na realidade, não existem coincidências – o que há é nossa própria energia construindo os meios para realizar nossos desejos.

Essa, aliás, é o modo mais fácil de ver o quanto nossa prática de meditação vale a pena: nossos desejos começam a se realizar espontaneamente. Os eventos sincrônicos passam a alterar nosso destino. Todo o universo se apresenta para nos proteger e amparar. Geramos coerência e harmonia em nossa fisiologia e irradiamos isso para fora, afetando quem está em volta e o mundo todo.

QUEM SOU EU? QUEM É DEUS?

À medida que avançamos nos níveis de consciência, também vamos mudando nossas respostas:

- ao estresse
- à pergunta fundamental: Quem sou eu?
- à outra pergunta fundamental: Quem é Deus?

NÍVEIS DE CONSCIÊNCIA: MEDITAÇÃO			
Reação ao estresse	Resposta à pergunta: "Quem sou eu?"	Resposta à pergunta: "Quem é Deus?"	Desafio
Luta ou fuga?	Eu luto	Vingança	Proteção
Reativa	Eu venço	Poder	Sucesso
Alerta relaxado	Eu me mantenho como sou	Paz	Paz
Intuitiva	Eu entendo	Perdão	Intuição
Criativa	Eu crio	Criador supremo	Inspiração
Visionária	Eu amo	Milagre	Compaixão
Sagrada	Eu sou	Puro ser - eu sou	Totalidade

Reação ao estresse: o mundo das necessidades básicas

A partir de estudos clínicos que expõem as pessoas a ansiedade ou estresse, os especialistas em comportamento detectaram três tipos de respostas, que denominaram de "reação de luta", "reação de fuga" e "reação de congelamento". Trata-se das reações mais básicas e instintivas do ser humano. Diante do estresse, fugimos, lutamos ou ficamos paralisados, congelados. Nesse nível, nos definimos como lutadores (ou medrosos, para os que fogem ou se paralisam) e definimos Deus como vingativo, caprichoso, raivoso, ciumento, aquele que nos julga e nos pune.

Reação reativa: o mundo da ambição e da competição

Necessidade de controlar e ter poder. A pessoa fica viciada em adrenalina e cortisol, assim como se torna dependente do melodrama e da manipulação. Cheio de ego e personalidade, define-se como o vencedor e vê em Deus o todo poderoso, o soberano que dita as regras, justo, racional e imparcial.

Reação do alerta relaxado: o mundo do silêncio interior e da autossuficiência

A partir do momento em que intensificamos a prática da meditação, começamos a ter calma no meio do perigo, silêncio no meio da turbulência, paz no meio do caos. Passamos a nos sentir centrados. O observador silencioso se define como aquele que se mantém como é. Deus é paz, calma, tranquilidade – conciliador, não exige nada.

Reação intuitiva: o mundo dos *insights*

Nossos desejos começam a ser atendidos espontaneamente. Temos maior conhecimento e discernimento. Intuitivamente, sabemos a ação certa para cada momento, adquirimos poder interior. Aquele que sabe se define como "eu entendo" e Deus se revela compreensivo, tolerante, aquele que perdoa, não julga, apenas aceita.

Reação criativa: o mundo da arte

Libertamo-nos do passado, aprendemos com nossos erros, adquirimos maior coordenação, graça e leveza no corpo e na mente. Aceitamos os paradoxos, as ambiguidades e nos sentimos seguros em meio à insegurança. O cocriador se define: "eu crio". Deus é o criador supremo, com infinito potencial, é abundante, inspirado, generoso e aberto ao conhecimento.

Reação visionária: o mundo místico

Conscientizamo-nos de potencialidades latentes dentro de nós, usamos sabedoria, desenvolvemos poderes e habilidades, prevemos acontecimentos. "Eu amo" é como se define aquele que adquire percepção rumo à iluminação. Deus é místico, iluminado, mágico, curador e alquimista – é o Deus dos milagres.

Reação sagrada: o mundo transcendente

Vivemos em estado de amor incondicional, em pleno contentamento. Nosso eu se torna universal e vemos todo o universo pelos olhos do amor. Compreendemos e experimentamos a verdade: todos somos um. Perdemos o medo da morte ao reconhecer nossa imortalidade. "Eu sou" é como se define aquele que é a fonte de tudo. Deus é o puro ser, aquele que nunca nasceu, que nunca morrerá, aquele que não se manifesta, que é invisível – mas que sabe tudo e que pode tudo.

Quando meditarmos em direção à reação sagrada, vamos vencendo no dia a dia inúmeros desafios:

- proteção: ter que sobreviver, nos proteger e nos manter
- sucesso: conseguir nossos objetivos
- paz: estar engajado e ao mesmo tempo desapegado
- intuição: ir além da dualidade
- inspiração: estar alinhado com a força do criador
- compaixão: atingir a libertação
- totalidade: nos tornar puro amor incondicional em união com o divino

O MILAGRE NOSSO DE CADA DIA

O ideal é chegar a viver em estado meditativo 24 horas por dia. Ao colocarmos nossa atenção e intenção em tudo o que fazemos – trabalhar, cozinhar, comer, conversar – automaticamente estaremos diminuindo o fluxo dos pensamentos. Vivenciar o momento presente em sua plenitude também é uma forma de meditação.

O ser humano tem o livre-arbítrio para escolher que cada momento de sua vida seja um milagre ou um sofrimento. A prática da meditação nos põe em contato com nosso espírito, fazendo de cada momento um milagre e rejeitando a opção pelo sofrimento. O melodrama à nossa volta cessa e começamos a perceber que cada momento é exatamente como deveria ser, sem pôr nem tirar. Atrás de cada adversidade da vida há sementes de infinitas possibilidades de crescimento e desenvolvimento – basta conseguir enxergar.

Não, isso não acontece de uma hora para outra. Mas também não requer uma vida de monge tibetano. Nós podemos, sim, continuar fazendo nosso trabalho, curtindo a família e meditando. A diferença é que vamos trabalhar melhor, ser mais felizes e fazer os outros mais felizes em nosso círculo familiar e social. Porque cada dia em que meditamos damos um passo em direção à felicidade. E bem-estar é um sentimento altamente contagiante.

Você pode

Sankalpa são frases de poder que devem ser repetidas com intenção. São ótimas para antes da meditação, logo ao acordar e antes de dormir. Também em qualquer momento de fraqueza ou necessidade.

Alguns exemplos:

"Eu sou um ser de paz, transmito paz e me conecto com a energia da paz!"

"Cada célula do meu corpo está em bem-aventurança e em sintonia perfeita com o universo!"

"Sou um ser de luz e o poder está dentro de mim."

"Eu me aceito e me amo como sou, e aceito e amo todos à minha volta assim como são."

"Tudo é como deve ser e por isso sinto alegria no meu coração."

CAPÍTULO X

YOGA: TODOS SOMOS UM

"YOGA É A CIÊNCIA
DE BEM-VIVER
E DEVE SER INCORPORADA
AO NOSSO DIA A DIA."

Swami Satyananda Saraswati

X. YOGA: TODOS SOMOS UM

De acordo com os livros sagrados do hinduísmo, os *Vedas*, o *yoga* e a *Ayurveda* são ciências irmãs, que caminham juntas há milênios para benefício da humanidade. Enquanto a Ayurveda é a ciência védica da cura do corpo e da mente, que depende da autotransformação; o *yoga* é a ciência védica da autotransformação, que depende do bom funcionamento do corpo e da mente. Ou seja, as duas disciplinas são interdependentes e têm seus efeitos potencializados quando associadas.

Da raiz sânscrita *yug*, que significa unir, o *yoga* diz respeito à junção de corpo, mente e espírito em um contínuo único, que por sua vez se conecta ao espírito ou consciência universal. Essa união é simultaneamente o destino da prática e o meio para chegar lá – o caminho que fazemos ao caminhar.

Quando o eu individual, *jiva*, une-se à pura consciência, *Brahma* – realidade imutável que libera o espírito do sentido da separação –, o ser humano liberta-se de *maya*, a ilusão de tempo, espaço e causa, e atinge *samadhi*, que é o estado de autoconsciência e felicidade plena objetivado pelo *yoga*.

Na verdade, tudo na vida é *yoga*, na medida em que toda a vida tem como objetivo consciente ou inconsciente a reintegração no cosmos. O *yoga* é um modo de tomarmos consciência do movimento natural de abandono do individual para voltarmos ao todo.

Acredita-se que o *yoga* surgiu há cerca de 5 mil anos, no vale do rio Indo, atual território do Paquistão. Descobertas arqueológicas feitas nessa área confirmam sua antiguidade, pois incluem fósseis de pedras datados de 3000 a.C., mostrando figuras em posturas de *yoga*.

As primeiras ideias e práticas são encontradas na parte dos *Vedas* chamada de *Upanishads* – que também trata da filosofia conhecida como *Vedanta*, a arte de ser feliz. Segundo a tradição, o criador do *yoga* é Shiva, uma das três principais divindades do hinduísmo, ao lado de Brahma, o criador do universo, e de Vishnu, o preservador, como já vimos no Capítulo II. Shiva é o deus que destrói o que existe de errado para construir algo novo no lugar.

> TUDO NA VIDA É YOGA – NA MEDIDA EM QUE TODA A VIDA TEM COMO OBJETIVO CONSCIENTE OU INCONSCIENTE A REINTEGRAÇÃO NO COSMOS.

Foi por volta do século VI a.C. que apareceram dois poemas épicos fundamentais para o entendimento do *yoga*:

- *Ramayana*, escrito pelo sábio Valiki, que é um dos mais importantes livros sobre a herança cultural e espiritual da Índia. Descreve as viagens do deus Rama (*ayana* significa deslocamentos). Ele personifica as mais elevadas virtudes dos seres humanos e sua expressão nos relacionamentos.
- *Mahabharata*, de autoria do sábio Vyasa, a obra conta a história da Grande Índia e inclui o *Bhagavad Gita*, "A canção divina", sendo talvez a mais conhecida de todas as escrituras de *yoga*. Nela, Deus ou Brahma, encarnado como Krishna, instrui o guerreiro Arjuna sobre *yoga* – especificamente sobre como atingir a libertação por meio do cumprimento das obrigações em nossa vida.

O texto clássico sobre a matéria, escrito por volta do século XVI, é o *Hatha Yoga Pradipika*, que descreve os vários *asanas*, posturas físicas, e os *pranayamas*, exercícios respiratórios, que compreendem a base da prática do *yoga* moderno.

Na tradição hindu, a libertação é simbolizada pela imagem de Shiva, o bailarino real, com um dos pés levantado. Quando ele apoiar o pé no chão, o universo como o conhecemos deixaria de existir.

NEM O CÉU É O LIMITE

Em geral, quando se fala em *yoga*, vêm à mente imagens de pessoas que se contorcem em poses impossíveis. Mas essa não é a essência da prática. Tanto assim que o *yoga* é democrático: não tem limite de idade, não depende de crença nem de religião. E faz um bem enorme, ajudando a:

- equilibrar a produção hormonal
- reduzir a pressão sanguínea e os níveis de colesterol
- melhorar o padrão de sono
- fortalecer o sistema imunológico
- aumentar a capacidade de concentração e a criatividade
- desenvolver músculos e ideias mais flexíveis
- melhorar a qualidade de vida

De quebra, o praticante ainda conquista um corpo mais bonito – consequência natural da prática. Porque, no *yoga*, o corpo físico é tratado como uma espécie de templo que abriga nosso verdadeiro eu e, portanto, precisa ser mantido saudável. Seguindo esse conceito, a prática propõe apenas "brincar" com nossos limites e potencial. Afinal, dentro de nossas limitações, há infinitas possibilidades.

Mas as posturas corporais são apenas uma das várias partes dessa filosofia de vida, que, idealmente, deve ser exercitada 24 horas por dia. Nos primórdios, aliás, quando havia apenas quatro tipos de *yoga*, era um único deles que se ocupava da parte física.

PRINCIPAIS RAMOS DO YOGA

Bhakti yoga, o *yoga* da devoção: É até hoje o mais popular na Índia. Prática espiritual, almeja reconhecer o divino em todos os seres e formas. Por meio de oração, veneração e rituais, o praticante se rende ao divino, canalizando e transmutando suas emoções em amor incondicional e devoção. *Mantras* são uma das partes mais importantes desse treinamento.

Karma yoga, o yoga da ação comunitária: São todos os atos do dia a dia feitos em benefício do outro, sem visar qualquer ganho próprio. Purifica o coração, ensinando a agir sem egoísmo. Ao nos desapegar dos frutos de nossas ações, aprendemos a sublimar o ego. Isso nos ajuda a manter a mente focada, mesmo em meio a um turbilhão.

Jñana Yoga, o yoga do conhecimento: Busca o conhecimento universal: como o universo foi criado, o sentido da vida, como cada um de nós se encaixa no todo. É a modalidade mais difícil, requerendo enorme força de vontade e intelecto. O praticante utiliza a mente para refletir sobre sua própria natureza e chegar ao divino – ou à melhor versão de si mesmo. Antes de praticar *jñana yoga*, o aspirante deve ter integrado as lições dos outros caminhos de *yoga*.

Raja yoga, Ashtanga yoga ou yoga de Patãnjali

O *yoga* do controle físico e mental do qual derivam todas as demais modalidades que trabalham o corpo e que foram se adaptando para suprir às necessidades dos seres humanos. É o chamado "caminho real" e oferece um método para controlar a oscilação dos pensamentos e transformar nossa energia física e mental em energia espiritual.

Patañjali, mestre que viveu na Índia no século III a.C., foi o primeiro sábio a deixar por escrito uma obra específica sobre a matéria – o livro *Yoga Sutras* ("Aforismos do *yoga*"), já traduzido para o português. Em pequenas frases que sintetizam grandes ideias, este sábio nos orienta sobre a prática que purifica corpo e mente a caminho da iluminação.

Os quatro primeiros *sutras* são fundamentais para entender o real objetivo do *yoga*:

1. *Agora começa o conhecimento do* yoga
2. Yoga *é o aquietamento gradativo das ondas cerebrais*
3. *A verdadeira essência de cada ser humano é o silêncio*
4. *A verdadeira essência do ser humano é eclipsada por causa do turbilhão das ondas mentais*

X. YOGA: TODOS SOMOS UM   243

A hora do *yoga* é sempre agora. Não importa nossa condição física – importa apenas respeitar nossos limites durante a prática, lembrando, porém, que o *yoga* tem uma contra-indicação: pessoas com problemas de coluna, lombar ou cervical, do tipo hérnia de disco ou bico-de-papagaio, devem passar por exame clínico antes de começar a prática. Não esquecer ainda a limitação imposta a pacientes com esquizofrenia, que também devem ser liberados por médico para o *yoga*, como vimos no capítulo anterior. Os iniciantes, por sua vez, devem ter sempre o acompanhamento de um professor competente, capaz de garantir a segurança da prática.

Voltando aos *sutras* iniciais de Patañjali: se eles nos lembram a definição de meditação, é porque o *yoga* é uma forma de meditação. Assim, na hora da prática, se a pessoa pensa em outra coisa que não o que está vivenciando naquele exato momento, não está fazendo *yoga*, mas só ginástica.

Para Patañjali, o *yoga* tem oito partes – por isso o nome *ashtanga*, de *ashta*, oito, e *anga*, parte. São elas:

1. *Yamas*
2. *Niyamas*
3. *Asanas*
4. *Pranayamas*
5. *Pratyahara*
6. *Dharana*
7. *Dhyana*
8. *Samadhi*.

Os *yamas* e *niyamas* têm como objetivo ajudar o ser humano em sua evolução. São os preceitos morais que formam o caráter de todo *yogin* ou *yogini*, isto é, homem ou mulher praticante de *yoga*.

Asanas, posturas físicas, e *pranayamas*, exercícios respiratórios, formam a subdivisão do *raja yoga*, atualmente conhecido como *hatha yoga*.

Pratyahara, como já vimos antes, é a abstração dos sentidos, o mergulho interior para acalmar a mente, em preparação para *dharana*, que é a concentração. Esta, por sua vez, conduz o praticante a *dhyana*, ou meditação, culminando em *samadhi*, o estado de hiper-consciência que é o objetivo final e grandioso do *yoga*.

As quatro primeiras partes – *yamas*, *niyamas*, *asanas*, *pranayamas* – são as ajudas externas. Elas harmonizam os aspectos exteriores de nossa natureza (corpo, respiração e sentidos), permitindo que o processo do *yoga* possa prosseguir.

Pratyahara é o elo entre o físico e a essência – o pulo do gato no caminho da evolução.

As últimas três partes – *dharana*, *dhyana* e *samadhi* – são as "ajudas interiores", que envolvem a disciplina da mente.

As oito partes compõem a prática do *yoga*, cada qual servindo para dar excelência à etapa seguinte.

PRINCÍPIOS ÉTICOS

O primeiro nível do *yoga* consiste nos princípios éticos que devem nortear a vida de todo praticante. A formação do caráter do *yogin* dentro desses padrões é imprescindível para a prática. Treinar posturas físicas sem respeitar esses princípios não é praticar *yoga* em sua verdadeira essência.

Ao todo, são dez atitudes básicas que permitem ao *yogin* evoluir na vida. Sem a disciplina dos *yamas* e *niyamas*, o ser humano não tem a sustentação necessária para conquistar nada de valor duradouro.

Yamas: não, não, não

Ahimsa, não-violência: Evitar a violência em atos, palavras, pensamentos tanto contra os outros quanto, e sobretudo, contra si mesmo. O *yogin* observa esse princípio na vida e nas aulas, não sendo violento com o corpo, não ultrapassando seus limites, respeitando suas possibilidades.

Satya, verdade: A verdade sempre e nada mais do que a verdade. O *yogin* desconhece a mentira. Quando a verdade é subjetiva, devemos seguir aquilo que julgamos ser o certo. Sempre lembrando que nossa liberdade vai até onde começa a do outro.

Asteya, integridade: Em ações e pensamentos. Não roubar bens materiais nem ideias. Agir com retidão.

Brahmacharya, não-dissipação da energia sexual: A energia sexual é usada no *yoga* como ferramenta para atingir o *samadhi*. O *yogin* mantém o equilíbrio em suas práticas sexuais para não desperdiçar essa energia tão importante. Isso significa fazer sexo com consciência, respeitando a si próprio e ao parceiro. Numa interpretação mais abrangente, significa não abusar de nenhuma atividade, ou seja, observar o caminho do meio.

Aparigraha, desapego: Desapegar-se das posses materiais, dos relacionamentos, do resultado da prática. É muito importante que o *yogin* não fique preocupado com o resultado das posturas físicas. Cada praticante deve respeitar o limite de seu corpo.

Niyamas: sim, sim, sim

Saucha, limpeza: O *yogin* deve sempre observar a limpeza de seu corpo, tanto externa como internamente. Assim como o banho diário mantém o corpo limpo por fora, a prática de posturas físicas, exercícios respiratórios e o controle das emoções livram o organismo das toxinas que obstruem os canais energéticos e causam as doenças. Também entram aqui as técnicas de pancha karma anteriormente apresentadas.

Santosha, autocontentamento: Alegria por ser, e não por ter. O ter é consequência do ser. O *yogin* sente-se permanentemente feliz.

Tapas, autoesforço, disciplina, desejo ardente: Na prática do *yoga* e na vida em geral, é preciso aplicar toda nossa força de vontade para conquistar nossos objetivos. Por meio de *tapas*, o *yogin* progride, vai em direção ao autodesenvolvimento.

Swadhyaya, autoestudo: O *yogin* deve observar permanentemente seus atos, palavras, pensamentos, emoções e físico. A ideia é ter consciência do corpo, da mente e dos sentimentos 24 horas por dia.

Ishwara Pranidhana, entrega: Depois de observar todos os outros *yamas* e *niyamas*, o *yogin* deve se render à energia suprema, entregar-se completamente ao poder do universo, confiando em que tudo conspira a nosso favor.

EXERCÍCIO

Um passo à frente e outro mais

A adoção dos princípios éticos pode ser feita como um exercício: algo que executamos conscientemente durante algumas horas, todos os dias, para ir observando nossas próprias reações. Com o tempo, a ética se incorpora a todos os aspectos da nossa vida por meio daquele processo que já vimos: cada ação gera uma memória em nossas células e o consequente desejo de repeti-la.

Portanto, assim como a mais longa jornada começa com o primeiro passo, vamos tentar este exercício: escolher apenas um dos *yamas* e um dos *niyamas*. Os outros se manifestarão naturalmente, como consequência de nossa nova postura.

ASANAS: A ARTE DAS POSTURAS FÍSICAS

Padmasana
Posição de lótus completa

Siddhasana

Nos primórdios do *yoga*, os únicos *asanas* praticados eram o *padmasana* (a posição de lótus completa) e o *siddhasana* (a posição simplificada, apenas com as pernas cruzadas). Essas posturas mantêm a coluna ereta, requisito básico para a prática dos exercícios respiratórios, da vocalização de sons sagrados e da meditação. Com o passar do tempo, os mestres *yogins* sentiram a necessidade de fortalecer o corpo para melhor atingir o objetivo final do *yoga*. Doente, ninguém consegue evoluir na prática.

Os *asanas* fazem parte dos tratamentos ayurvédicos para preservar a saúde do organismo. Eles trabalham os vários sistemas do corpo, criando flexibilidade na coluna vertebral e nas juntas, tonificando os músculos, as glândulas e os órgãos internos. As posturas aumentam nossa vitalidade e equilibram os *doshas*.

Quando começam a estudar *yoga*, as pessoas se concentram em alongar ou tentar se equilibrar como faz o professor – e só. Esse é um trabalho superficial, apenas ginástica. Para que se transforme em *yoga*, o exercício tem que ser feito com o apoio dos *yamas* e *niyamas*, com atenção e intenção, de modo a garantir que a energia esteja presente.

Cada *asana* deve ser acompanhado da respiração e da consciência permanente de todas as partes do corpo. Prestar atenção à entrada e à saída do ar dos pulmões e também a cada célula do organismo – *swadhyaya*, o autoestudo – promove o aquietamento da mente e faz o *yogin* vivenciar em sua totalidade o aqui e o agora. Todos os músculos, fibras, tecidos, órgãos e glândulas entram em ação e começam a ser trabalhados, gerando saúde e fortalecendo o corpo. Ao mesmo tempo, devemos mergulhar fundo na consciência do fluxo do *prana*, a energia vital. Afinal, o objetivo primordial da prática de *asanas* e *pranayamas* é purificar as *nadis*, canais nervosos sutis, para que o *prana* possa fluir livremente em preparação para a ascensão de *kundalini* – a energia cósmica suprema, que conduz o praticante ao estado de pura consciência.

Em outra palavras, *asanas* são mais do que simples – ou bastante complexas – posturas físicas. Praticados corretamente, eles agem também no plano sutil: nossos pensamentos e emoções. São capazes de nos libertar de nossos medos e nos ajudam a manter a autoconfiança e a serenidade.

Todo *asana* tem três estágios: entrada na postura, permanência e saída. O verdadeiro trabalho é feito durante a permanência. Com o passar do tempo, o *yogin* chega a um ponto em que permanece em determinada pose sem qualquer flutuação da mente. É nesse momento que ele de fato pratica um *asana*, definido por Patañjali como "a postura tão firme e tão confortável que você pode permanecer nela enquanto medita no infinito".

No final da prática do *yoga*, devemos nos sentir relaxados e ao mesmo tempo cheios de energia, diferentemente do efeito de outras práticas físicas, que levam ao cansaço e à exaustão física, o que gera envelhecimento precoce.

EXERCÍCIO

Surya namaskar, saudação ao Sol
Movimento em sentido horário

Esse exercício é um exemplo de *vinyasa* – movimento sincronizado com a respiração. Em cada posição, precisamos ter consciência de todo o nosso corpo e de como estamos inspirando e expirando. O ritmo da respiração não deve ser alterado durante a prática. No geral, os movimentos para cima são acompanhados de inspiração, enquanto os que apontam para baixo acompanham a expiração.

O *surya namaskar* é feito preferencialmente pela manhã, pois seu objetivo é energizar em preparação para as atividades diárias. O sol representa uma energia de polaridade positiva, masculina e de ação. Começar fazendo a sequência 2 vezes por dia e aumentar gradativamente para até 12 vezes. Lembremo-nos porém: conforto acima de tudo. Qualquer sensação de dor deve nos levar a parar o exercício.

1. Tadasana

Coluna ereta, pés juntos e palmas das mãos unidas junto ao peito, comece respirando profundamente. Faça um ciclo da respiração completa, abdominal (ensinada a seguir, em *Pranayamas*). Ao inspirar pela segunda vez, eleve os braços acima da cabeça e faça uma ligeira tração. Ao expirar, faça uma retroflexão (incline braços e tronco para trás), obedecendo os limites do seu corpo. Retorne à posição inicial, alongando os braços acima da cabeça, com inspiração.

2. Padahastasana

Ao expirar, faça uma anteflexão (inclinando braços e tronco para a frente), olhando para baixo. Coloque as mãos no chão (se você alcançar) e estique a cabeça para a frente. Na próxima expiração, olhando de novo para baixo, tente colocar o umbigo o mais próximo possível das coxas, sempre obedecendo os limites do seu corpo.

Ao inspirar, com as palmas das mãos firmes no chão, estique a perna direita para trás, alongando-a o quanto puder.

Ao expirar, faça o mesmo com a perna esquerda, mantendo a cabeça no prolongamento natural da coluna. Os olhos ficam voltados para o chão. Mantenha a posição por alguns instantes, retendo a respiração.

3. Chaturanga

Inspire e, ao exalar, desça o corpo lentamente em direção ao solo, controlando a descida com a força dos braços. Ficam apoiados no chão: testa, mãos, peito, joelhos e pés. As nádegas devem ficar arrebitadas (o quadril não toca o chão). Permaneça alguns instantes.

4. Bhujangasana

Inspire, coloque a pélvis no chão e estique os braços, sem forçar os ombros. Ao expirar, faça uma retroflexão com o tronco e a cabeça. Muito cuidado para não sobrecarregar a lombar nem a cervical.

5. Adho mukha swanasana

Inspirando, eleve os quadris e projete o externo para a frente. Exale, procurando manter as solas dos pés no chão, e olhe para o umbigo. Na próxima inspiração, coloque o pé direito entre as mãos. Faça o mesmo com a perna esquerda.

movimento de transição

6. Padahastasana

Exale, eleve os quadris enquanto abaixa o tronco e a cabeça, fazendo uma nova anteflexão.

7. Tadasana

Inspirando, vá elevando o tronco e os braços, alongando-os para cima da cabeça. Com expiração, faça outra retroflexão. Com inspiração, volte para a posição do início da prática, juntando as mãos no centro do peito. Faça um ciclo da respiração completa e então retome o exercício.

Como veremos mais à frente, cada *dosha* precisa de um tipo de *asana*, *pranayama* etc. No caso do *Surya Namaskar*, há variações recomendadas respeitando as características de *Vata*, *Pitta* e *Kapha*.

Variação para *Vata*: realizar o *Surya Namaskar* de forma bem lenta, para contrabalançar o excesso de movimento do dosha e aquecer as juntas, que são frágeis, secas e protuberantes, exigindo cuidado. Não permanecer um longo tempo no bhujangasana. A permanência longa e acentuada em retroflexões é prejudicial a *Vata*, podendo causar a sensação de descolamento da realidade. Praticadas com moderação, as retroflexões são ótimas porque dão flexibilidade à coluna vertebral e massageiam o cólon, onde a energia desse *dosha* se concentra.

Variação para *Pitta*: manter um ritmo moderado, focando a precisão dos movimentos mas sem competitividade. Enfatizar a expiração para eliminar o calor.

Variação para *Kapha*: a sequência deve ser feita várias vezes, incentivando o movimento mais rápido, gerando calor, aumentando o metabolismo, suando para eliminar o excesso de água e enfrentando o desafio de melhorar a cada prática. Aqui o *vinyasa* deve ser incentivado e também podem ser feitos alguns saltos se não houver excesso de peso.

EXERCÍCIO

Chandra namaskar, saudação à Lua

Chandra quer dizer lua. Representa a energia feminina, relaxante, de polaridade negativa. Esta sequência pode ser praticada diariamente, sempre depois do pôr do sol. Ajuda a ter uma boa noite de sono.

Movimento em sentido horário

X. YOGA: TODOS SOMOS UM   253

1. Vajrasana

Sentado sobre os calcanhares, com as mãos unidas à frente do peito em *anjali mudra*. Faça algumas inspirações profundas e, mentalmente, reverencie a lua, trazendo sua energia relaxante. Prepare as mãos em *kali mudra* (entrelaçando os dedos e unindo os indicadores esticados), com inspiração eleve os braços e ao expirar faça uma retroflexão. Inspirando, retorne.

2. Balasana

Expirando, coloque a testa no chão e alongue os braços à frente, retendo a respiração.

3. Bhujangasana

Inspirando, vá elevando os quadris e mergulhando em *bhujangasana*. Ao expirar, faça uma retroflexão. Inspire, desça e vá para o *adho mukha*.

4. Adho mukha swanasana

Coloque os dedos dos pés no chão e ao expirar eleve os quadris, direcionando os ísquios para o teto e tentando olhar para o seu umbigo.

5. Ardha chandrasana

Com inspiração, coloque a sola do pé direito entre as mãos e o joelho esquerdo no chão. Eleve os braços com as mãos em *kali mudra*. Ao expirar, faça uma retroflexão.

6. Utanasana

Com inspiração, retorne. Coloque as duas palmas das mãos no chão, unindo os pés e esticando os joelhos.

7. Tadasana

Com as mãos em *kali mudra*, inspire elevando os braços e fazendo uma tração no alto. Ao expirar, outra retroflexão.

8. Utanasana

9. Ardha chandrasana

Na inspiração coloque o joelho direito no chão, flexione o esquerdo e eleve os braços com as mãos em *kali mudra*. Ao expirar, faça uma retroflexão.

10. Adho mukha swanasana

Inspirar, jogando o pé esquerdo para trás e passando novamente ao *adho mukha*. Mergulhar em *bhujangasana*.

11. Bhujangasana

Inspire e, ao expirar, mergulhe, passando ao *bhujangasana*. Inspire novamente e ao expirar, faça uma retroflexão.

12. Balasana:

Inspirando, apoie os glúteos sobre os calcanhares e estique os braços à frente.

13. Vajrasana

Inspire novamente, elevando os braços com as mãos em *kali* mudra, e faça uma retroflexão ao expirar. Inspire e volte as mãos em *anjali mudra* na frente do peito.

PRANAYAMAS: A EMOÇÃO ESTÁ NO AR

Prana é energia, *yama* é domínio. *Pranayama* é o controle da energia vital, a ciência da respiração, capaz de promover a saúde e curar, segundo a Ayurveda. Isso porque os *pranayamas*, exercícios respiratórios do *yoga*, são a ponte entre o físico e o espiritual. Quando a respiração está em paz, as emoções estão igualmente em paz.

Não existe *yoga* sem respiração, assim como não há vida sem respiração. O ato de respirar de forma íntegra e consciente é mais importante até do que o próprio *asana*. O *yogin* nunca deve favorecer a postura corporal em prejuízo da respiração. O *asana*, aliás, deve ser usado para direcionar o *prana* para a parte do corpo que está sendo mais solicitada ou que queremos beneficiar. É o *prana* que tem o poder de cura, e não a postura física.

O *prana*, essa energia vital que permeia todo o universo, é responsável por alimentar cada célula do corpo, tornando possível cada pensamento, sentimento e ação humana. Quando inalamos e exalamos, nossa coluna manda energia para todo o corpo, produzindo em nosso sistema o elixir da vida – *ojas*.

A prática de *asanas* e *pranayamas* faz com que mais *prana* seja armazenado no corpo, circulando livremente pelos canais sutis de energia, as *nadis*.

De acordo com os sábios da antiguidade, nosso corpo tem 72 mil *nadis*. A principal delas é *sushumna*, localizada dentro da coluna vertebral e ladeada por outras duas *nadis*, *ida* (de polaridade negativa) e *pingala* (de polaridade positiva). Na base da coluna, no *chakra* básico, *muladhara*, localiza-se a energia cósmica chamada *kundalini*, de caráter sexual e ígneo, representada como uma serpente adormecida – que é acordada pelo *yoga* e sobe pela coluna até o *chakra* da cabeça, *sahasrara*, levando o ser humano à iluminação.

Os *pranayamas* têm função fundamental no despertar de *kundalini*. Há exercícios específicos para cada objetivo: acalmar, refrescar, energizar, promover a limpeza dos canais energéticos, estimular o sistema endócrino, concentrar etc. A maioria deles se baseia na respiração completa, com a intenção de encher os pulmões em sua capacidade máxima.

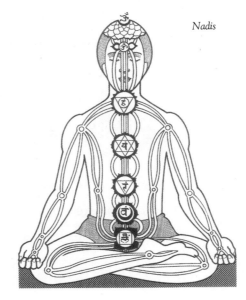

Nadis

Ao nascer, todos respiramos de forma completa. Ao observar a barriguinha de um bebê, vemos que ela sobe e desce em ritmo cadenciado, expandindo e contraindo, levando *prana* para cada célula do corpo. O problema é que, com o passar do tempo, o ser humano vai desaprendendo de como respirar integralmente. Por causa de tensão, medo e estresse, esquecemos a respiração completa, que é abdominal, e adotamos uma respiração curta, pulmonar – incapaz de levar o *prana* para todo o organismo. Essa respiração ordinária utiliza apenas um terço da capacidade dos pulmões. Com a respiração completa, aprendemos a expandir os pulmões e a absorver maior quantidade das propriedades vitais do ar.

EXERCÍCIO

A respiração completa

Imaginemos um balão. A respiração completa é capaz de encher todo esse balão e depois esvaziá-lo, repetindo o processo continuamente.

Importante: em *yoga*, a respiração é feita sempre pelas narinas (que nos protegem das bactérias do ar); a boca não participa do processo.

Ao inspirar, começamos a encher o balão de baixo para cima: primeiro, projetamos o abdômen para fora, enchendo-o de ar; depois, levamos o ar para a parte média do tronco, aumentando o espaço entre as costelas; enfim, fazemos o ar subir para os pulmões, enchendo-os completamente.

Na hora de expirar, esvaziamos o balão de cima para baixo, fazendo o caminho inverso: primeiro, soltar o ar dos pulmões; depois, o da parte média; por fim, o do abdômen.

Essa é a forma de respirar: todos os dias, o dia inteiro. Devemos começar praticando alguns minutos por dia e repetir o processo sempre que nos lembrarmos dele. Uma excelente experiência é treinar a respiração completa todos os dias durante um mês. A memória ficará gravada, e a necessidade de respirar fundo e de forma consciente se tornará um hábito inerente ao dia-a-dia, assim como comer, beber ou dormir.

PRATYAHARA: ABSTRAÇÃO DOS SENTIDOS

Silenciar a mente, ficar imóvel, estar vazio de sentimentos e necessidades, ir além dos sentidos – isso é *pratyahara*, um mergulho interior que evita as distrações. Se compararmos nossa mente ao oceano, os pensamentos e sentimentos são ondas que agitam as águas. Se apenas observarmos essas ondas, sem nos deixar envolver por tristeza ou alegria, por ansiedade ou raiva, por qualquer emoção que surja das profundezas desse oceano, as águas se acalmam. As ondas vão diminuindo de tamanho e frequência, o mar vai sossegando.

Não se trata da supressão dos sentidos, mas de sua aplicação correta – para a Ayurveda, a base da saúde. O uso de nossos sentidos, como já vimos, determina a qualidade da energia que captamos do mundo exterior para nos alimentar. De boa qualidade, essa energia nutre; se não for assim, desequilibra.

Vários exercícios auxiliam o *yogin* a atingir a *pratyahara*. São, basicamente, todos aqueles que treinam a concentração, a começar por *pranayamas* e *asanas*, ferramentas poderosas para o aquietamento progressivo das ondas mentais. Também vários *mantras* e visualizações são utilizados para que o praticante aprenda uma forma nova de controlar a energia dos sentidos – lidando basicamente com som e luz. Os sons internos do nosso organismo também podem ser um ponto focal que nos ajuda a desligar do exterior.

Corpo e mente aquietados, começamos a seduzir nosso espírito: some o ego, desaparece a identidade, enquanto a consciência desabrocha em sua totalidade. Aqui tem início o verdadeiro *yoga*. *Pratyahara* é o passo fundamental em direção à união com o divino que existe dentro de cada um de nós. Por isso é tão necessário praticar em silêncio, adotando uma atitude de introspecção, que a cada dia se torna mais profunda.

DHARANA: TUDO É QUESTÃO DE FOCO

A capacidade de se concentrar é requisito para a meditação. No *yoga*, treinamos a concentração o tempo todo. Somos chamados a vivenciar o momento presente, como se nada mais existisse. Nesse processo, a mente vai se aquietando.

Para ajudar a mente a se concentrar, uma das mais poderosas técnicas é a respiração consciente – o *pranayama*. Outra é a repetição, mental ou por meio de vocalização, de *mantras*. O *mantra* **Om** é o mais utilizado no *yoga*, recitado das mais diversas formas:

longo, curto, bem devagar, rapidamente. A observação da chama de uma vela é também um exercício muito usado.

DHYANA: A MEDITAÇÃO

Ao lado de *pratyahara* e *dharana*, *dhyana* – a mente imóvel, ou seja, a meditação – compõe os três estágios do aquietamento mental. No momento em que a mente se aquieta, deslizamos para o campo da pura potencialidade, o reino das possibilidades infinitas, resgatando nossa perfeição – que, em meio ao barulho do cotidiano, fica perdida dentro de nós mesmos.

SAMADHI: A HIPERCONSCIÊNCIA

Quando a consciência se expande e se difunde, permeando todo o ser, vivenciamos o estado de *samadhi*. O ponto de referência é transferido de fora para dentro, e passamos a viver em estado de graça permanente, que é o natural de todos os seres humanos. Quem atinge esse ponto de iluminação vive em paz, mesmo em meio ao caos do dia-a-dia.

Em *samadhi*, nos tornamos um com o objeto de nossa observação. É a união do observador com o observado, quando percebemos a natureza divina de todas as coisas e de nós mesmos. Então, nos tornamos um com o todo.

História com pé e cabeça

Para atingir esse objetivo final, todas as oito partes do *yoga* devem ser respeitadas. É como ler um livro: a história fará sentido se seguirmos todos os passos da trama. Se pularmos páginas, a história perderá a continuidade e deixará de ter significado.

A beleza da prática é exatamente o fato de trabalhar corpo, consciência, inteligência e sentidos. É uma "arte global", como diz o grande mestre de *yoga* da atualidade, o indiano B. K. S. Iyengar, nascido em 1918.

Quando o ser humano harmoniza corpo, mente e espírito, essa harmonia se reflete em sua vida e na de todos à sua volta. Essa é não só uma conquista pessoal maravilhosa, mas também uma forma eficaz de participar da construção de um mundo saudável e pacífico. Para que tudo isso se realize, o praticante de *yoga* precisa observar cinco princípios:

Relaxamento adequado

Libera a tensão muscular e permite que todo nosso sistema se descontraia. Assim, acordamos descansados e cheios de energia após uma noite de sono.

A alma que entra no mundo dos sentidos
e mesmo assim mantém o sentido de harmonia
encontra descanso na quietude.
Bhagavad Gita

Exercício adequado

Através dos *asanas*, que trabalham sistematicamente todas as partes do corpo: alongando e tonificando, promovendo a flexibilidade, a força e a circulação livre.

Os asanas nos tornam firmes,
livres de doenças e com o corpo leve.
Hatha Yoga Pradipika

Respiração adequada

A prática de *pranayamas* permite utilizar a capacidade total de nossos pulmões e aumentar a captação de oxigênio e de *prana* – energia vital do universo. Assim, recarregamos nossa energia, controlamos nosso estado mental (pelo controle do fluxo de *prana*) e levamos saúde a todo o corpo (com o *prana* circulando livremente pelas *nadis* e armazenando-se nos *chakras* ao longo da coluna, garantindo o bom funcionamento desses pontos de energia).

Quando a respiração divaga,
a mente se torna inquieta,
mas, quando a respiração está calma,
a mente também estará calma.
Hatha Yoga Pradipika

Dieta adequada

Que seja balanceada e baseada em alimentos naturais e nutritivos. Mantém o corpo leve e flexível, acalmando a mente e nos dando resistência contra as doenças.

*Que o praticante de yoga coma moderadamente
e frugalmente, porque senão,
mesmo que inteligente, ele não terá sucesso.*
Siva Samhita

Pensamento positivo e meditação

Ajudam a remover pensamentos que conturbam a mente, nos ensinando a transcender.

*Meditação nada mais é do que pura consciência.
Simplesmente significa
transformar sua insconsciência em consciência.*
Osho

Por onde eu vou?

Os quatro principais ramos do *yoga*, que vimos acima – *Bhakti*, *Karma*, *Jñana* e *Raja* – se desdobraram em diversas modalidades. Hoje, entre tantos outros, são comuns os seguintes tipos:

- ❁ *Hatha yoga*: forte nas posturas corporais
- ❁ *Swasthya yoga*: a prática em forma de coreografia
- ❁ *Iyengar yoga*: privilegia o trabalho de alinhamento corporal
- ❁ *Ashtanga vinyasa yoga*: privilegia o movimento acoplado à respiração
- ❁ *Kundalini yoga*: trabalha a energia, dando ênfase aos exercícios respiratórios

O importante para quem está começando é se informar e escolher a modalidade que mais combina com suas características. Daí a importância de integrar o *yoga* e a Ayurveda. Essa integração foi resgatada no *Ayur-yoga**.

*AYUR-YOGA (Yoga ayurvédico)
Uma aula demonstrativa para cada *dosha* pode ser encontrada no DVD *Ayur-yoga / Yoga integrado*, lançado por Márcia De Luca em abril de 2006, disponível nas principais livrarias.

Ayur-yoga

Quando integrada aos conceitos da Ayurveda, a prática do *yoga* é diferente para cada *dosha* – levando em consideração o princípio de que igual aumenta igual e buscando, assim, oferecer exercícios de características opostas às do *dosha* para equilibrá-lo.

A prática é toda diferenciada, pois há não apenas *pranayamas* e *asanas* especiais para *vata*, *pitta* e *kapha*, como também relaxamentos adequados e *mantras* específicos para meditação. Os três *doshas* se beneficiam da prática constante, se possível diária e, no caso de *vata*, preferencialmente em horários regulares.

CARACTERÍSTICAS DA PRÁTICA PARA CADA *DOSHA*			
	Vata	*Pitta*	*Kapha*
Geral	calma, lenta, estável	refrescante, mais espiritual	estimulante, mais física
Energia	mantenha firme e consistente durante toda a prática, moderando e sutentando seu entusiasmo	mantenha aberta e receptiva	concentrada nas posturas, no esforço
Postura mental	aquietamento e concentração, foco no momento presente	entrega, transcendência do corpo e desapego do resultado final, mas com entusiasmo pelo que está sendo feito	respeito pelos limites do corpo, principalmente o excesso de peso, entusiasmo e concentração
Asanas	que desenvolvam a força	que resfriem	que sejam desafiantes
Permanência nos asanas	longa, enfatizando a estabilidade	média, enfatizando o desapego	curta, enfatizando o movimento
Ênfase na liberação de tensão	na região pélvica, lombar e juntas sacroilíacas, onde se acumula *vata*	na região abdominal, onde se acumula *pitta*	no peito, onde se acumula *kapha*
Respiração	lenta, profunda e regular, com ênfase na inspiração	foco na expiração, com liberação do calor excessivo	respire mais profunda e rapidamente sempre que precisar de energia; foco na abertura das vias respiratórias
A evitar	excesso de esforço e de alongamento	competitividade e excesso de calor	letargia e excesso de introspecção

YOGA PARA VATA

Quem é *vata* precisa acalmar a mente antes de iniciar sua prática, respeitar seus limites, tranquilizar as emoções, fazer as posturas vagarosamente e aprofundar a respiração. A intensidade do *asana* deve ser aumentada aos poucos, apenas depois de o corpo estar bem aquecido, o que melhora a circulação e protege as juntas.

Pontos positivos de sua constituição: grande flexibilidade e agilidade.
Pontos negativos: as juntas secas, que com o tempo desenvolvem certa rigidez; possibilidade de ter artrite.

A seguir, os pontos de uma prática de *yoga* ideal para quem tem *vata* como *dosha* dominante.

Tipo de *yoga*
- Ideal: um *yoga* mais calmo, como *hatha yoga* e *ayur-yoga*, com muita introspecção, *pranayamas* e meditação. As pessoas deste *dosha* são as que mais se beneficiam da prática de *asanas*, mas devem realizá-los de forma lenta.
- A evitar: *power yoga* e *ashtanga vinyasa yoga*, pois o movimento da prática vai exacerbar o já existente no organismo.

Asanas

Siddhasana

Sentado com as pernas cruzadas à frente, com a coluna ereta, olhos fechados e mãos sobre os joelhos.

Vajrasana

Sentado sobre os calcanhares, com a coluna ereta, olhos fechados e mãos em *anjali mudra*.

Foco no momento presente, atenção à estabilidade, sentindo-se firme em contato com o chão, enfatizando a presença do elemento terra, que falta a este *dosha*. Todas as posturas sentadas são excelentes para "aterrar" *vata*.

X. YOGA: TODOS SOMOS UM   263

Baddha konasa

Sentado, com as solas dos pés unidas, coluna ereta. Este *asana* assenta e aquieta a mente agitada de *vata*. Praticantes mais adiantados podem fazer *mula bandha*, contração dos esfíncteres do ânus e da uretra.

Tadasana

As posturas em pé enfatizam força e estabilidade. Com os pés unidos, as pernas posicionadas firmemente, o peito aberto, a coluna ereta. *Tada* quer dizer montanha, cujas qualidades são trabalhadas neste *asana*: firmeza, estabilidade, majestade, coragem.

Apanasana

As posturas de equilíbrio fortalecem o sistema nervoso, acalmando e acalentando a mente atribulada. Em pé, com o joelho no peito. Desenvolve a memória e a concentração.

Virabhadrasana II

"O guerreiro 2" estimula segurança e aquieta a mente, esquentando o corpo. Aqui, novamente, o praticante deve entrar em contato com as qualidades do guerreiro: forte, corajoso, capaz de tomar decisões e enfrentar desafios.

Matsyendrasana

As torções devem ser feitas com os pulmões cheios, para não aumentar o desequilíbrio.

Utkatasana

Aquece e estimula a região dos intestinos, que é a sede de *vata*.

Navasana

A firmeza e a estabilidade de um navio (*nava*) deslizando pelo oceano.

Setu-bhandasana

Asana excelente para reduzir a ansiedade.

Paschimottanasana

Todos os *asanas* de anteflexão trabalham a região-sede de *vata*.

Janu sirshasana

Todos os *asanas* de anteflexão trabalham a região-sede de *vata*.

Bhujangasana

As retroflexões em geral devem ser feitas lentamente, sem longa permanência. São boas para abrir o peito e manter os ombros abertos. *Vata* tende a fechar os ombros para se proteger do medo inerente.

Savasana

Vata é o *dosha* que mais se beneficia de um relaxamento longo, durante o qual os efeitos da prática são assimilados e aquietam por completo a mente agitada. É importante usar visualizações que tragam os elementos Terra, Água e Fogo – como imaginar uma montanha, o sol, um lago, o oceano, flores. As cores podem ser ouro, açafrão, tons de terra e tons pastel.

Pranayamas

A respiração deve ser longa, profunda e consciente a fim de acalmar a ansiedade. Ao inspirar profunda, lenta e conscientemente, mentalizar calma, quietude e estabilidade. Ao expirar, da mesma forma, liberar ansiedade, medo e angústia.

EXERCÍCIO

Nadi-shodhana

Este é o *pranayama* ideal para *vata*. *Nadi* significa conduto energético e *shodhana* quer dizer limpeza. Este exercício promove a limpeza dos nossos condutos energéticos, equilibra a porcentagem de energia masculina e feminina para gerar equilíbrio e, sobretudo, acalma e tranquiliza. É excelente fazê-lo antes de dormir: ajuda a ter uma noite de sono tranquilo, driblando a insônia característica deste *dosha*. Melhor ainda se, durante o *pranayama*, o quarto for aromatizado com óleo essencial de lavanda.

Ciclo completo de *nadi-shodhana*:

Sentar com a coluna ereta e os olhos fechados.

Unindo polegar e indicador da mão direita, usar o dedo médio para obstruir a narina direita e inspirar pela esquerda.

Reter o ar com os pulmões cheios e, ainda com os pulmões cheios, trocar a narina em atividade, obstruindo a narina esquerda com o mesmo dedo e expirar pela direita.

Reter o ar com os pulmões vazios e inspirar novamente pela narina direita – ou seja, a mesma narina que acabou de fazer a expiração.

Reter o ar com os pulmões cheios, trocar a narina em atividade e expirar pela narina esquerda.

Começar praticando três ciclos completos e ir alongando o tempo de prática até completar 10 minutos. Se a pessoa sentir algum desconforto, deve parar o exercício.

Meditação

A meditação é uma excelente ferramenta para aquietar a mente exacerbada de *vata* e contrabalançar algumas de suas características, como a insônia e a digestão ruim. Os principais benefícios são:

- acalmar o sistema nervoso
- controlar a tendência ao medo e à ansiedade

X. YOGA: TODOS SOMOS UM 267

❀ contrabalançar a hipersensitividade e a hiperatividade

❀ ajudar a conciliar o sono

❀ melhorar a digestão

❀ elevar o sistema imunológico

Quem tem *vata* como *dosha* predominante precisa tomar cuidado ao meditar. Realizada por um tempo longo demais, a prática exacerba a falta de estabilidade inerente à pessoa e gera a sensação de descolamento da realidade.

Para evitar esse problema potencial, os iniciantes na meditação devem preferir *dharana*, a concentração em algum objeto (como uma vela), ou devem repetir *mantras*. Os mais indicados para *vata* são:

Mantras

❀ *Ram*: pronuncia-se "ram", com o "r" formando-se pela vibração da língua junto ao dente. Proporciona força, calma, paz. Equilibra as desordens mentais de *Vata*, combate a insônia, ansiedade e medo.

❀ *Hum*: pronuncia-se "rum", com o "r" aspirado na garganta (como na pronúncia em inglês da palavra "hotel", por exemplo). Combate o medo, a ansiedade e as emoções negativas em geral. É o melhor *mantra* para elevar *agni*, o poder digestivo.

❀ *Hrim*: pronuncia-se "rrim", sendo o primeiro "r" aspirado na garganta e o segundo formado pela vibração da língua junto ao dente. Energiza, promove a alegria e ajuda no processo de desintoxicação e nos conecta com a mãe divina que é a Terra.

❀ *Om*: atenção: este, que é o mais importante dos *mantras*, não pode ser repetido em demasia por *vata*, porque aumenta o elemento "espaço", que já é forte neste *dosha*, provocando uma sensação de descolamento da realidade.

Visualização

Para relaxar: *vata yoganidra*, o *yoga* do sono.

Colocar uma música tranquila.

Perfumar o ambiente com o óleo essencial favorito (o mais recomendável é o de lavanda).

Deitar-se confortavelmente, com o cóccix bem apoiado no chão e, a partir dele, sentir a descontração de todo o seu corpo.

Respirar profundamente.

Ao inspirar, sentir abdômen, costelas e peito subindo.

Ao expirar, visualizar o movimento contrário.

Continuar respirando lenta e conscientemente durante todo o processo.

Permitir que os pés se soltem lateralmente.

Ir descontraindo panturrilhas, joelhos, coxas, região pélvica, abdômen, plexo solar, diafragma, peito.

Manter os braços ao longo do corpo, com as palmas das mãos voltadas para cima.

Colocar especial atenção em ombros, pescoço e nuca, região em que acumulamos maior tensão durante o dia. Descontrair.

Relaxar agora os músculos faciais, o couro cabeludo, as orelhas, os globos oculares, a cabeça como um todo.

Mentalmente, dar uma ordem a si mesmo para relaxar e começar uma contagem regressiva de 10 a 1. Ao chegar ao número 1, o corpo deve estar totalmente entregue e a mente quieta e tranquila.

Imaginar-se agora deitado na relva macia. Procurar sentir o corpo em contato com o chão e, com os olhos da mente, visualizar raízes que saem do corpo e o arraigam ao chão até atingir o âmago, o centro do planeta Terra. Sentir o ritmo interior da Terra à medida que respira; sentir estabilidade, segurança e se beneficiar da energia de vitalidade advinda do elemento "terra". Absorver a riqueza e a fertilidade do solo; receber as propriedades curativas dos minerais; receber a força vital da terra.

Utilizar agora os cinco sentidos para sentir ainda mais a profundidade do contato com o elemento "terra". Tato: sentir o contato do corpo com a terra. Olfato: sentir o cheiro dela penetrando pelas narinas. Paladar: sentir o gosto de terra na boca. Audição: ouvir os barulhos internos da Terra. Visão: ver a cor marrom de terra.

Através dessas ações, as células da pessoa de *vata* gravam a memória deste elemento que falta em seu organismo. Manter-se conectado com a Terra durante alguns minutos. Saborear esse contato e ir se equilibrando. Perceber o milagre da transformação interior através do poder da visualização.

Enquanto experimenta a conexão com a Terra, sentir o calor do Sol envolvendo e acariciando a pele. Sentir o calor trazendo conforto ao seu organismo naturalmente frio e agradecer ao universo pela presença do Sol, que gera a possibilidade de vida no planeta.

Ouvir o barulho de uma cachoeira que jorra água sem parar e, através dela, trazer também para seu conforto o elemento "água", que vai equilibrar finalmente a constituição de *vata* por completo.

Continuar nesse estado de abandono completo, relaxamento profundo, quietude absoluta, enquanto o corpo assimila os benefícios dos elementos "terra", "fogo" e "água". Permanecer nesse estado por alguns minutos todos os dias.

Aos poucos, começar a voltar desse breve relaxamento, utilizando novamente os cinco sentidos. Mexer a língua na boca e sentir o gosto; inspirar profundamente e sentir o aroma no ar; acariciar o corpo e sentir o tato; ouvir melhor os sons da música no am-biente, abrir os olhos e ver a vida... cor-de-rosa!

Inspirar profundamente, dobrar os joelhos, girar o corpo para o lado direito e, lentamente, começar a sentar, com movimentos vagarosos e retomando plena consciência do momento.

YOGA PARA *PITTA*

A prática para este *dosha* precisa ser interiorizada, com a intenção de acessar o amor e a compaixão. Isso vai jogar um pouco de elemento "água" (que existe em quantidade insuficiente) no "fogo" (presente em excesso) de quem é *pitta*. Os *asanas* precisam refrescar a fisiologia e o temperamento.

Com uma estrutura corporal mais musculosa do que a de *vata* e juntas mais lubrificadas, *pitta* pode incluir em sua prática movimentos mais rápidos e pulos. Mas deve prestar atenção à parte espiritual – sua tendência é tornar-se muito bom na técnica das posturas, até por seu caráter extremamente competitivo, e esquecer de ir para dentro de si mesmo.

Os *asanas* ideais trabalham a região abdominal, massageando intestino delgado, parte baixa do estômago, fígado e vesícula. Precisa ter cuidado para não gerar muito calor com a prática, especialmente na cabeça – o que significa não ficar muito tempo nas posturas invertidas.

Tipo de yoga:

- Ideal: *Iyengar yoga*, *hatha yoga*, *power yoga* e *ashtanga vinyasa yoga*. Com seu estilo vigoroso, são todas boas opções para o físico atlético de *pitta*. Mas é preciso que o *yogin* pratique *aparigraha*, desapego do resultado da prática, e evite a competição, uma característica inerente a este *dosha*.
- A evitar: *power* e *ashtanga* com exacerbação do ego e sem controle do calor do corpo.

Asanas

Sarvangasana

Halasana

São posturas invertidas, que não aquecem tanto e por isso são boas para *pitta*.

Matsyendrasana

As posturas de torção são ótimas, porque refrescam o organismo sem diminuir *agni*, o fogo digestivo.

X. YOGA: TODOS SOMOS UM

Navasana

Matsyasana

Bhujangasana

Dhanurasana

Posturas que tiram a tensão do abdômen, do intestino delgado e do fígado.

Sirsasana

As posturas invertidas esquentam; por isso, *pitta* deve evitar longas permanências. Se quiser ficar mais tempo nesse tipo de postura, na sequência, a pessoa deve fazer uma torção para resfriar.

Siddhasana

Ajuda a colocar o foco no momento presente e a exercitar a entrega, contrabalançando a tendência ao julgamento e à competição.

Bidalasana

Movimentos suaves como o espreguiçar de um gato. Massageiam a região abdominal, onde se concentra *pitta*. Ideal praticar com *uddiyana bandha*, a contração do abdômen.

Balasana

A postura da criança, que nos empresta sua inocência e é o oposto da exacerbação do ego.

Tadasana

Outra postura confortável de relaxamento, para tirar a necessidade de perfeição de *pitta*.

Vrikshasana

Para aprender a focar o não-esforço, aceitando o momento presente e seus limites, sem comparar-se a ninguém.

Trikonasana

Colocar a atenção no coração para acessar a compaixão e permanecer na lateroflexão, postura que refresca. Praticar a entrega ao aqui e agora.

Prasarita padottanasana

Anteflexão com as pernas afastadas, massageando a região-sede do *dosha*. Visualize uma cachoeira indo do cóccix até o topo da cabeça, refrescando todo o seu corpo.

Upavistha konasana   *Janu sirshasana*

Novamente, massageiam a região-sede de *pitta* e refrescam. Mantenha a atitude de entrega.

Savasana

Durante o relaxamento, *pitta* deve fazer mentalizações refrescantes de ar, espaço e água, visualizando imagens de paz, harmonia e união, para transcender o ego.

As anteflexões são geralmente boas para *pitta*, pois trazem energia para os órgãos nos quais este *dosha* se acumula. Já as retroflexões, como esquentam, devem ser feitas com moderação.

Meditação

Ajuda *pitta* a liberar a raiva e a agressividade e a exercitar o desapego da necessidade de controle. Com grande poder de concentração, quem tem este *dosha* predominante pode meditar mais tempo do que quem é *vata*. O foco deve ser a expansão da mente e do coração. E o maior cuidado a tomar é não transformar a prática em mais um campo de competição.

Os *mantras* mais indicados são:

- *Sham*: pronuncia-se "xam". *Mantra* de paz para promover desapego e contentamento.
- *Shrim*: pronuncia-se "xrim". Promove saúde, criatividade, prosperidade. Ajuda o praticante a se render à verdade. Refina a mente e a dota de mais sensitividade.
- *Om*: é o mais importante de todos os *mantras*. Pode ser combinado com todos os outros para aumentar o poder deles. Energiza e dá poder a todas as coisas e todos os processos. É o som de afirmação que nos permite aceitar quem somos e nos abre para as forças positivas do universo. Nos ajuda a acessar o campo da pura potencialidade.

Pranayama

Na respiração, *pitta* deve visualizar a liberação do calor por meio da expiração, que deve ser mais longa do que a inspiração. Mas o *pranayama* ideal para esse *dosha* é *chandra bhedana*, a respiração feita pela narina esquerda, que é lunar, de polaridade negativa e, portanto, refresca.

EXERCÍCIO

Chandra bhedana

Sente-se confortavelmente com a coluna ereta
Una polegar e indicador da mão direita e, com o dedo médio, obstrua a narina direita, inspirando pela esquerda.
Retenha o ar com os pulmões cheios.
Troque a narina em atividade, obstruindo então a narina esquerda e expire pela direita.
Volte a obstruir a narina direita e a inspirar pela esquerda.
Comece com alguns ciclos e vá aumentando gradativamente até completar 10 minutos de prática para realmente se beneficiar com os resultados.

EXERCÍCIO

Shitali

Sente-se com a coluna ereta, olhos fechados.

Coloque a língua em forma de calha para fora da boca e inspire pela calha. Se você não conseguir formar essa calha, não insista – essa capacidade é genética e quem não a tem nunca vai conseguir. Nesse caso, coloque a língua atrás dos dentes superiores.

Inspire pela calha ou pela boca semiaberta através da língua.

Sinta o ar penetrando pela sua boca e refrescando seu organismo.

Feche a boca e expire pelas narinas.

Comece fazendo alguns ciclos e avance até completar 10 minutos.

Visualização

Para relaxamento: *pitta yoganidra*, o *yoga* do sono

Coloque uma música que refresque e tranquilize.

Perfume o espaço com seu óleo essencial favorito. É importante que seja um aroma refrescante, como o de menta, por exemplo.

Deite-se confortavelmente, com o cóccix bem apoiado no chão e, a partir dele, sinta a descontração de todo o seu corpo.

Respire profundamente. Ao inspirar, sinta o abdômen, as costelas e o peito subindo. Ao expirar, visualize o movimento contrário.

Continue respirando lenta e conscientemente durante todo o processo.

Permita que os pés se soltem lateralmente.

Vá descontraindo panturrilhas, joelhos, coxas, região pélvica, abdômen, plexo solar, diafragma e peito.

Mantenha os braços ao longo do corpo com as palmas das mãos voltadas para cima.

Coloque atenção especial nos ombros, pescoço e nuca, região onde acumulamos maior tensão durante o dia. Descontraia.

Relaxe agora os músculos faciais, o couro cabeludo, as orelhas, os globos oculares, a cabeça como um todo.

Mentalmente, dê uma ordem a si mesmo: você vai começar uma contagem regressiva a partir de 10 e, ao chegar ao número 1, seu corpo estará totalmente entregue e sua mente estará quieta e tranquila.

Lentamente, comece a contar de 10 a 1.

Perceba o espaço que você ocupa e visualize então seu corpo deitado em uma relva macia. Sinta o contato com os elementos ar e terra. Sinta raízes saindo do seu corpo e penetrando fundo no âmago do planeta Terra. Permita que todo o seu corpo seja imbuído deste elemento que falta em seu organismo, enquanto o vento acaricia sua pele.

Visualize seu corpo totalmente entregue em um lugar de sombra e frescor. Sinta respingos de água em sua pele, vindos de uma cachoeira que refresca esse lugar.

Permaneça ainda alguns instantes se alimentando desse frescor e da terra, do espaço e do ar e vivencie essa experiência com os cinco sentidos para que fique gravada em sua memória celular, emprestando-lhe os elementos que faltam em seu organismo. Sinta também o *prana* começando a preencher todas as suas células, tecidos e órgãos. Sinta a energia curativa natural subir por toda sua coluna vertebral até o topo da sua cabeça.

Continue em estado de abandono completo, relaxamento profundo, quietude absoluta enquanto seu corpo assimila os benefícios advindos do contato com os elementos – espaço, ar, água e terra. Permaneça nesse estado por alguns minutos todos os dias.

Aos poucos, comece a voltar desse breve relaxamento, utilizando novamente os cinco sentidos. Mexa a língua na boca e sinta o gosto, inspire profundamente, sentindo o aroma no ar, acaricie o seu corpo, ouça melhor os sons da música no ambiente, abra os olhos e veja a vida... cor-de-rosa!

Inspire profundamente, dobre os joelhos, gire o seu corpo para o lado direito e, lentamente, vá se sentando, movendo-se vagarosamente e retomando sua plena consciência do momento.

YOGA PARA *KAPHA*

Este *dosha*, que combina terra e água, precisa de movimento para opor sua tendência à letargia, ao desânimo e à depressão.

De constituição sólida e forte, as pessoas de *kapha* devem praticar um *yoga* mais vigoroso e dinâmico, suar e receber estímulos para vencer o desafio de cada *asana*.

O ideal é que permaneçam menos tempo nas posturas sentadas, pois aumentariam sua letargia. Também devem minimizar as anteflexões, que contraem o peito – onde se acumula a energia deste *dosha*. Em contrapartida, podem abusar das retroflexões, posturas que abrem o peito e estimulam o funcionamento dos pulmões e a eliminação de mucosidade. Pessoas do tipo *kapha* se beneficiam muito das posturas em pé e daquelas de equilíbrio, que trabalham as emoções e fortalecem o sistema nervoso.

Tipos de *yoga*
- Ideal: *power yoga* e *ashtanga vinyasa yoga*, modalidades de ritmo rápido, que energizam e dinamizam, são as mais recomendadas para este *dosha* caracterizado pela lentidão.
- A evitar: práticas muito introspectivas, que aumentariam a tendência à letargia e à depressão, como *Iyengar*, com longa permanência nas posturas, e *jñana yoga*.

Asanas

Siddhasana
Pouca permanência para não gerar letargia.

Tadasana
Abrindo o peito e imaginando o corpo firme, mas leve como uma pluma.

Vrikshasana

Novamente abrindo o peito, mantendo a respiração ascendente e incentivando o desafio de encontrar o equilíbrio em um pé só.

Virabhadrasana II

Abrindo o peito e energizando.

Bidalasana

Se espreguiçando como um gato, mas com movimentos rápidos e enfatizando a abertura do peito, sede de *kapha*.

Ustrasana

Uma das melhores posturas para *kapha*, pois realmente abre o peito, eleiminando mucosidade acumulada.

Purvottanasana

Equilibra *kapha* abrindo o peito, incentivando desafio e vontade.

Matsyasana

Abre o peito, estimula a tireoide e paratireoide, hipófise e pineal.

Urdhva dhanurasana

Novamente com enfoque na abertura do peito.

Savasana

Por pouco tempo, para não incentivar o relaxamento; visualizando raios solares, luz, ar, *prana*, imensidão do universo, liberdade; flutuando como uma pluma no ar.

Pranayamas

EXERCÍCIOS

Bhastrika

Respiração do fole acelerado, que esquenta o frio de *kapha* e energiza, conferindo dinamismo e aumento do metabolismo.
Sente-se confortavelmente com a coluna ereta.
Inspire e expire curta e ritmadamente como um cachorrinho.
Faça vários ciclos e vá aumentando conforme se acostumar.
Se sentir tontura ou vir estrelinhas, pare – é sinal de que você hiperoxigenou os neurônios do cérebro.

Surya bhedana

Este é também um exercício excelente para *kapha*. Respiração pela narina direita, que é solar, polaridade positiva e, portanto, esquenta.
Sentado confortavelmente com a coluna ereta, una polegar e indicador da mão direita e, com o dedo médio, obstrua a narina esquerda e vá inspirando pela direita.

Retenha o ar com os pulmões cheios e troque a narina em atividade, obstruindo então a narina direita e expirando pela esquerda. Volte a obstruir a narina esquerda e a inspirar pela direita.

Comece com alguns ciclos e vá aumentando gradativamente até completar 10 minutos de prática para realmente se beneficiar com os resultados.

Meditação

A meditação para *kapha* auxilia no desapego emocional e contrabalança a estagnação mental e a letargia. Ajuda também a pessoa a se libertar da possessividade. Quem é *kapha* precisa ser encorajado a praticar, razão pela qual medita melhor quando está em grupo. Como tem tendência a dormir durante as meditações, antes de começar, deve fazer um *pranayama* que energize (como *Bhastrika*) e repetir os *mantras* adequados.

Mantras

- ❂ *Om*: é o mais importante de todos os *mantras*. Pode ser combinado com todos os outros *mantras* para aumentar o poder deles. Energiza e dá poder a todas as coisas e todos os processos. É o som de afirmação, que nos permite aceitar quem somos e nos abre para as forças positivas do universo. Ajuda a acessar o campo da pura potencialidade.
- ❂ *Hum*: pronuncia-se "rum", com o "r" aspirado na garganta. Combate o medo, a ansiedade e as emoções negativas em geral. É o melhor *mantra* para elevar *agni*, o poder digestivo.
- ❂ *Aim*: melhora a concentração e o poder da fala. Ajuda no controle dos sentidos e da mente.

Visualização

Para relaxar: *kapha yoganidra*, o *yoga* do sono.

Coloque uma música que relaxe, mas, ao mesmo tempo, mantenha você presente.

Perfume o espaço com seu óleo essencial favorito. O mais recomendado é eucalipto, pois *kapha* não deve utilizar aromas que relaxem demais.

Deite-se confortavelmente, com o cóccix bem apoiado no chão e, a partir dele, sinta a descontração de todo o seu corpo.

X. YOGA: TODOS SOMOS UM   283

Respire profundamente. Ao inspirar, sinta o abdômen, as costelas e o peito subindo. Ao expirar, visualize o movimento contrário.

Continue respirando lenta e conscientemente durante todo o processo.

Permita que os pés se soltem lateralmente.

Vá descontraindo panturrilhas, joelhos, coxas, região pélvica, abdômen, plexo solar, diafragma e peito.

Mantenha os braços ao longo do corpo com as palmas das mãos voltadas para cima.

Coloque atenção especial nos ombros, pescoço e nuca, região onde acumulamos maior tensão durante o dia. Descontraia.

Relaxe agora os músculos faciais, o couro cabeludo, as orelhas, os globos oculares, a cabeça como um todo.

Mentalmente, dê uma ordem a si mesmo: você vai começar uma contagem regressiva a partir de 10 e, ao chegar o número 1, seu corpo estará totalmente entregue e sua mente estará quieta e tranquila.

Lentamente, comece a contar de 10 a 1.

Visualize agora uma enorme imensidão vazia. Inspire profundamente e a cada expiração sinta o seu corpo se expandindo dentro desse vazio, suavemente.

Inspire pelas solas dos pés e sinta o ar entrando por elas e subindo pelas suas pernas. Ao expirar, todo o seu corpo flutua nessa imensidão.

Agora, inspire através das palmas das mãos e sinta o ar penetrando por elas e preenchendo os seus braços. Novamente, sinta-se um balão flutuando no espaço do universo.

Leve agora a inspiração para a sua coluna vertebral e preencha todo o resto do seu corpo com *prana*, a energia vital do universo; e sinta-se flutuando cada vez mais leve, como uma pluma. Sinta a liberdade tomando conta de todo o seu ser.

Conscientize-se dos seus pulmões, sinta-os completamente desobstruídos. Sinta e visualize o *prana* circulando livremente por todas as suas células. Perceba em você o esplendor da energia vital, sinta o contentamento de seu corpo respirando em liberdade, completamente leve, completamente solto, desapegado de tudo o que é terreno, de tudo o que é matéria.

Sinta agora o sol sobre você, esquentando todo o seu corpo.

Perceba que você está experimentando os elementos espaço, ar e fogo, completando assim o que falta em seu organismo.

Vivencie tudo isso através dos cinco sentidos, permitindo que essas sensações fiquem gravadas em sua memória celular.

Continue nesse estado de abandono completo, relaxamento profundo, quietude absoluta, enquanto seu corpo assimila os benefícios dos elementos espaço, ar e fogo. Permaneça nesse estado por alguns minutos todos os dias.

Aos poucos, comece a voltar desse breve relaxamento, utilizando novamente os cinco sentidos. Mexa a língua na boca e sinta o gosto, inspire profundamente, sentindo o aroma no ar, acaricie o seu corpo, ouça melhor os sons da música no ambiente, abra os olhos e veja a vida... cor-de-rosa!

Inspire profundamente, dobre os joelhos, gire o corpo para o lado direito e, lentamente, vá sentando, movendo-se vagarosamente e retomando sua plena consciência do momento. Sinta-se energizado e presente, com vontade de viver.

Namastê

A prática do *yoga* em geral é finalizada com o termo *Namastê* – que quer dizer, em sâns-crito, "o divino que existe em mim reconhece o divino que existe em você e nós dois somos um".

CAPÍTULO XI

SEMPRE JOVEM

"O SEGREDO DA IMORTALIDADE
É A FLEXIBILIDADE."

Vedas

"Para conhecer suas experiências passadas, basta examinar seu corpo hoje. Para saber como será seu corpo no futuro, basta examinar suas experiências hoje."

Esse antigo ditado indiano resume bem o conceito integral de saúde da Ayurveda e sobretudo a sua urgência: mudar a nossa vida é possível, e o ideal é começar hoje.

Já vimos que viver bem por 120 anos não é utopia. Segundo a tradicional medicina indiana, todos estamos programados para isso e deveríamos morrer sem doenças, dormindo, expirando o último alento da mesma forma como inspiramos o primeiro. Sob esse ângulo, o envelhecimento é um erro do intelecto – *pragya aparadh*. Para os antigos sábios, mestres em Ayurveda, esse erro ocorre quando nos identificamos apenas com nosso corpo físico, esquecendo daquilo que é chamado de nosso corpo quântico. Isso quer dizer o seguinte: a organização da matéria em nosso corpo ocorre dos níveis mais superficiais para os mais profundos. Iniciando pelo nível molecular, temos depois o nível atômico, o subatômico e o quântico. Este último se encontra no nível mais sutil da organização molecular e inclui desde as ondas magnéticas que formam nosso corpo.

A POÇÃO DA JUVENTUDE EXISTE: SEU SEGREDO ESTÁ EM IRMOS ALÉM DA MATÉRIA.

Em outras palavras, a "poção da juventude" está em conseguirmos ir além da matéria. No campo onde não há tempo nem espaço, onde nos definimos como almas imortais, viajantes da estrada cósmica sem começo nem fim, as leis do mundo físico não valem. Mais: nesse nível, todos somos um – então, cada qual tem a responsabilidade de se cuidar para que, dessa forma, o todo seja cuidado. Interpretar o todo como o divino ou como o campo da pura potencialidade é questão de escolha. O fato é que nossa saúde e nossa felicidade afetam a consciência coletiva, tornando-a saudável e feliz. Assim, optar pela saúde é um prazer e também uma obrigação.

Mudar nossa percepção e interpretação de nós mesmos e do mundo muda a realidade – e, consequentemente, o corpo, já que todas as experiências vivenciadas são transformadas em química no nosso organismo. Cada pensamento, sensação ou sentimento provoca uma resposta do sistema nervoso, liberando mensageiros químicos que vão regular todas as nossas funções vitais e moldar as moléculas com que se formam as células, os tecidos e os órgãos.

Está escrito nos *Vedas* que criatividade e flexibilidade são o segredo da imortalidade. É isso: nós nos transformamos naquilo que vemos e interpretamos. Melhor, então, começar a ver o mundo com olhos novos – jovens – e a interpretá-lo com alegria e otimismo. A realidade é mutável: ela está sujeita ao resultado de nossas percepções, que dependem de dois atos seletivos, a saber, aquilo a que escolhemos prestar atenção e como decidimos significá-lo. Nossos padrões geram crenças que então criam nossa biologia.

QUANTOS ANOS VOCÊ TEM?

Quando alguém pergunta nossa idade, temos a resposta na ponta da língua – e nem nos damos conta de que esse número é apenas um de três possíveis. Sim, porque o ser humano tem três idades:

IDADE CRONOLÓGICA

Aquela registrada em nossos documentos, determinada pelo número de rotações que a Terra realizou em torno de seu próprio eixo e em volta do sol, desde que nascemos.

IDADE BIOLÓGICA

Depende do funcionamento de nossos sistemas fisiológicos – fator determinante no processo de envelhecimento. Podemos estabelecer a idade biológica observando nossa pressão sanguínea, teor de gordura, capacidade visual e auditiva, níveis hormonais etc. e comparando os resultados com os de pessoas de diversas faixas etárias (cronológicas).

IDADE PSICOLÓGICA

É a experiência subjetiva, a idade que sentimos ter. Muitas pessoas com mais de 60 anos se sentem melhor do que quando eram jovens de acordo com seu documento de identidade, assim como há moços e moças de 20 anos que se consideram velhos. A idade psicológica está intimamente conectada à biológica, pois, quando o corpo funciona perfeitamente, sentimos maior vitalidade e bem-estar.

DETERMINANDO A SUA IDADE

Não podemos mudar nossa idade cronológica – mas isso não é grave, porque na verdade ela é a menos importante das três. E a boa notícia é que podemos, sim, reverter nossas idades biológica e psicológica, adquirindo maior vitalidade do que no passado.

Aos poucos, a medicina ocidental está chegando a essa mesma conclusão. E provando cientificamente que a reversão das idades biológica e psicológica pode chegar a 25 anos. Essa é a conclusão do médico americano Michael F. Roizen, após debruçar-se sobre mais de 25 mil estudos científicos sobre como nossas escolhas de vida afetam nossa idade biológica.

BIOMARCADORES DO ENVELHECIMENTO

Capacidade Aeróbica

Níveis de Antioxidantes

Limitação Auditiva

Pressão Sanguínea

Controle do Açúcar no Sangue

Gordura Corporal

Densidade Óssea

Níveis de Colesterol e Lipídios

Níveis Hormonais

Sistema Imunológico

Atividade Metabólica

Massa Muscular

Força Muscular

Elasticidade da Pele

Controle da Temperatura

Limitação Visual

Nossa expectativa é determinante sobre nossa realidade. Alexander Leaf, médico da Universidade Harvard (EUA), viajou pelo mundo pesquisando o segredo de uma vida longa e saudável. Após analisar hábitos e costumes de vários povos em diferentes regiões, descobriu um fator relevante que os longevos de todos os cantos têm em comum: sua reverência pelo envelhecimento, sua certeza de que envelhecer significa tornar-se um ser humano melhor pela experiência de vida acumulada.

Outro estudo interessante foi o da psicóloga Ellen Langer, também de Harvard. Ela encorajava homens de 70-80 anos a se comportar como se tivessem 20 anos a menos. Depois de apenas alguns dias, eles começaram a apresentar mudanças físicas associadas à reversão do envelhecimento, como melhoria de visão, audição, mobilidade e destreza manual.

Tudo isso aponta para a mesma premissa ayurvédica: se acreditarmos que nossa capacidade física e mental diminui com a idade, assim será; mas, se entendermos que podemos viver mais estando sempre bem, esta será a nossa experiência real.

Assim, para reverter o processo de envelhecimento, o primeiro passo é organizar o poder de nossa intenção. As intenções influenciam as expectativas, que por sua vez são determinantes para o resultado.

Quando estabelecemos a firme intenção de nos tornar mais jovens, viver mais e com mais saúde, ativamos nossa farmácia interior. O corpo passa a produzir e liberar todos os hormônios, enzimas e peptídios necessários para seu perfeito funcionamento. Como estabelecer e reafirmar essa intenção? Adotando rituais que nos conectem com a nossa essência – imutável, infinita, eterna. Dois dos hábitos que melhor fazem isso são a meditação e a visualização.

EXERCÍCIO 1

Escolha a sua idade

Aromatize o ambiente com um óleo essencial de sua preferência, lembrando que o de lavanda é o mais usado como relaxante.

Sente-se confortavelmente com os olhos fechados.

Inspire profundamente e vá relaxando seu corpo ao expirar. Faça vários ciclos de respiração completa, como vimos no capítulo sobre *yoga*. Durante a prática, tenha a intenção de relaxar mais e mais a cada ciclo.

Agora, escolha a idade que você quer ter em termos biológicos. Por exemplo: digamos que, cronologicamente, você tem 50 anos e escolhe ter 27 de idade biológica. Veja-se, sinta-se, saiba-se com 27 anos.

Repita mentalmente: "Tenho 27 anos, sou saudável e jovem. E a cada dia aumento ainda mais minha capacidade física e mental".

Esse é um ótimo ritual para ser feito logo ao acordar e antes de dormir. Assim como o termostato regula a temperatura ambiente de um espaço, o exercício funciona como um "fisiostato": a idade que escolhemos ter passa a regular todas as funções de nosso organismo. Por meio de seu infinito poder de organização, nossa intenção influencia toda a nossa fisiologia.

Ao longo do dia, podemos repetir mentalmente nossa idade biológica várias vezes, sempre visualizando-nos cheios de saúde, alegria, harmonia e amor. Com os olhos da mente, devemos nos ver exatamente como queremos ser.

EXERCÍCIO 2

Determinando o obervador

Pare um momento agora e pergunte-se: "Quem está lendo este livro?"

Olhe à sua volta e pergunte também: "Quem está observando este espaço?"

Ouça os ruídos no ambiente e questione: "Quem está ouvindo?"

Para as três perguntas, a resposta é a mesma: o observador silencioso que existe dentro de você. Seu corpo muda; o observador, jamais. Segundo a Ayurveda, esse observador é o seu verdadeiro eu, o seu espírito.

Aquiete seus pensamentos e comece a meditar, utilizando uma das técnicas ensinadas no capítulo sobre meditação.

No momento em que colocamos nossa atenção e nosso foco no observador interno – e eterno –, é possível transpor a barreira do tempo.

EXERCÍCIO 3

Luz que renova

Prepare o local da visualização usando um aroma de sua preferência e colocando música suave como fundo.

Sente-se confortavelmente com a coluna ereta e os olhos fechados.

Faça várias respirações profundas e sinta o corpo ir relaxando a cada ciclo de inspiração e expiração. Entregue-se, abandone-se, vivencie o momento presente como é: único e infinito.

A cada inspiração, visualize pequenas partículas de luz penetrando por suas narinas e pelos poros de sua pele. Veja formar-se um fio contínuo de energia de pura luz, átomos que vão renovando cada uma das suas células e tornando seu corpo mais e mais jovem, mais e mais saudável.

A cada expiração, visualize essa mesma luz saindo das suas narinas e de cada um dos seus poros, removendo estresse, toxinas, doenças.

Visualize agora seu corpo como se fosse um campo de energia e informação, infinitamente flexível e eternamente em renovação.

Começando da cabeça e terminando nos pés, veja cada parte do seu corpo renovada, cada órgão e cada célula sendo aperfeiçoados.

DINACHARYA: ROTINA DE BEM-ESTAR

Alimentação, *yoga*, meditação, massagens, purificação, atenção aos cinco sentidos – tudo isso compõe, em termos bem práticos, a rotina ideal para quem quer viver mais e melhor. Chamada *dinacharya*, em sânscrito, essa rotina tem por chave nossa integração com os ritmos da natureza.

Como o ser humano cria hábitos aos poucos, a ideia é começarmos hoje um período de transição. Este livro mostra o ideal, mas devemos ir fazendo ajustes gradativos em nossos costumes para chegar lá. Por exemplo: quem vai para a cama muito tarde, pode tentar deitar-se meia hora mais cedo a cada semana, para que o corpo vá entendendo a nova programação, sem gerar estresse.

Manhã

Acorde sem alarme, com o nascer do sol.

Tome um copo de água morna com gotas de limão, o que ajuda na evacuação (quem tiver gastrite ou outro problema de estômago deve tomar água morna pura).

Esvazie bexiga e intestinos.

Limpe a língua, removendo as toxinas que ficaram depositadas durante a noite, e escove os dentes.

Faça 12 ciclos de *surya namaskar*, a saudação ao sol.

Faça alguns ciclos de *pranayamas*.

Medite por 20 ou 30 minutos.

Faça a automassagem e tome banho.

Tome o café da manhã, lembrando de comer apenas para matar a fome (pense no "tanque de gasolina" visto no Capítulo VIII).

Ande durante 15 minutos.

Meio do dia

Faça do almoço a principal refeição, incluindo os seis sabores e alimentando-se entre 12hs e 13hs, quando *agni* é mais forte.

Coma com atenção, seguindo as TICs – técnicas de inteligência do corpo.

Ande 15 minutos após comer.

Trabalhe.

Fim de tarde e noite

Pratique 12 ciclos de *chandra namaskar* em preparação para uma noite de sono tranquilo.

Medite por 20 ou 30 minutos antes do jantar.

Coma apenas alimentos leves, de preferência até no máximo as 19hs, para que às 22h o estômago esteja vazio. O jantar ayurvédico ideal é uma bela sopa.

Ande durante 15 minutos

Faça uma atividade relaxante. Deve-se evitar tarefas excitantes ou que exijam concentração mental após as 20h30. Uma boa pedida pode ser a leitura de poesia ou de mensagens positivas

Acenda velas, coloque uma música calmante e faça uma *abhyanga* completa ou meia *abhyanga*. Criar um ritual é muito bom: o corpo vai aprendendo a relaxar

Tome um banho quente, usando óleo essencial de lavanda ou outro de sua preferência

Tome uma xícara de leite quente com noz-moscada e mel ou chá de camomila ou ainda chá de valeriana

Vá para a cama até as 22hs, para dormir (importante: não coma, não assista à TV nem leia na cama)

Já na cama, feche os olhos, sinta o corpo, faça várias respirações profundas

Repita o *mantra* **Agasti shahina** (pronuncia-se "agásti xarrina", com o "r" aspirado) 108 vezes. Um *japa mala*, espécie de cordão de contas, como um terço, pode ajudar nessa contagem. Quem ainda permanecer acordado após o final, pode fazer mais uma rodada.

SOBRE ÁRVORES E BAMBUS

A rotina ideal afeta positivamente corpo, mente e emoções. Mas podemos fazer ainda mais por nossa idade psicológica, para garantir que também por essa medida permaneçamos jovens por mais tempo.

Os neurocientistas estão aprendendo que o cérebro é dinâmico e se reestrutura continuamente. Pesquisadores da Universidade de Princeton (EUA), já acharam evidências de que a cada dia milhares de novos neurônios nascem em nosso cérebro. Portanto, nossa fisiologia trata de nos auxiliar na manutenção da juventude. Cabe a nós cuidar da mente e das emoções com o mesmo carinho e afinco.

Para manter-se ativa e brilhante, a mente precisa ser alimentada por algo novo. Então, por que não tentar, todos os dias, uma atividade inusitada? Ler um poema; aprender a cozinhar, cantar ou desenhar; visitar um lugar novo; viajar para um destino desconhecido; ver uma exposição de arte; inventar uma brincadeira diferente com os filhos; voltar

XI. SEMPRE JOVEM 295

a estudar. Pode ser qualquer coisa que dê prazer e nos faça ver o mundo com outros olhos. Eis o segredo de Shiva, o criador do *yoga*: "Sair do rio das memórias e condicionamentos e ver o mundo como se fosse pela primeira vez".

Limites e rigidez são armadilhas das quais o ser humano precisa manter distância. Durante o vendaval, as árvores se mantêm rijas – e tombam. Já o bambu se curva – e permanece.

E X E R C Í C I O

A flexibilidade do bambu

Arrume o ambiente com cheiros e música de sons naturais.

Sente-se confortavelmente, olhos fechados, coluna ereta.

Faça vários ciclos de respirações, inspirando longamente e relaxando todo o seu corpo ao expirar.

Vá sentindo seu corpo se relaxando mais e mais enquanto você acessa seu silêncio interior, o campo de todas as possibilidades e da pura potencialidade.

Visualize agora, com os olhos da sua mente, que você é um bambu. Fino, parecendo muito frágil.

Sinta então raízes profundas saindo dos seus pés e se fincando na terra, fazendo que o bambu se torne sólido e totalmente arraigado no chão. Sinta estabilidade e firmeza.

Com os olhos da sua mente, visualize agora um vento começando a soprar. De início, leve. Seu bambu interior começa a seguir o ritmo do vento. Indo para a direita, para a esquerda, se torcendo elegantemente conforme a direção do vento.

Aos poucos, o vento vai se tornando mais forte e mais rápido, e o bambu continua se vergando conforme as características do vento, sempre voltando à sua posição original, denotando graça, flexibilidade, espontaneidade.

Permaneça por alguns instantes fazendo essa visualização, enquanto for confortável.

Para finalizar, repita mentalmente o seguinte *sankalpa*, frase de poder: "Eu sou firme e flexível; eu me adapto às situações da vida".

Lembre-se de que todas as suas ações devem ser espontâneas, pois quando a ação não é espontânea quer dizer que ela está errada. Em qualquer situação da sua vida, acione o seu bambu interior e com graça, leveza, espontaneidade – e ao mesmo tempo com grande firmeza – enfrente seus momentos difíceis. Aliás, escolha ser leve e solto como um bambu, pois, a partir daí, cada momento se tornará uma dança cósmica de leveza e flexibilidade. Essa transformação é poderosa: gera o fim da estagnação que impede nossa evolução.

EXERCÍCIO

Liberando tensão e resistência

Encontre um lugar calmo e tranquilo, sente-se confortavelmente e feche os olhos.

Pratique a meditação *So ham* durante alguns minutos. Na inspiração, mentalize *Soooo* e na expiração, mentalize *haaaammmmmm*.

Quando sua mente estiver aquietada, traga sua atenção para o corpo e perceba onde você sente tensão ou algum tipo de resistência. Coloque a intenção de libertar essa tensão ou resistência.

Conduza sua atenção para o seu coração e identifique todas as coisas pelas quais você tem gratidão.

Ouça agora seu coração e verifique quais as coisas do passado que você ainda carrega, mas já não servem mais.

Tenha a intenção de se libertar delas neste momento. Liberte-se de todas as mágoas, ressentimentos e tristezas que você encontrar dentro do seu coração.

Sinta gratidão por essa liberação.

S.O.S. EMOÇÃO

Na filosofia védica, a vida é concebida e vivenciada à base de opostos e contrastes: luz e sombra, quente e frio, prazer e dor. Este último par é provavelmente o mais importante, porque o comportamento humano é motivado pela procura de um e pela fuga do outro. A princípio, essa atitude faz todo o sentido. Mas, de acordo com a Ayurveda, o natural impulso de evitar a dor não pode ser exagerado.

Quando verdadeiramente vivenciamos uma emoção, mesmo que ela nos traga dor, podemos trabalhá-la, nos desapegar dela e prosseguir na vida sem acumular toxinas no corpo. Já ao fugir da dor, ao não enfrentá-la, armazenamos toxinas. Emoção não digerida é igual a comida não digerida: faz mal. E é quando se instala o sofrimento.

Existe diferença significativa entre dor e sofrimento. O sábio pode sentir dor, porque esta é um fato da vida – mas consegue não sofrer. Um sábio confronta a dor, torna-se íntimo dela e, a partir daí, é capaz de se desapegar para sempre.

A dor não confrontada no passado tende a se tornar raiva e hostilidade no presente. Assim como a antecipação da dor que ainda está por vir é expressada como ansiedade e medo. Pena redirecionada para si mesmo é culpa. E a perda de energia que ocorre com todas essas emoções é o que gera a depressão.

Manter nosso corpo emocional limpo é um passo essencial para a boa saúde. Mas isso requer conhecimento, prática e paciência. Os sete passos apresentados no exercício a seguir nos ensinam a fazer essa limpeza. No começo, não é fácil. O segredo é persistir. A ideia é aplicar essa rotina a cada momento em que formos sacudidos por uma emoção negativa.

EXERCÍCIO

Limpeza emocional

Identifique a emoção: Diga para você mesmo: "Eu sinto......". Pode ser raiva, tristeza, mágoa, rejeição, sensação de ter sido traído ou qualquer outra coisa. Com clareza, riqueza de detalhes e honestidade, defina e descreva o que você está sentindo. Pare, pense, ana-lise, pratique *swadhyaya*, o autoestudo, que é princípio básico da formação do caráter do *yogin* e da *yogini*.

Testemunhe o sentimento no seu corpo: Emoções nada mais são do que pensamentos associados a sensações físicas. A angústia dá um nó no estômago; o medo pode arranhar a garganta etc. A química associada às emoções tem vida própria, que precisa ser reconhecida antes que a emoção se alastre dentro de nós. Foque sua atenção em seu corpo com a intenção de analisar a sensação. Aos poucos, você perceberá que se torna um observador, que separa entre o sentimento e a pessoa que sente.

Responsabilize-se pela emoção: Compreenda que temos o poder de escolher como queremos nos sentir. Quem recebe uma crítica e fica ofendido ou triste está escolhendo sentir-se assim. Outra reação possível seria ignorar o assunto, ou dar risada. A verdade é que ninguém pode nos fazer sentir mal sem nosso consentimento.

Expresse sua emoção para você mesmo: Você pode falar alto na frente de um espelho ou escrever sobre as suas emoções. Na segunda opção, é interessante manter um caderno especial para esse fim. Permita que suas memórias de situações parecidas venham à tona e escreva sobre elas também. Use uma linguagem simples, sem se preocupar em fazer frases trabalhadas. Permita-se expressar tudo o que você está sentindo, da forma como vem à sua cabeça.

Liberte-se da emoção fazendo um ritual físico: O exercício físico é ideal para esse tipo de objetivo. Vale correr, dançar, esmurrar um travesseiro, fazer uma massagem vigorosa... Escolha o que você quiser. A ideia é nos livrar das toxinas da emoção que impregnam nosso corpo. Durante a atividade, sinta a emoção indo embora, sendo derretida, diluída e jogada fora.

Compartilhe a emoção com a pessoa envolvida na situação a partir do momento em que você se aquietou: Se você realmente vivenciou os cinco passos da maneira correta, agora será capaz de compartilhar seu sentimento sem sentir vergonha, sem tentar manipular o outro, sem necessitar de aprovação nem ficar com pena de si mesmo. Se perceber que o outro não permite que você compartilhe seus sentimentos, mesmo deixando claro que você se responsabiliza totalmente por eles, se a atitude do outro é algo no gênero "isso é problema seu", muita atenção: essa é uma relação tóxica. Analise o que esse relacionamento está acrescentando para a sua qualidade de vida.

Rejuvenesça: Faça algo muito bom para você mesmo, algo de que você realmente goste. Dê-se um presente. Pode ser fazer uma massagem deliciosa, jantar fora, comprar alguma coisa que você namora faz tempo, ir ao cinema... Invente! O fato é que você merece ser recompensado por seu esforço e por esse trabalho maravilhoso de limpeza emocional que acaba de realizar.

É bom fazer os sete passos da limpeza emocional ao perceber que estamos reagindo contra alguém em nossa vida – marido, mulher, filhos, professor, sócio, patrão... Não é fácil ver o mundo inteiro como nosso espelho, mas isso é essencial para nossa evolução. Quer dizer que, ao analisarmos nossas emoções, com o tempo, perceberemos que o ego sempre reage por medo e que aquilo de que não gostamos nos outros é algo que temos dentro de nós também. O mesmo vale para aquilo que admiramos nos outros. É o chamado "espelho dos relacionamentos".

Por isso mesmo, em nossa vida, as pessoas que muito nos aborrecem podem ser presentes do universo para o nosso crescimento. E elas até podem desencadear em nós sentimentos fortes, mas não são responsáveis por isso – a responsabilidade é sempre de cada um, ou seja, de nós mesmos! Quando conseguimos finalmente nos responsabilizar e aceitar que a escolha de nossas emoções é nossa, vivenciamos um nível diferente de liberdade. Nossa felicidade se torna independente da mudança de comportamento dos outros. O ponto de referência volta para dentro de nós.

Cada *dosha* tem reações típicas em situações de desconforto, isto é, aquelas que desafiam as necessidades do ego – ou seja: aprovação, controle e poder.

Vata tenta readquirir o controle através do drama; sofre com ansiedade e depressão.

Pitta tem explosões de raiva. Parte para o confronto e a intimidação.

Kapha fecha-se em si mesmo, apega-se ao que é conhecido e não muda de opinião.

Sempre que um desses comportamentos surgir, o ego está reinando e dominando a situação.

Entender a si mesmo não requer emoções dramáticas, mas apenas calma em relação aos infinitos papéis que estamos constantemente desempenhando em nossa vida: pai, filho, amante, patrão, empregado, mestre, aluno... Não confundir esses papéis definidos pelo ego com a realidade de nosso verdadeiro eu, que é a exultação do espírito.

É importante saber que cada pessoa age a partir do nível de consciência em que se encontra (ver Capítulo IX). Não podemos esperar suco de abacaxi de um limão. Em cada situação, o universo tem uma mensagem para nos dar, oferece uma possibilidade para melhorarmos – desde que a enxerguemos. Por isso, nossos inimigos podem ser nossos melhores professores. Já aprendemos que os opostos se unem para gerar equilíbrio. Não existe bem sem mal, luz sem sombra, o divino sem o diabólico, o santo sem o profano. Devemos aceitar nossa sombra, nos amar como somos e aos outros como eles são.

EXERCÍCIO

Liberando emoções tóxicas

Prepare a sala com um aroma de sua preferência e música suave.

Sente-se confortavelmente, olhos fechados, e procure aquietar seu diálogo interior nos próximos minutos. Observe sua respiração, perceba o ar entrando e saindo de suas narinas e vá se aquietando.

Com firme propósito, visualize sua vida livre dos efeitos tóxicos das dependências que você tem. Visualize com os olhos da sua mente vitalidade, saúde, hábitos saudáveis em todos os sentidos, em todas as áreas de sua vida.

Permita que essa visão da totalidade permeie cada célula do seu corpo, restaurando qualquer ruptura que possa ter ocorrido com o passar dos anos.

Tenha a intenção de se libertar de todos os padrões negativos de comportamento que possam gerar toxinas em seu organismo.

Continue com a visualização enquanto for confortável.

Para finalizar, repita mentalmente o *sankalpa*: "Eu tenho o poder de escolher o que sinto. Escolho sentimentos saudáveis."

Quando nos aceitamos e amamos como somos, nós rejuvenescemos, nos tornamos mais felizes, mais em paz – e esse brilho é visível onde quer que estejamos. Estar confortável consigo mesmo é uma das melhores formas para o indivíduo manter sob controle suas emoções. Para isso, nada melhor do que entender o perfil da nossa alma, nossa verdadeira essência.

XI. SEMPRE JOVEM   301

Cada um de nós deve se perguntar o que quer em cada nível e se conectar com seu *dharma*, isto é, com o seu propósito de vida. A alma é o observador, é quem toma as decisões, quem faz as escolhas e as confluências entre os significados, contextos e amizades. Portanto, para decifrar nosso *dharma* e escolher nossas ações, devemos entender nossa alma e saber o que ela quer.

EXERCÍCIO

Decifrando a alma

Para cada uma das colocações a seguir, dê três palavras como resposta:

- ❀ Descreva as emoções que você sentiu em uma situação marcante de sua vida. (Exemplo: para o nascimento de um filho: amor, alegria e paz).

- ❀ Defina seu propósito de vida. (Exemplo: ensinar, transformar as pessoas, criar uma massa crítica para mudar o mundo).

- ❀ Qual sua contribuição para sua família ou sociedade? (Exemplo: ensinar novos paradigmas, gerar felicidade, criar coerência e paz).

- ❀ Identifique pessoas na história da humanidade que você admira. (Exemplo: Jesus Cristo, Shiva e Mahatma Gandhi).

- ❀ Que qualidades você busca em um amigo? (Exemplo: lealdade, compaixão, divertimento).

- ❀ Quais os seus talentos únicos? (Exemplo: transmitir conhecimento, orientar, comunicar).

- ❀ Que qualidades expressam melhor seus relacionamentos? (Exemplo: leveza, lealdade, compaixão).

As palavras que foram usadas para responder a essas perguntas são as características que melhor descrevem quem você é. Esse é o perfil da sua alma – e, portanto, a chave para seu sucesso e sua felicidade.

Uma vez que decifrada a nossa alma, vivenciamos as suas características:

❀ está dentro do campo das infinitas possibilidades

❀ é onisciente: ela sabe a coisa certa no momento certo para nós

❀ é capaz de estimular nossa criatividade

❀ é capaz de abraçar a sabedoria da incerteza (se fôssemos seguros de tudo, não criaría-mos nada – é a incerteza que nos impulsiona a criar coisas novas)

❀ cocria com Deus ou com o universo, como quisermos

EXERCÍCIO

Visualização de cura

Prepare o ambiente com seu aroma predileto, flores, velas e música calmante.

Sente-se confortavelmente com a coluna ereta e os olhos fechados.

Respire profundamente por alguns ciclos, até sentir que seu corpo está começando a re-laxar. Vivencie o momento presente como único e esqueça que o mundo lá fora existe.

Traga agora sua atenção para o seu coração e entre em contato com todas as coisas pelas quais você é feliz, pelas quais você é grato.

Tenha agora a intenção de libertar-se de qualquer ressentimento, sofrimento ou mágoa que possa estar carregando no seu coração ou na sua mente. Deixe-as irem, desapegue-se delas. Mentalmente, repita a seguinte frase: "Eu as liberto. Assim seja!"

Tenha a intenção de aquietar seu diálogo interior, cultive o silêncio.

Volte a atenção para seu corpo e descubra onde você sente tensão. Então, introduza a intenção de relaxar.

Traga agora sua atenção para a respiração. Apenas observe-a aquietando-se mais e mais.

Sinta o batimento do seu coração.

Deixe sua atenção divagar por seu corpo, sentindo aumentar sua temperatura, sentindo cada parte em que concentra sua atenção.

Agora, focalize sua atenção em uma área do seu corpo que necessite de cura. Introduza a intenção de cura nessa área e traga o calor do seu batimento cardíaco para esse local que precisa de cura e alimento. É importante que você sinta o calor nessa região.

E agora, com atenção e intenção nessa área do seu corpo, visualize uma luminosidade verde clara se expandido por toda ela. Intensifique a visualização e, quando ela estiver nítida nos olhos da sua mente, comece a repetir várias vezes o *sankalpa*: "Cura e transformação, cura e transformação".

Traga sua consciência de volta para o coração e sem nenhuma intenção simplesmente perceba seu batimento cardíaco.

Agora, volte a atenção para sua respiração. E repita mentalmente várias vezes o *sankalpa*: "Cada célula do meu corpo está em bem-aventurança e em sintonia perfeita com o universo".

Permaneça assim durante alguns instantes e abra os olhos com a certeza da cura e da transformação.

TRANSCENDENDO A MORTE

Morte, seu servo está à minha porta;
Ele atravessou o mar desconhecido
E trouxe seu chamado para minha casa.
A noite está escura e meu coração sente medo,
Mas mesmo assim pegarei o lampião e abrirei o portão,
E darei a ele boas-vindas.

Rabindranath Tagore

Sócrates, o grande filósofo grego, afirmava não temer a morte – mas a considerava um assunto fundamental. Tanto que definia o propósito da filosofia como aprender a morrer.

Aprender a morrer depende de aprender a viver. A Ayurveda nos diz que o ser humano veio ao mundo para conhecer e celebrar a vida e que a morte nada mais é do que o clímax dessa celebração.

Para os ocidentais, porém, morrer é amedrontador. Como livrar-se desse medo? Vivendo intensamente. E, ao mesmo tempo, lembrando que para além do corpo físico há mais.

O medo é característico do ego – que teme perder o poder, perder o controle, perder a aprovação dos outros, perder dinheiro, perder milhares de outras coisas, entre as quais a vida. O espírito, que existe além das necessidades do ego, não tem medo da morte, simplesmente porque nunca morrerá. Quando temos a consciência da nossa unicidade com o espírito, podemos transcender o ego e, consequentemente, o medo da morte. Se vivermos nossa vida em plenitude e com alegria, experimentaremos nossa mortalidade com a mesma tranquilidade que permeou nossa estada neste mundo.

Simples: a escuridão desaparece sempre que acendemos a luz. A luz é o observador interno, o pensador de nossos pensamentos, o espírito eterno, a nossa essência. Como diz o ditado védico: "Infinitos mundos vão e vêm no vasto espaço da minha consciência, são como partículas de poeira dançando em um pequeno *flash* de luz".

CAPÍTULO XII

GERANDO ABUNDÂNCIA

"A MESMA ABUNDÂNCIA
QUE EXISTE NA NATUREZA É
DIREITO DO SER HUMANO."

Deepak Chopra

Uma antiga lenda indiana fala de um jovem que queria muito ficar rico. Foi então ver seu mestre, que morava na floresta. Lá chegando, perguntou:

— *Mestre, o que devo fazer para ficar rico? Quero ficar rico para, com a minha riqueza, curar o mundo.*

O mestre respondeu:

— *Duas deusas habitam o coração de cada um de nós. Apesar de amarmos as duas, você deve dedicar maior atenção a uma delas. Esse é o segredo que você precisa conhecer para tornar-se rico.*

O jovem indagou:

— *Mas quem são essas deusas? E a qual delas devo dar maior atenção?*

O mestre então explicou:

— *Uma delas é Saraswati, a deusa do conhecimento. Persiga-a, venere-a e dê a ela sua total atenção. A outra é Lakshmi, a deusa da fortuna, da beleza e da prosperidade. No momento em que você dedicar maior atenção a Saraswati, Lakshmi se tornará tão ciumenta que, para obter sua atenção de volta, lhe concederá toda a riqueza que você quiser. E quanto mais atenção você der à deusa do conhecimento, maior atenção você receberá da deusa da fortuna. É assim que toda a fortuna que você deseja lhe será concedida.*

O poder do conhecimento que existe dentro de cada um de nós é a chave para gerar abundância em nossa vida. Segundo a Ayurveda, a abundância é direito de todo ser humano. Isso porque somos o microcosmo que reflete o macrocosmo – e este é absolutamente rico. Basta observar a natureza para experimentar um pouco dessa riqueza infinita da qual somos parte.

O segredo é acessar o campo da pura potencialidade – onde chegamos vivenciando o momento presente, o que nada mais é do que o estado meditativo. Quando nos conscientizamos de que somos simultaneamente a dança e o dançarino, a criação e o criador, entendemos que a riqueza ilimitada é inerente à nossa natureza. Temos em nós mesmos o poder de gerar abundância, riqueza e prosperidade em nossa vida e à nossa volta.

> O PODER DO CONHECIMENTO QUE EXISTE DENTRO DE CADA UM DE NÓS É A CHAVE PARA GERAR ABUNDÂNCIA EM NOSSA VIDA.

DESEJAR SE APRENDE

"Cuidado com o que deseja – você pode conseguir." Esse ditado, à primeira vista engraçado, é na verdade para ser levado a sério. Já sabemos que somos campos de energia e informação e que esses impulsos criam nossas experiências. Ora, se o que vivenciamos apenas reflete nossa atitude em relação à vida, é bom estar atento, pois, assim como podemos criar tudo de bom, podemos criar o mal.

EXERCÍCIO

Desejos

O ser humano chega a tal ponto de evolução que seus desejos são realizados espontaneamente. Mas, para começar, três passos nos ajudam a nos conectar com a fonte infinita de conhecimento e abundância.

- Defina um objetivo: Parece brincadeira, mas esse é um dos passos mais difíceis para a maioria das pessoas. Poucos de nós sabem desejar efetivamente, definindo bem o objeto do desejo e imaginando-o com riqueza de detalhes. Por exemplo: "quero ser rico" é um desejo vago demais. Melhor formular o desejo de forma completa: "Quero comprar uma casa que traga todo o conforto para mim e para minha família e onde possamos viver dias de muita felicidade".

- Medite: Aquiete-se em meditação para acessar a brecha entre os pensamentos, o campo da pura potencialidade. Tenha a intenção de jogar nesse campo o seu desejo, o seu objetivo.

- Desapegue-se do resultado e confie: liberte-se das expectativas. Você já fez a sua parte, o resto é com o universo, que se incumbirá dos detalhes. *Ishwara pranidhana.* (significa entrega e confiança no universo. É o quinto *niyama* de Patãnjali, como já vimos anteriormente).

A abundância tem várias traduções possíveis. No campo individual, podemos defini-la como sucesso – entendido como a expansão permanente da felicidade e a realização progressiva e espontânea dos nossos desejos. Para o mundo, abundância é paz – pois só em paz o ser humano pode construir qualquer coisa que valha a pena.

XII. GERANDO ABUNDÂNCIA   309

Quando nos colocamos em harmonia com a natureza e eliminamos a ansiedade, começamos nossa jornada em direção à abundância individual: esse estado abrange saúde, energia, entusiasmo, vontade de viver, relacionamentos benignos, estabilidade emocional, paz de espírito e tudo o mais de bom que há no mundo.

O sucesso, que no Ocidente costumamos relacionar apenas ao lado material, na Ayurveda está intimamente ligado ao lado espiritual. Como na lenda indiana, o sucesso nada mais é do que a expressão milagrosa das divindades que moram dentro de nós e esperam pela chance de desabrochar.

Como podemos nos conectar com essa energia de sucesso? Sete atitudes podem nos auxiliar – são as Sete Leis Espirituais do Sucesso, assim definidas por Deepak Chopra. Podemos também entendê-las como ímãs da abundância, prontos a gerar prosperidade em nossa vida.

OS ÍMÃS DA ABUNDÂNCIA

Aquietar a mente

A fonte de tudo o que existe é o campo da pura potencialidade, que, como já vimos, conseguimos acessar quando interrompemos o fluxo constante de pensamentos e acalmamos a mente – quando vivenciamos o aqui e o agora.

Ao entrar em contato com esse campo de infinita abundância, automaticamente acionamos seu absoluto poder de organização, o que gera energias poderosas para mudar nosso destino. É quando o universo começa a conspirar a nosso favor, criando oportunidades, encontros que vão realizar nossos desejos espontaneamente. Ao nos alinhar com essa força, passamos a usufruir da mesma abundância que existe na natureza.

Para aquietar a mente, temos três ótimas ferramentas:

- Meditar diariamente, duas vezes ao dia: como vimos no capítulo dedicado exclusivamente ao tema, a meditação faz bem para corpo, mente e espírito.
- Fazer retiros periódicos, sem nenhuma atividade: ir para algum lugar e ficando em silêncio, realmente abandonando a rotina caótica. Há retiros organizados para esse fim, ou podemos fazer o nosso, por nossa conta. O tempo mínimo é de três dias, podendo chegar a 10.
- Vivenciar o momento presente: ao escovar os dentes, apenas escove os dentes; ao ler este livro, apenas leia. Aceitar cada momento como se apresenta desestimula nossa mania de julgar, o que também auxilia no aquietamento do diálogo interior. Perdemos muito tempo na vida julgando acontecimentos e pessoas. Se aceitarmos que cada momento é como deveria ser e que cada pessoa age do nível de consciência em que se encontra, economizamos energia.

Como bem diz o Dalai Lama, não é nem mesmo necessário sentar para meditar. Parece utopia? Pois não é. Se de fato vivenciarmos cada momento como único, um só pensamento nos ocupará por vez e nossa existência se tornará um eterno agora.

Para que esse "agora" seja prazeroso, é interessante adotar um novo hábito: entrar em contato com a natureza. Morando em edifícios de apartamentos em metrópoles, podemos facilmente nos esquecer do bem que faz caminhar na grama, sentar à beira de um riacho, nadar no mar, abraçar uma árvore, aproveitar o calor do sol e apreciar o brilho das estrelas. Precisamos incorporar essas ações em nosso cotidiano com a intenção de trazer para dentro de nós pujança igual à que testemunhamos na natureza. A inteligência universal que se manifesta ao nosso redor é a mesma que nos move – somos dignos dela e merecedores dos milagres dos quais ela é capaz.

Dar e receber

O universo opera por meio de trocas: forças dinâmicas, opostas e complementares mantêm vivo o fluxo permanente dentro dele. Dar e receber são dois lados de uma mesma moeda, assim como luz e sombra, calor e frio. Um não existe sem o outro. Um complementa e torna o outro possível. É como diz o conto:

XII. GERANDO ABUNDÂNCIA

Um pai e seu filho subiam uma montanha, quando de repente o menino caiu e torceu o pé. Ao sentir a dor, gritou:

— Ai!

E, para sua surpresa, uma voz em algum lugar da montanha gritou de volta:

— Ai!

Curioso, o menino perguntou:

— Quem é você?

E recebeu como resposta:

— Quem é você?

Contrariado, ele gritou:

— Seu covarde!

E escutou de volta o mesmo insulto.

Aflito, o menino olhou então para o pai e perguntou o que estava acontecendo.

O homem sorriu:

— Meu filho, preste atenção.

E gritou em direção à montanha:

— Eu admiro você!

A voz respondeu:

— Eu admiro você!

De novo, o homem gritou:

— Você é um campeão!

A voz repetiu:

— Você é um campeão!

O menino ficou espantado até que o pai explicou:

— As pessoas chamam isso de eco, mas, na verdade, é a vida. A vida, assim como o eco, devolve tudo o que você lhe dá.

Portanto, devemos aprender a fazer aos outros o que queremos receber – pois é isso que teremos de volta do universo. Essa lei é implacável. E a melhor maneira de operá-la a nosso favor é treinando nossa capacidade de dar – dar com o coração, dar com atenção, dar com intenção, dar com amor.

A cada dia na vida, vamos dar algo a alguém – algo grande ou pequeno, a um amigo ou a um desconhecido. Vale ouvir quem precisa desabafar, abraçar quem necessita de consolo, desejar sorte a quem tem pela frente um desafio. É fácil assim e certeiro assim: o retorno virá – em geral, não da mesma pessoa, mas de algum outro ponto do universo.

Essa lei vale também para os bens materiais, que circulam da mesma forma que o sangue em nosso corpo. É sempre interessante doar uma parte do que se ganha – a doação amorosa abre um vácuo que o universo automaticamente se movimenta para preencher, gerando mais riqueza.

E tão importante quanto saber dar é saber receber. O que implica estar atento aos sinais, pois muitas vezes ficamos tão envolvidos em nosso dia a dia que não percebemos o retorno de nossas ações.

Esse círculo virtuoso se fecha com o agradecimento. A permanente atitude de gratidão para com a vida é um poderoso ímã de abundância. E temos sempre tanto pelo que agradecer: o ar que respiramos, o sol que nos aquece, o alimento que comemos, nossa família, nosso trabalho – enfim, todas as bênçãos que recebemos.

Mas devemos também agradecer pelas eventuais adversidades, pelos nossos inimigos e contratempos. Eles são professores que chegam para nos ensinar grandes lições, nos ajudar a evoluir como seres humanos em direção à melhor versão de nós mesmos.

Semear o que queremos colher

Toda ação produz uma força energética que retorna a nós da mesma forma como foi gerada. Essa lei universal tem tradução física: como provou Isaac Newton, todo objeto jogado em uma direção volta com a mesma intensidade na direção oposta.

Outra forma de ver essa verdade é lembrar que só se colhe o que se semeia. É o que pontua a sabedoria popular: "Quem semeia ventos, colhe tempestade". De nada adianta querer feijão e semear alface. Da mesma maneira, se semearmos paz, receberemos paz;

se semearmos amor, receberemos amor; se semearmos ódio, receberemos ódio. Esse é o eterno acerto de contas que o universo promove.

Amor e paz são componentes importantíssimos para a abundância. De que adianta a riqueza material acompanhada de desamor e intranquilidade? Para que a prosperidade se manifeste integralmente em nossa vida, devemos agir em benefício da felicidade e da prosperidade de todos aqueles que nos rodeiam também.

Em sânscrito, como já vimos, *karma* significa pura e simplesmente "ação". Cada ação gera, por sua vez, uma reação. A cada dia criamos à nossa volta uma teia de ações – que podem gerar alegria ou tristeza, saúde ou doença, paz ou caos.

De novo, para gerar bons *karmas*, precisamos, antes de mais nada, vivenciar o momento presente em sua totalidade. Só assim nos tornarmos conscientes de tudo o que fazemos ou pensamos. Muitas vezes, nem reparamos em nossas ações, tão prisioneiros estamos dos nossos hábitos. Ficamos como um cão ou gato que corre atrás do próprio rabo, sem jamais chegar a lugar nenhum. No meio dessa corrida, nem nos damos conta de que estamos competindo sem chance de ganhar – nessa maratona, todo o esforço é vão.

Observar nossas escolhas nos torna ricos imediatamente – em informação sobre nós mesmos, sobre o que nos alegra ou não, sobre o que nos move ou não. Antes de optar, é bom analisar as consequências daquela opção – não só para nós mesmos, mas para todas as pessoas à nossa volta. Convém também perceber as sensações do nosso corpo: elas nos dão sinais e respostas sábias. Normalmente, nosso corpo nos manda mensagens, sinais de conforto e desconforto. Para alguns, a mensagem vem pelo plexo solar; para outros, pelo estômago. O problema é que, no meio do turbilhão de pensamentos diários, desaprendemos de ouvir o corpo. O que é uma pena, pois, assim como dois mais dois são quatro, uma mensagem de conforto indica uma ação correta e uma de desconforto indica uma ação errada – óbvio e eficaz assim.

Nosso mestre interior, o divino dentro de nós, a nossa verdadeira essência tem as respostas para todas as nossas perguntas. Basta ouvir o coração. A união da razão e da intuição faz uma dupla infalível para nossa sabedoria.

Em relação ao acerto de contas de ações passadas, devemos sempre olhar as reações sob o prisma do otimismo: ver o copo sempre meio cheio, nunca meio vazio. A adversidade traz em si uma oportunidade de crescimento e aprimoramento. E a meditação é capaz de transcender o *karma* resultante de ações passadas que poderiam significar adversidades lá adiante.

No momento em que entramos no campo da pura potencialidade, purificamos todos os atos passados que poderiam gerar reações não tão agradáveis. Ao mesmo tempo, vivenciando o momento presente para fazer escolhas conscientes, colocamos nosso *karma* "em dia" – semeando apenas ações que nos trarão uma colheita proveitosa. Assim, geramos abundância para nós e para os outros.

EXERCÍCIO

O filme da sua vida

Tenha a intenção de transformar sua vida no filme mais lindo que você já viu: repleto de amor, compaixão e romantismo. Essas qualidades trazem esperança para o dia a dia, geram vontade de viver, entusiasmo e felicidade para que você seja a cada dia mais e mais abundante.

Escollha um ambiente tranquilo

Coloque o aroma de sua preferência no ar

Deite-se confortavelmente

Faça alguns ciclos de respirações profundas, procurando relaxar mais e mais.

Com os olhos de sua mente, comece a visualizar o que você quer para sua vida, colocando riqueza de detalhes, cores, formas, texturas. Vivencie cada situação com os cinco sentidos, para torná-la real.

Visualize tudo o que você quer para si como se fosse o decorrer de um filme, o desenrolar de cenas verdadeiras. Crie cenas de amor, de compaixão, de felicidade, de abundância, e de tudo o mais que quiser conquistar.

Ao terminar o exercício, faça mais algumas respirações profundas, e ainda com os olhos fechados volte a perceber os aromas e sons à sua volta. Só então abra os olhos, com a certeza de que você está transformando a sua vida.

Fazer o mínimo necessário

Ansiedade e esforço são ações antagônicas ao sucesso e à abundância. Basta olhar a natureza para provar essa verdade: o sol se esforça para brilhar? O dia se esforça para nascer? O inverno se esforça para esfriar?

A natureza não tem pressa – ela simplesmente é. Precisamos aprender a trazer essa qualidade para nossa vida. O que significa transcender o ego e sua permanente necessidade de controlar, de ter e exercer poder, de receber aprovação. Bem disse Carlos Castañeda em *A arte de sonhar*: "Perdemos nossa energia para sustentar nossa empáfia".

Hora de mudar. Quem baseia sua vida no campo invisível tem certeza de ser onipresente, onisciente e onipotente. Se todos somos um, por que ter medo? Por que ter insegurança? Quando a vida é puro amor e compaixão, economizamos toda aquela energia que seria consumida em vão na tentativa de controlar e julgar os outros. Nos tornamos senhores absolutos de quem somos. Nada mais importa.

Quando cada momento é exatamente como deveria ser, nos colocamos do lado da maré, não mais contra ela. Paramos de julgar e criticar, apenas aceitamos. E então todo o universo joga a nosso favor, passamos a fazer parte do fluxo natural e espontâneo da vida, que é também o fluxo da abundância.

E quando as coisas derem errado? O que não é para ser, não será – não adianta espernear. Mas temos a opção de transformar a decepção em sofrimento ou, ao contrário, em oportunidade de aprendizado. Se a decepção é com alguém, podemos usar o espelho dos relacionamentos para ver que aquilo de que não gostamos no outro é justamente o que não aceitamos em nós mesmos. Ao mesmo tempo, é importante desarmar nosso espírito, não tentar convencer ninguém – convidar, sim; estimular, sim; mas não tentar fazer o outro mudar de ideia porque a nossa visão de mundo é certa e a dele é errada. Afinal, isso é julgamento, o que em si já é perda de tempo. Quando desistimos de impor nossa vontade, evitamos discussões e brigas tolas que não nos levam a lugar nenhum. Nos tornamos mais leves e livres. Mais felizes também.

Flexibilidade é a palavra de ordem aqui. Como no exercício do bambu, que se move conforme o vento: um dia firme e ereto, no outro dia tocando o chão. E sempre em equilíbrio com a dança cósmica.

Vamos ter desejos, colocar neles nossas mais profundas intenções e aí... soltá-los com infinito desapego, sem expectativas e cheios da confiança de que o universo se incumbirá de realizá-los.

Está escrito nos *Vedas*: "Eu não me preocupo com o passado e não tenho medo do futuro, porque minha vida está intimamente ligada com o presente e, para cada situação que ocorra, todas as respostas certas virão a mim". Repetir todos os dias esta frase de poder, *sankalpa*, nos auxilia a estar em contato com a consciência pura, a que também chamamos intuição.

Focar a atenção e a intenção

Cada desejo traz em si os mecanismos de sua realização. As sementes de nossa intenção, jogadas no campo da pura potencialidade, dão movimento para que a realização ocorra, através do infinito poder de organização do universo.

Onde focamos nossa atenção, vai nossa intenção. Onde vai nossa intenção, junto segue a energia poderosa, geradora de sincronicidade. Os eventos sincrônicos são as famosas coincidências – na verdade, nossa própria energia gerando oportunidades espontâneas, capazes de mudar nossa vida.

Para melhor entender a intenção, pode-se pensar nela como o poder que move o desejo. Não basta sonhar, é preciso ousar. E o poder da intenção nos dá coragem para ousar e concretizar nossos sonhos. Nesse processo, podemos errar, podemos cair – e aí o segredo é aprender com o erro, é depressa levantar. E seguir em frente, intensificando nossa intenção para conseguir o que desejamos.

Às vezes, aquilo que achamos que queremos não é o melhor para nós. Não há problema, porque o universo se incumbe de nos dar o que merecemos – basta colocar nossa atenção no momento presente, o que potencializa o poder da intenção, e manter a inabalável certeza de que o melhor nos acontecerá e da melhor maneira.

Uma coisa é fundamental: desejar o bem de todos os envolvidos. Essa energia de compaixão é poderosa.

EXERCÍCIO

Conectando-se com seu desejo

Este é um passo a passo para você se conectar com o seu desejo todos os dias:

Prepare e aromatize o ambiente.

Sente-se confortavelmente, com a coluna ereta e os olhos fechados;

Faça várias inspirações profundas e relaxe ao expirar;

Sinta calma e aquiete a mente;

Pense em seu desejo, focando a sua atenção;

Vivencie seu desejo mentalmente por meio dos cinco sentidos: veja o seu desejo JÁ REALIZADO, sinta o cheiro do seu desejo JÁ REALIZADO, toque o seu desejo JÁ REALIZADO, ouça o seu desejo JÁ REALIZADO, sinta o gosto (da vitória) do seu desejo JÁ REALIZADO. Se o seu desejo for abstrato, use sua imaginação.

Envolva seu desejo em uma enorme bolha de sabão e assopre-a;

Visualize a bolha subindo, leve, solta, levando dentro de si o seu desejo JÁ REALIZADO até que ela desapareça por completo. Nesse momento, você plantou a semente do desejo no campo da pura potencialidade.

Agora, repita várias vezes a seguinte frase: "Isto ou melhor, para o bem maior de todos".
Assim, o universo irá ajudar você na escolha certa e minimizar a possibilidade de desejar algo que seja bom apenas para si. Lembre-se: o desejo deve ser bom para todos.

Tenha agora uma atitude de gratidão ao universo.

Desapegue-se de qualquer expectativa em relação aos resultados e entregue: *ishwara pranidhana* (o quinto *niyama*, já visto no capítulo sobre *yoga*). Confie que o seu desejo seja materializado no plano físico. O universo cuidará de cada detalhe através de seu infinito poder de organização.

Continue sua meditação, aquietando a mente por mais algum tempo, permitindo que as sementes realmente sejam plantadas. É o primeiro passo para que possam germinar.

Desapegar-se dos resultados

Incerteza deixa as pessoas em desconforto. Diante do incerto, sentimos medo e tendemos a nos apegar ao conhecido – ou ao que estiver mais à mão. Mas não deveria ser assim.

O apego excessivo só nos impede de atingir nossos objetivos. Até porque segurança não existe. Nosso mundo é incerto por definição – e isso é bom se levarmos em conta que na incerteza reside a criatividade. Abraçar o desconhecido permite que nos libertemos de nosso passado e de padrões antigos que não nos servem mais, ao mesmo tempo, nós damos licença ao universo para criar a nosso favor.

Segundo o médico e escritor Deepak Chopra, através da incerteza damos saltos quânticos de criatividade. Um salto quântico é quando uma partícula muda seu estado de energia. Por exemplo, as lâmpadas de flúor: o átomo de flúor recebe uma corrente elétrica que nele despeja elétrons num nível de energia mais alto; esse estado não é confortável para o átomo, que devolve os elétrons para um nível confortável, mas quando faz isso, os elétrons têm que devolver a energia recebida a mais e o fazem em forma de luz; por isso a luz fluoresce. O salto quântico de criatividade se dá quando entramos num estado de energia alterado e devolvemos essa energia ao universo em forma de criação. Se tivéssemos certeza de tudo, permaneceríamos estagnados.

Uma importante característica de nossa alma é sua intimidade com a incerteza – mas com inabalável confiança no universo, acreditando que, seja o que for, será bom. Essa certeza maior em meio à total incerteza do mundo se traduz em paz e em felicidade. Porque, enquanto a segurança lá fora é efêmera, ilusória, dependente de inúmeros fatores externos totalmente imprevisíveis, a segurança interior é inabalável – nada pode atingi-la. Quem pensa que estará seguro quando tiver "n" milhões no banco se engana; quem sabe que está seguro porque o universo provê se aquieta, não precisa mais buscar nada lá fora. E se torna mais feliz.

Diante dessa realidade, um só apego nos faz bem: o apego às nossas intenções, ainda que desapegadas dos resultados. De novo: porque o que tiver que ser, será – e será sempre o que deveria ser.

Quando nos entregamos sem reservas à incerteza do mundo, mas certos de que o universo provê, mergulhamos fundo no campo da pura potencialidade e passamos a gerar os eventos sincrônicos. Se quisermos forçar as soluções para nossos problemas, tendemos a criar novos problemas. Se confiarmos na solução, começaremos a presenciar os milagres, as soluções que emergem por si do caos, da confusão.

Normalmente, chamamos a isso de "sorte". Quantas vezes nos pegamos dizendo: "Fulano de tal tem sorte". Cada um dê o nome que quiser, mas o fato é que a sorte é criação nossa. Basta que observemos os sinais, basta que estejamos atentos para aproveitar as oportunidades que o universo nos oferece. Daí a importância de estar no aqui e no agora: porque é preciso pegar o trem quando ele passa.

Encontrar o propósito de vida

Cada um de nós carrega em si um dom, algo que fazemos especialmente bem. Somente seremos felizes quando conseguirmos descobrir esse dom e aprendermos a dedicá-lo não só em benefício próprio, mas no de toda a humanidade.

Quando fazemos algo e o tempo não passa, estamos vivendo fora do nosso propósito de vida, fora do nosso *dharma*. Quando fazemos algo e o tempo voa, estamos vivendo dentro do nosso *dharma*.

Ao nascer, assumimos uma forma física como instrumento para cumprir esse propósito. Todos os pais têm a responsabilidade de ensinar seus filhos a buscar seu *dharma* e encaminhá-los para sua realização. Se cada criança descobrisse seu *dharma* em tenra idade, quanto sofrimento seria evitado... E como o mundo seria melhor!

Mais importante do que aprender a ganhar dinheiro ou a ser um profissional competente é encontrar o próprio *dharma* – porque a abundância é consequência quando nos alinhamos a ele. Uma abundância verdadeira e duradoura, não passageira como a conseguida fora do *dharma*.

Não somos seres humanos tendo neste planeta experiências espirituais. Somos, isso sim, seres espirituais que estamos aqui para ter experiências humanas. Quando vivenciamos nosso *dharma*, essas experiências alimentam nosso espírito e nós projetamos essa paz interior para a consciência coletiva. Viver em *dharma*, portanto, beneficia o planeta como um todo. A vida passa a ser a expressão milagrosa de nossa divindade interior – ou da melhor versão de nós mesmos.

Um é pouco, sete é perfeito

Quando colocamos os sete ímãs de abundância em ação simultaneamente, nos conectamos com as leis da própria natureza. Cada atitude oferece suporte à outra e todas se incumbem de auxiliar na concretização de nossos desejos.

Sucesso material e satisfação espiritual são as consequências naturais dessa nossa conexão com a abundância universal. E as duas coisas não são contraditórias. Estamos neste planeta para ser felizes. E nossa experiência humana precisa do conforto material até para podermos ter maior liberdade de nos dedicar à busca espiritual.

EXERCÍCIO

Semana da abundância

Um bom caminho para irmos nos tornando íntimos dos ímãs da abundância é dedicar um dia a cada um deles. A ideia é começar no domingo, com o primeiro ímã: aquietar

XII. GERANDO ABUNDÂNCIA 321

a mente. Na segunda-feira, é a vez de dar e receber. E assim por diante, até fecharmos a semana com o sábado, dedicado à descoberta do *dharma*. Este exercício pode ser repetido semanalmente, até passarmos a vivenciá-lo naturalmente. Com o tempo, utilizaremos os ímãs da abundância naturalmente, sem nem precisar pensar nisso. No momento em que uma massa crítica de pessoas estiver conectada à abundância individual, a abundância coletiva também se manifestará.

Domingo

meditar

vivenciar o momento presente ao longo de todo o dia

integrar-se com a natureza

Segunda-feira

dar alguma coisa a alguém

receber agradecido o que lhe for dado

manter o fluxo da riqueza circulando

Terça-feira

tomar a posição do observador, percebendo como se dá o seu processo de escolha

atentar para os sinais de conforto e desconforto do corpo diante de cada escolha

analisar as consequências de sua escolha para todos os envolvidos

Quarta-feira

aceitar todos os momentos como são

aceitar todas as pessoas como são

não tentar convencer os outros de seus pontos de vista

Quinta-feira

listar seus desejos

ler sua lista antes de cada meditação do dia, antes de dormir e também logo cedo, antes de se levantar, entregar seus desejos ao universo e confiar

Sexta-feira

aceitar-se como você é

aceitar a incerteza e aprender a desfrutá-la, sendo criativo

meditar com a intenção de experimentar a magia da vida

Sábado

nutrir a divindade que existe dentro de você

listar seus talentos e seus gostos para descobrir seu dom

perguntar-se como você pode servir aos outros por meio de seu dom

Abundância coletiva

Sendo o coletivo a soma das partes, a abundância coletiva se manifestará a partir do momento em que muitos seres humanos estejam vibrando na frequência da prosperidade.

Num mundo generalizadamente violento como o nosso, a abundância coletiva precisa começar pela paz – que torna possível a realização dos nossos outros desejos. E cada pessoa pode fazer a sua parte, tornando a paz mundial um desejo próprio – sobre o qual podemos atuar a cada dia.

Sabemos que a violência do mundo nada mais é do que o reflexo da violência de cada um de nós. Essa é uma boa notícia, pois significa que, se mudarmos o nosso coração, poderemos mudar o mundo. Não é pretensão, nem ingenuidade – é fato.

Mahatma Gandhi falou a verdade quando disse: "Nós temos que ser a mudança que queremos ver no mundo". Essa mudança começa aqui e agora, com a abertura de nossos corações e com uma mudança de atitude que gerará uma expansão de nossa consciência. E Mahatma Gandhi ainda continua: "O caminho não é a paz, a paz é o caminho".

Os ímãs da paz são atitudes que podemos tomar e que nos colocarão – e às pessoas ao nosso redor – nesse caminho de paz. Mais uma vez, foi Deepak Chopra quem primeiro sistematizou essas sete ações.

OS ÍMÃS DA PAZ

Incorporar a paz

Para atrair paz, precisamos nos tornar a própria paz – ou melhor, reencontrá-la dentro de nós mesmos, uma vez que ela é a nossa essência.

Há duas ótimas meditações para incorporar a paz:

- ❀ repetir o *mantra shanti*, que significa "paz" em sânscrito
- ❀ repetir o *mantra lokah samastah sukino bhavantu* (pronuncia-se: "locá, samastá, suquinô, bavantú"), que denota a intenção de paz entre os seres humanos

Quando acessamos o campo da pura potencialidade, colocando lá nossa intenção de paz, ela se fortalece e vai sendo gravada em nossa memória celular. Ao terminar a meditação, precisamos manter a atitude pacífica e pacificadora ao longo de todo o dia, todos os dias. É assim que verdadeiramente incorporamos a paz.

Pensar a paz

Nada existe que não tenha sido pensado em algum momento. Como já vimos, os pensamentos são poderosos e se transformam em realidade.

A intenção de paz fortalece ainda mais um pensamento – que, projetado na consciência coletiva, tornará o mundo seu reflexo.

Vale todo tipo de pensamento de paz: com os vizinhos, com a família, com os companheiros de trabalho. E também no nível macro: o mundo em paz.

Sentir paz

Compaixão, compreensão e amor são os sentimentos que geram paz. Ao nos identificar com o sofrimento alheio, passamos a compreendê-lo – o que é essencial, pois só somos capazes de amar o que compreendemos. O amor, portanto, abre a oportunidade de paz.

Pôr em prática este ímã da paz significa tentar conscientemente sentir compaixão pelos que estão ao nosso redor. Para tanto, é preciso parar de julgar e aceitar cada um como é.

Nem sempre isso é fácil – mas é possível. E, como tudo, o treino leva à perfeição. O fundamental é observar *tapas*, o autoesforço, a disciplina (de que falamos no capítulo sobre *yoga*).

Falar de paz

Já conhecemos o poder da palavra: sua energia move montanhas. Quando escolhemos conscientemente falar de paz, nos colocamos em paz e compartilhamos esse sentimento.

Antes de falarmos qualquer coisa, é bom sempre testar as três peneiras:

❀ **a peneira da bondade**: o que vamos falar é bom?

❀ **a peneira da verdade**: temos certeza de que o que vamos falar é verdade?

❀ **a peneira da necessidade**: precisamos mesmo falar sobre isso?

O teste deve seguir essa ordem e só o que passa pelas três pode então ser dito – porque certamente será uma palavra de paz.

Não é por acaso que temos duas orelhas e uma boca: para ouvir mais e falar menos. Muito do que falamos é oportunidade perdida de calar. Ao nos treinar para falar menos, falamos melhor.

Agir pela paz

Pensamentos e palavras precisam ser acompanhados da ação para mudar a realidade. Assim, precisamos efetivamente agir pela paz. Como? Ajudando quem precisa, não revidando uma agressão, oferecendo gratidão e reconhecimento.

Na hora em que todos somos um, em que não há fronteiras – de país, de religião, do que seja –, a paz é o único caminho.

Criar paz

Todos somos capazes de criar paz ao nosso redor. Basta colocar a criatividade para funcionar; basta buscar soluções levando em consideração o bem comum.

Um bom exemplo disso é o "*Yoga* pela Paz" – um projeto que nasceu em 2006 e que teve como finalidade unir milhares de pessoas em São Paulo para meditar pela paz, criando assim uma massa crítica com a intenção de mudar a cidade na medida em que o sentimento geral de paz projetava-se na consciência coletiva. O evento deverá se repetir anualmente. É assim que o desejo de paz de uma pessoa conquista outras, se transforma em realidade e faz a diferença.

Compartilhar paz

Além de criar paz, devemos compartilhá-la – incentivar os outros a usar os ímãs dessa abundância coletiva. Dessa forma, podemos tudo: minimizar a fome, a miséria e, juntos, mudar o mundo.

EXERCÍCIO

A corrente do bem

Por que não ensinar nossos amigos a atrair a abundância e assim começar uma corrente do bem? Cada elo será formado por uma pessoa feliz, realizada, rica em todos os sentidos e que projeta toda essa energia positiva ao seu redor.

ÚLTIMAS PALAVRAS

Paz, harmonia, alegria, amor, abundância. Todos esses desejos seguem-se a um básico: o de saúde. Sem saúde todas as nossas riquezas são nada. Com saúde, tudo é possível – só depende de nós.

Ayurveda – Cultura de bem-viver é nossa contribuição para quem busca os caminhos de uma vida mais saudável e feliz. Ao reconhecer que somos corpo, mente e espírito e trabalhar nesses três níveis, a ciência da longevidade nos oferece ferramentas práticas para alcançar nosso objetivo maior: voltar para casa – pois toda doença é saudade do lar.

Nossa casa é o universo, é o todo do qual somos parte, mas nos esquecemos. O resultado desse divórcio é o caos que experimentamos hoje, é nossa civilização que substituiu o ser pelo ter e encontrou apenas o conflito. Para que haja paz no mundo é preciso que haja paz no coração de cada um de nós. É preciso que entremos em sintonia com a natureza, da qual somos parte. Ayurveda oferece um caminho delicioso para isso – e prático também.

Quem tem paz é feliz. E quem é feliz respeita a si e aos outros, respeita todo ser vivo. Nasce assim uma nova civilização, assim salvamos nosso planeta hoje ameaçado. Nunca é demais lembrar: todos somos um.

Namastê, ou, em bom português, o divino que existe em mim saúda o divino que existe em você e todos somos um.

BIBLIOGRAFIA

BARROS, Lúcia. *Meditação, yoga e medicina ayurveda.* São Paulo: Caras, 2004.

CHOPRA, Deepak. *Perfect Health. The Complete Mind Body Guide.* Revised ed. New York: Three Rivers Press, 1991.

_____ . *How to Know God. The Soul's Journey into the Mystery of Mysteries.* New York: Harmony Books, 2000. [*Como conhecer Deus.* Rio de Janeiro: Rocco, 2001]

_____ . *As sete leis espirituais.* 50ª ed. São Paulo: Best Seller, 1996. (: 2006).

_____ . & SIMON, David. *The Wisdom of Healing. Integrating the Mind Body Sciences of East and West.* La Jolla: 1994.

_____ . & SIMON, David. *Grow Younger, Live Longer.* New York: Harmony Books, 2001.

CLARK, John H. *A Map of Mental States,* citado por Georg Feuerstein em *The Yoga Tradition: Its History, Literature, Philosophy and Practice,* Prescott: Hohm Press, 1998.

DE LUCA, Márcia. *A idade do poder: Transformação, saúde e beleza para a mulher.* 2ª ed. São Paulo: Tornado Editorial, 2003.

FEUERSTEIN, Georg. *The Yoga Tradition, Its History, Literature, Philosophy and Practice.* Prescott: Hohm Press, 1998.

FRAWLEY, David. *Ayurvedic Healing,* American Institute of Vedic Studies Correspondence Course For Health Care Professionals, Santa Fe, 1992.

_____ . *Ayurveda and The Mind. The Healing of Consciousness.* Twin Lakes: Lotus Press, 1997.

_____ . *Yoga & Ayurveda Self-Healing and Self-Realization.* Twin Lakes: Lotus Press, 1999.

_____ . *Ayurvedic Healing. A Comprehensive Guide.* Second ed. Twin Lakes: Lotus Press, 2000.

_____ . & KOZAK, Summerfield Sandra. *Yoga for Your Type. An Ayurvedic Approach to Your Asana Practice.* New Delhi: New Age Books, 2003.

_____ . & LAD, Vasant. *The Yoga of Herbs. An Ayurvedic Guide to Herbal Medicine.* Second ed. Twin Lakes: Lotus Press, 1988.

GLEISER, Marcelo. *O fim da terra e do céu.* São Paulo, Cia. das Letras, 2001.

_____ . "Dos céus à Terra", *O Estado de S. Paulo,* 22/01/2006.

LAD, Vasant. *Ayurveda. The Science of Self-Healing.* Second ed. Wilmot: Lotus Press, 1985.

_____ . *The Complete Book of Ayurvedic Home Remedies.* New York: Harmony Books, 1998.

SHARMA, Hari & CLARK, Christopher. *Contemporary Ayurveda Medicine and Research in Maharishi Ayur-Veda.* New York: Churchill Livingstone, 1998.

SIMON, David. *The Wisdom of Healing.* New York: Harmony Books, 1997.

TIRTHA, Swami Sada Shiva. *The Ayurveda Encyclopedia. Natural Secrets to Healing, Prevention & Longevity.* Fifth ed. New York: Ayurveda Holistic Center Press, 2005.

TIWARI, Bri Maya. *The Path of Practice. A Woman's Book of Ayuvedic Healing.* New York: Ballantine Wellspring, 2001.

VERMA, Vinod. *Ayurveda. A Way of Life.* York Beach: Samuel Weiser, 1955.